THE FACILITATOR

ザ・ファシリテーター

はじめに

「こんなとき、日本企業ではどうするんだ?」

泊まり込みで、次年度計画を議論する会議の初日が終わった後、同僚の米国人幹部が、苦々しい顔で話しかけてきた。こんな調子で会議を続けていては、勉強にはなっても、いい計画はつくれないと彼は言うのだ。

日本と米国、両方の企業を経験している私としては、「日本人より、あなたたちのほうがホワイトカラーの生産性は高いよ」と言いたいところだったが、その気持ちを笑顔で飲み込んだ。

「そうだね。ギャップアナリシスに、フォース・フィールド・アナリシスを取り入れてみてはどうだろう。今回の目標未達の原因は、社員の行動が期待どおりでなかったからという側面が多分にある。そこを掘り下げずに、いつもどおりのギャップアナリシスをやって、次年度の計画を立てても、君の言うように、また失敗するだろう。ここは一つ、社員が実際に受けている見えざるフォース(圧力)に問題がないか、可視化して検討するというのはどうだい?」

さっそく翌日は、予定を変更して、私がファシリテーター役を引き受けることになった。社員の行動に影響を与えているフォース・フィールド・アナリシスを、ギャップアナリシスに加える。そのうえで、組織行動を変える方策を次年度計画に盛り込むためだ。

ファシリテーションという概念が定着している米国では、それほど珍しいシーンではないが、さて、あなたの身の回りではどうだろう？　お決まりのように、答えの出ないワンパターンの会議↓行動を続けてはいないだろうか？

ファシリテーションについては、最近、会議効率化のノウハウとして日本でも紹介されるようになってきたが、皮相な理解だと思う。そういった見方を払拭するため、ファシリテーションがどのように組織の活性化、組織変革、そして個人の成長・行動の変化につながっていくのかというプロセスを描き出してみたいと考えるようになった。

本書は、それを小説仕立てで実現しようとするものである。場面は企業である。組織変革をテーマとした。主人公は、黒澤涼子という三〇代後半の女性。中規模の応用化学品メーカーのSCC社で、マーケティング部門のセグメント・リーダーだった彼女が、畑違いの製品開発センター長に抜擢されるところから、この物語は始まる。やがて彼女は、専門知識面でも、年齢でも自分を上回る男性の部下を率い、ファシリテーションを駆使して成果をあげはじめる。それに気づいた社長の亀井は、黒澤涼子の手法を活かしたプロジェクトで、全社の課題解決に乗り出す。そして……。

組織変革に絡めながら、ファシリテーションのさまざまなノウハウをできる限り盛り込んだつもりだ。ファシリテーションのスキルだけを切り出して紹介しても、リーダーシップのあり方、組織に働く人々の反応を同時に描かなければ、実践にはつながりにくいだろう。小説という表現形式をとったのはそのためだ。言うまでもないことだが、これはあくまでフィクションであり、私の経験をそのまま書いたものではない。しかし、荒唐無稽でもない。ファシリテーションによって活性化した人・組織が、ここに描いたような短い時間の間に、大きな変化をもたらすことは私自身経験してきたことであり、見聞きするところでもある。

さて、ファシリテーションとは何だろうか？　私は、「人と人とのインタラクション（相互作用）を活発にし、創造的なアウトプットを引き出すもの」と定義したい。チームが課題を共有し、効果的に考えを交流させ、創造的な答えを導き出す。動機が内存化し、自発的で活力に溢れた行動が生まれる。１＋１が2以上になるようなポジティブな化学反応が現れる。これが、優れたファシリテーションの効果である。

人と人とのインタラクションを活性化させるには、人間関係につきまとうさまざまなマイナスの感情、不必要な遠慮や配慮を排除し、積極的なプラスの感情を横溢させることが必要である。またチームが同じ波長で思考するための納得性のある議論のフレームワークを提供し、効率的なグループ思考を促すことが必要だ。そのために、ファシリテーションを心得る人たちはメンバーの話をよく聴き、場を選び、目的を見据えて最適なパスを選択する。

議論された結果が速やかに実行に移され、その実行の結果を受けて次の行動が選択される。そのためには、クロック・スピードの速い、アクション・オリエンテッドな風土をつくることもファシリテーションの役割だと私は考えている。

ところで、ファシリテーションには、もう一つ見落としてはならない重要な効果がある。それは、ファシリテーションを学ぶことによって、自らも変わるということである。人の言うことにしっかりと耳を傾ける姿勢、物事を事実ベースで分析的に捉える視点、多面的な観察力、バランスのとれた思考力、情緒的な安定、説得力、エネルギッシュな行動力等々、ファシリテーションを学ぶことで、自らの変化を感じる人は多い。自分の感受性、価値観、他人との関係の持ち方、思考プロセスなどについて常に観察し、自分自身をファシリテートできるようになること、これも本書の狙いの一つである。

このようなファシリテーションのスキルやマインドは、スポーツと同じように体験しなければ習得しがたい。小説形式はまた、読者にファシリテーションとその効果を疑似体験してもらう機会を提供できるかもしれない。

主人公の黒澤涼子は、女性であり、年齢的にも、そして業務に関する知識においてさえもリーダーとして不利な立場にある。そのハンディをいかに彼女が乗り越えていくのか。ファシリテーションのハウツウ書としてだけでなく、物語としても楽しんでいただけるとすれば、著者としてこれに勝る幸せはない。

ザ・ファシリテーター……目次

第3章 全社改革へ

第4章 SWAT

第5章 エグゼキューション

第6章 何が変わったのか

THE FACILITATOR

第1章

リーダーズ・インテグレーション

任命

「えっ、私がですか」

リョウは言葉を詰まらせた。社長の亀井の突然の言葉に驚き、一瞬、いつもの鋭い思考力を失った。口に出してから、バカな質問だとリョウは思った。

「そうだ。君にやってほしい。来週から」

「あの、私の後任はどうするのですか？」

「幸い、君の指導のおかげで、山本君が育ってきた。彼にやってもらおうと思っている。どうかね」

亀井の眼は、文句はないだろうと語っている。

「ええ。まあ、彼ならやれると思いますが……」

「それなら決まりだ。来週の月曜日にウェブに載せて発表するから、準備を始めてくれ。開発センターのある川崎には、君、通えるね」

亀井は畳み掛けるように話した。彼の癖だ。

「つ、通勤のほうは問題ありませんが、しかし……」

「君ならやれるよ。いや、開発センターを大きく変えるには君しかいないと思っている。マーケティングを変えたようにね。二年で変えてくれ。その後は、またマーケティングに戻ってもらうから」

「あの、あまりに突然のお話で、少し気が動転してるんですが……。二、三お伺いしてもいいでしょうか?」

亀井が微笑むのを見て、黒澤涼子は少し冷静さを取り戻した。

「まず、マーケティング本部長は、この話をご存じなんでしょうか?」

リョウは、自分の思考のペースを取り戻そうと、ゆっくりと言葉を選んだ。

「もちろんだよ。桜井本部長は、ここに同席したいと言っていたが、あいにく急な中国出張が入ってしまったからね。彼も君が研究開発センター長になることには賛成だ。片腕をもがれるようだとは言っていたがね」

「そうですか。それで、なぜ私なのでしょうか? これまでのセンター長は、技術系で、年齢的にも私より一回りぐらい上の方がなっていましたよね」

開発センターには、技術系の大学院を卒業して入社し、以来ずっとこの部署にいるという人たちが多い。二割ぐらいは博士で、直属の部下となる室長八名全員がリョウより年上だ。それを考えるとリョウは気が重かった。

「若輩で、しかも畑違いの私に務まるとは思えませんが……」

女性の私が、とは口にしなかった。

「話は簡単だ。君は三年前に事務機器分野のマーケティング・リーダーとなった。あのときも抜擢だったね。誰も君に務まるとは思っていなかった。三五歳で、六人の部下を持つリーダーだ。当時、女性があの職に就くこともはじめてだった。桜井マーケティング本部長の強力な推薦がなければ、とてもできなかった人事だった」

亀井は、今回の人事の背景を語りはじめた。

「その結果、どうだね。この三年間で、事務機器分野の業績は飛躍的に上がった。売上げにして七五パーセントは増えただろう。これは、君のリーダーシップによるところが大きい。君のところのスタッフは、はじめは女の下につくのかと言っていたらしいが、ひと月もしない間に目の色が変わり、活き活きと仕事をしはじめた。三か月後には、事務機器マーケティングのホームページが見違えるように変わっていたな。私は君たちからレポートをもらわなくても、あのページを見ているだけで、業績がしっかりつかめるようになった。それで、君から提案のあった業績報告会議を月例から四半期単位に減らすことに同意したわけだ。後で聞いたのだが、あれは君、部下に対する約束だったらしいね。『無駄な会議』の数を減らすという。私への業績報告会は『無駄な会議』だったわけだ」

「いやっ、そういうことでは……」

リョウは言い訳をしようとしたが、亀井がさえぎった。

「まあ、聞きたまえ。三年前の君は、マーケティングのプロというわけでも、事務機器業界の知識があるわけでもなかった。しかし、その職責を見事に果たした。誰も予想できないぐらいに変えたと言ったほうがいいな。皆、驚いとるよ。君の、あのファシリテーションというやつかな。皆からスポンジのように意見を吸収して、魔法使いのように解決策を打ち出していく。不思議と皆がやる気を出し、マーケティング内部だけでなく、営業も製造も、そして製品開発も君のところの仕事だと張り切ってやるようになった」

リョウはいささか照れくさかったが、これまでの努力が認められたようで嬉しくもあった。

「実は、私がいまいちばん心配しているのは、製品開発力だ。開発センターには、一〇〇人以上の優秀な技術者がいて製品開発をしているわけだが、君も知ってのとおり、とにかくスピードが遅い。この後当社が業績をあげていくためには、差別化された製品をスピーディーに出していくことが重要なのに、開発センターを見ていると、どうもいままでの遺産だけで食っている感じだ。そう思うだろう。マーケティングにいる君がいちばんそれを感じているはずだ」

亀井は、リョウの反応を眼で促した。

「えぇ、それはそうですが、私に開発センター長が務まるとは……」

リョウは自分のことに話を戻した。

「君に期待していることは、まずこれから二年間で、アウトプットを二倍にすること、先を見て特許もしっかり出してもらいたい。もう一つ、センターの経費も一割カットしてほしい」

「えっ!?」

リョウは、亀井の要求に目を丸くした。

「開発センターといえども我が社の活動の一部だ。予算を増額したいところだが、会社全体でこれからさらに三割はコストを下げないといけないと思っている。だから一割カットは全体から見れば強化とも言える。これからの世の中、コスト競争力のない会社は、まず生き残る資格がないからね」

「きついですね。もっと成果を出せ、スピードを上げろ、そしてコストを下げろですか。それを私のような素人が開発センター長になってやれというのは、失礼ですが、かなり乱暴な人事だと思います」

「『はやい、うまい、安い』吉野家の牛丼じゃないが、世の中そうなっていることは君がよく知っている」

亀井は彼一流のジョークを交えながらも、もはや目は笑っていなかった。

「いまの開発センターには、それを本当にわかっているやつはおらん。何かというと、できない理由を言い立ててくる。開発センターの意識を変え、動きを変えてほしいんだよ。君がマーケティングでやったようにね」

亀井の言葉に、有無を言わせぬ力がこもった。

「これはサバイバルゲームなのだ。私の言った目標が、会社に必要なことは君にはよくわかっているはずだ」

リョウの目の奥を覗き込むように、亀井はニンマリと笑った。その愛嬌のある顔を見て、リョウは反論する気持ちが失せていくのを感じた。

「わかりました。社長がそこまで言われるのなら、やってみます。幸いこの三年間のマーケティングの経験で、開発センターに対して、いろいろ期待するところはありますから……。いま社長の言われたチャレンジ、やってみます」

その返事に、亀井の目尻が少し緩むのをリョウは見落とさなかった。すかさず、リョウは、「社長の貪欲さには勝てません」と舌を出した。

「じゃ、決まりだ。しっかりやってくれ。帰りに人事によって、星川部長に引き受けましたと言っておいてくれないか。それから開発センター長は私にレポートだ。毎週月曜日の早朝幹部会（朝会）に出席するように。来週からだ。ウェブに載る人事異動に皆が気づく前に、幹部連中に紹介する」


人事の星川部長は席を外していた。人事部には、リョウと同期の塩崎貴志がいた。

「決まったようだね」

目を合わすなり、塩崎から声をかけてきた。

「知っていたの？　なら、どうして事前に教えてくれなかったの？」

「職務上の義務でね」

塩崎は楽しそうに言った。

「来週早速、例の歓迎会をやろうか。僕がファシリテーターをやるよ」

塩崎は、リョウの背中を押すように続けた。

「女性であること、年の若さ、学歴・職歴、あらゆる面で、君を受け入れない理由が開発センターには山ほどある。それを一気に取り払う『御払い』をさっさとやろうぜ」

塩崎は、三年前にリョウがマーケティングのリーダーになったときにやった「新任管理職インテグレーション」をやろうというのだ。グループダイナミックス理論の応用で、新しい管理職をすばやくグループに溶け込ませるための手法だ。リーダーの出入りの激しい欧米企業などでよく用いられる。

「手回しがいいわね」

「どうした？　元気ないじゃないか。すごい昇進だぜ。開発センター長と言えば役員待遇だよ。うらやましい限りだ」

「三年前のマーケティングと違って、今回はちょっと気が重いのよ。やったことのない仕事だし。開発センターの技術者の人たちって、皆、その道の専門家でしょう。どうやったらいいのか、正直言ってよくわからない」

「さすがの強気のおリョウさんもお手上げか。そんな弱音を聞くとは思わなかったな。どうだい、今夜あたり飲みに行く？」

「いや、今夜はやめとく。明日マーケのスタッフを集めて、事前に私の異動の説明をしておきたいし。少し考えたいこともあるから。明日は時間ある？　新任管理職インテグレーションだけじゃなくて、塩崎君にはいろいろ手伝ってほしいことが出てくると思うから」

「いいよ。明日は三時以降ならオーケーだ」

「じゃ、三時にどこか会議室とっといて」

「もちろんです。センター長！」

「やめてくれる」

リョウは塩崎のオチャラケにも笑う気になれなかった。

デスクに戻ったリョウは、桜井本部長の席を覗いてみた。もちろん出張でいない。スタッフもほとんどが客先に出ていて、オフィスは閑散としている。

「明日朝の打合せで、自分のスタッフに話そう。皆驚くだろうな。後任に指名される山ちゃんにはいい機会になるはず。さて、私はと……」

リョウは独り言を言いながら、考えをめぐらせた。営業部門との会議が夕刻にあったが、急用ということでキャンセルし、とりあえず家に帰ることにした。気持ちの整理をしたかったのだ。

インテグレーション・プラン

開発センター長になるという発表に、リョウのスタッフ全員が、驚きを隠せなかった。月曜の発令までは口外無用と言っておいたが、恐らく、今日中にこの人事は会社中に知れ渡るだろう。何となく、自分を見る目が変わっているように感じた。

午後三時。塩崎が予約しておいた三階の会議室で、リョウは塩崎と二人で打合せを始めた。

「塩崎君、来週のインテグレーションは、マーケのときのものに、少し手を加えたいのだけど」

「どうしたいんだい？」

「亀井社長からチャレンジされている目標について皆と話したいの」

「君のインテグレーションでかい？　それはちょっとどうかな……。刺激が強すぎるような気がするな」

塩崎は、亀井の期待の高さを知っていた。それをいきなり室長たちにぶつけることに躊躇した。

「焦っているわけじゃないけど、はじめが肝心だと思うのよね。インテグレーションを一回やって終えるのじゃなくて、そこで出てきた課題を引き続き議論してアクションプランをつくっていきたいのよ」

リョウは、様子を見てじっくり取り組むより、はじめに、変化があることを皆に伝えたいと考えていた。

「どう思う？」

「そうだね。亀井社長からは二年間で一割コストカット、アウトプット二倍って言われたんだよね」

「そう」

塩崎は少し考えて、

「まず、一年分を話したらどうだろうか。それで、次のような手順でどうかな」

と言って、ホワイトボードに向かって、書きはじめた（**図表1**）。

「一年目の、といっても残り九か月しかないけど、その目標と抱負を、リョウの口からはじめに話し

図表1

1. リョウが自己紹介を兼ねて今年の目標と抱負を述べる……15分

リョウ退場

2. アイスブレーク:リョウについて知っていることを挙げてもらう……20分
3. 次に、リョウについて知りたいことを挙げてもらう……45分
4. あわせて、リョウに知っておいてほしいことも挙げてもらう……10分
5. 今年の目標を達成するために皆がどう貢献できるかを挙げてもらう……30分

全員退室、リョウ入室

6. 塩崎が議論の内容をリョウに説明……20分

全員入室

7. リョウが壁に貼られている質問やコメントに答える……45分

飲み会

目標達成のためのアクションプランについては持ち越して議論する

てもらう」

　書きながら、塩崎が説明を始める。

「その後は、君がマーケのリーダーになったときにやったのとほぼ同じだよね。君は部屋を出て、皆が君を気にすることなく意見が言えるようにする。前回同様、僕がファシリテーターとなって皆の意見を引き出し、フリップチャートや大型のポストイットに書き出して壁に貼っていくよ。皆、リョウのことはある程度知っているから、アイスブレークの質問は、二つ目に書いたようなのがいいと思う」

「そうね。でも、誰を対象にする？　一〇〇人全員は無理でしょう」

「君の直属の部下になる室長たちだよね。え〜っと、糸川室長、佐藤、大森、石川、村田、小西、西村、武田と八人かな。ちょうどいいくらいの人数じゃない」

「全員私より年上ね」

「気になるかい？」

「そうじゃないけど、彼らの気持ちを考えると、複雑ね。製品開発なんかやったことない年下の女がボスとしてやってくるのだから。ベテランの専門家の皆さんの気持ち、複雑だろうなって」

「君の仕事は、前任者の山口センター長とは違って、いわゆるラボマネージャーじゃないんだよ、リョウ。この会社が成長するためのエンジンとして開発センターを変身させること。製品開発の経験なんて関係ないよ。期待されているのは、君のビジネスリーダーとしてのセンスとリーダーシップだよ」

　塩崎は、リョウに向き直った。

「そうね。ごめん。続けましょう」

自分を勇気づけようとするように、リョウは眼を大きく開けた。

「アイスブレークで、気分をほぐすために、君の面白い側面を知っておきたいんだけれど……」

塩崎は気分転換に訊いてみた。

「何かないって言ったって、そうね。最近、ウサギを飼いはじめたわね。クッキーっていう名前にしたの。三八歳になる独身女性がウサギを飼いはじめるって、どう？」

「ウサギね。オーケー。相変わらず、ジョギングとか水泳とかはやってるの？」

「そっちは、ほら健康管理だから、ぜんぜん面白くないいんじゃない？」

「なるほど、モーレツウーマンの健康管理か」

「そういうこと」

「フルートは？」

「そっちはプロだから」

「またまた」

リョウは、自分のリズムを取り戻すように乗せてくれる塩崎の気遣いに感謝した。

「今度、演奏会やるのよ。聴きにきて。目黒区区民会館で六月三日の日曜日ね。チケット安くしとくから」

「はいはい、わかりました」

「これ、絶対話題にしてね。チケット、捌かなくっちゃいけないから」

「……」

塩崎は、冗談とも本気ともとれるリョウの要請に生返事をして、話を戻した。

「本題だけど、皆の気分が少しほぐれてきたところで、君について知りたいことを訊く。これも定番だよね。三年前にも同じことをやったと思う」

「そうね。でも、ここがいちばん重要なところだから、しっかりファシリテートしてね」

「もちろん。それに、今回は、リョウに知っておいてほしいことも訊いてみようと思うけど、いいかな？」

「それはいいけど、何を期待しているの？」

「彼らは、自分たちを開発のプロだと思ってる。そうだろう？」

「そうね」

「その彼らが、素人のお姉ちゃんにいきなり上司になられちゃう。自尊心ボロボロのはずだよね」

「そうかもね」

「そう。そこで、『我々はプロで、言われなくたってちゃんと仕事はできる。黙って見ていてくれ』といったことを感じているはず。そのあたりのことを聞き出そうというわけ。半分はガス抜きだけど、リョウにとっても結構参考になるんじゃないかな」

「それ、結構面白いかもね。皆のそういう声を聞きたい。そして、それに面と向かって応えたいわね」

「実は、この次の質問の枕にもなる」

塩崎が続けた。

「マクラ？」

「うん。リョウが冒頭に掲げる今年の目標に『皆がどう貢献できるか』という質問の枕。開発のスピードアップだとか、マーケティングとの連携とか、旅費や実験費の節約とか、いろいろ出ると思うんだよね」

「オッケー、それでいいわ」

リョウは力強く答えた。

「その後、皆と入れ替わりに私が入室して、塩崎君からフリップチャートなんか見ながら、どんな議論があったのかを聞く」

「そうそう」

「私の心の準備ができたところで皆に入ってきてもらって、挙げられた質問に、私から答えるように話をするって趣向ね」

「リョウのことだから、あんまり心配してないけど、結構批判的な意見や、度胸を試すような質問も出ると思うよ」

「大いに結構。それに答えられないようじゃ、この仕事は務まらないもん」

「お〜、昨日よりか、だいぶ肝っ玉が据わってきたね。そうこなくっちゃ」

タックマンモデル

「何言ってんのよ。それより、最後忘れちゃダメよ」

リョウがどんどん先に考えをめぐらしはじめていることに塩崎は気づいた。

「飲み会、じゃなくてその後ね」

「そう、この時間じゃ、とても目標達成の案なんか議論できない。狙いは私のインテグレーション。ただここで、この後の議論への導入を用意しておきたいの」

「導入って?」

「その次の週の週末ぐらいにどこかに合宿して、終日かけて議論したいの。そうね、金曜日の夕方から出かけて、その夜はお酒でも飲みながら愚痴っぽくグッタラグッタラと議論する。一応議論する形式はとるし、いろいろデータも見せるけど、金曜の夜は、皆の気持ちを思いっきり吐き出させたい」

「なるほど、それで?」

「翌日の土曜日には、朝日の中、スキッとした頭で議論し直す。そうすると『いつまでも愚痴ってても仕方ない。前向きの議論をしよう』って気分になると思うんだ。そういう会議のできる、安くて、しかも職場からの開放感のある場所を探してくれない?」

「なるほどタックマンか」

塩崎はリョウの考えている手順が、心理学者のタックマンが組織の進化として唱えたモデルをベースにしていると気づいた。

組織は、形成（フォーミング）された後、すぐに機能（パーフォーミング）しはじめるのではなく、その前に、ストーミング（混乱・対立）があり、ノーミング（統一）が進んではじめて機能しはじめるというモデルである。英語では、韻を踏んで、フォーミング、ストーミング、ノーミング、アンド・パーフォーミングと言われる。

「塩崎君、見かけによらず結構勉強してるのね」

「何言ってんだよ。三年前にこっちが教えたんじゃないか」

「まっ、それよ。って言うか、私の経験ね。お互い感情的になって、机を叩いて激論し、大混乱するような議論をしつくして、くたびれ、その無意味さに気づいたとき、前向きのエネルギーが出はじめる。ストーミングを省いちゃうと、いくら筋の通った議論をしてもハートに響かないのよね。そういうプロセスを意識的につくって、次の週末にやりたいの。それまでに、コスト分析や、これまでの開発成果などをいろいろ分析しておくから。塩崎君は、場所を探しておいてくれる」

「『それから、ファシリテーションも』だろう」

「わかってんじゃん」

「週末ご苦労さん。こっちも暇じゃないんだけどね」

手弁当を、塩崎は少し愚痴ってみた。しかし、リョウの熱意としたたかなリーダーシップに、骨身を惜しむつもりはなかった。

「それじゃ、私のインテグレーションのほうは来週の金曜日の午後から、川崎の開発センターでやるからお願いね。この計画でいくと、三時間半って感じね」

リョウは、ホワイトボードを見ながら時間を計算した。

「あまり時間にこだわらずにやりたいから、二時からはじめて六時までに終わればよしと。その後近くの居酒屋で飲み会。右脳型のインテグレーションにしましょう」

「そう言えば、リョウは歌好きだったよね。へたっぴーだけど」

「大きなお世話。そのほうが愛嬌があっていいんです～」

ワークアウト

「確認だけど、合宿はその翌週末ということでいいよね」

「そう。畳み掛けるようにやりたい。コストが安くて、十分仕事場からの開放感のあるところ。GE式のワークアウトのできるところを探しといてね。川崎のセンターから、皆でクルマを相乗りしていけるといいな」

ＧＥ式のワークアウトとは、二〇〇一年にＧＥを退任した会長のジャック・ウェルチが、日本の小集団活動や米国のタウンミーティングにヒントを得て八〇年代にはじめた活動である。ＧＥの研修センター、クロトンビルのトップで、ＣＬＯ（最高学習責任者）をしていたスティーブ・カーや、ミシガン大学のビジネススクールのデーブ・ウルリヒ教授、コンサルタントのロン・アシュケナスなどが、それを発展させ、ウェルチ改革の原動力の一つとなったと言われる。スティーブ・カーらは、その狙いと効果を以下の五点に要約している。

- ひたすら「ストレッチ」する
- 「システムシンキング」を育てる
- 既成概念にとらわれない水平思考を促す
- 本当の権限委譲と「説明責任」を生み出す
- 短サイクルでの変革とすばやい意思決定を手にする

『ＧＥ式ワークアウト』（高橋透・伊藤武志訳、日経ＢＰ社）

リョウは、このワークアウトの要領で、自分の出す課題に対して皆の知恵を集め、コミットメントを結集しようと考えていた。

「了解しました、センター長」

ちゃかす塩崎を後に、リョウは財務部門に向かった。川本啓介財務部長にコスト分析を依頼するためだ。

分析

「川本さん、ちょっとお願いがあるのですが……」

パソコンに向かっていた川本に声をかけた。

「おう、リョウちゃんのためだったら、何だってやってあげるよ。何だい」

いつもの軽いノリで川本は答えた。

「実は、開発センターのコスト分析をお願いしたいんです」

「おぉ、じゃ、センター長やるのか」

「えっ、ご存じだったんですか？」

「いや、知らなかったけど、社長の考えそうな人事じゃないか。亀井さんは、以前から製品開発に、もっと経営の中核を担ってほしいって考えていたからね、君みたいに経営のセンスがあって、マーケティングにも強い、リーダーシップのある人はうってつけだよ」

「そう簡単に言わないでください。私には製品開発のことはよくわかりませんから、困ってるんですよ」

「ま、心配は心配だろうけどね」

川本はあまり油を売っている暇がないらしく、急かした。

「それで何をしてほしい？」

「お忙しいところすみませんが、昨年の開発センターの経費を四半期単位でパレート分析したものと、今年の第1四半期の結果も欲しいんです。できれば二段階で」

「二段階？」

「まずは大費目でパレート分析して、そのコストの大きな費目トップスリーについて、さらにその中をパレート分析して、小費目レベルまで見えるようにしてもらえないかと」

「なるほど、コスト削減を言い渡されたわけね。いいよ、三週間ぐらい待ってくれる？」

「再来週の水曜日までにお願いします。その週末に、スタッフ全員で合宿して、議論するのに使いたいので。お願いします」

リョウは川本の顔の前で手を合わせ、拝む仕草をした。

「再来週か、きついなぁ。まあ、やらせてみるけど、ウチも人手が足りないからね。保証はできないよ」確かに財務は忙しそうだった。

「誰にやらせるのですか？　岸さんですか？」リョウは怯まない。

「おいおい、直談判に及びそうな勢いだな」

「そのつもりです。岸さんですよね」

「わかった。再来週の水曜日に間に合わせるようにするから」

こっちも忙しいんだと言わんばかりの顔を、川本は見せた。

「もう一つお願いがあります。過去五年間の開発センターの経費実績と要員数の推移も出してもらえませんか」

川本はやや顔をしかめた。

「わかった。やらせとくよ。その代わり……」

「川本さん、ありがとうございま〜す」

リョウは陽気に大声を張り上げた。川本の交換条件が聞こえなかったかのように、すばやくペコッと頭を下げると、部屋を出た。


デスクに戻る。電話機が、ボイスメールの入っていることを告げていた。今朝から何度か電話をしてもつかまらなかった山口開発センター長からのものだ。すぐに電話を入れてみると、甲高い声が返ってきた。

「ああ、黒澤さん？　何度か電話もらってたみたいで、失敬。今日、ウチのスタッフに君が私の後任になる話をしといたよ」

リョウは息をひそめた。

「皆さん、驚いたでしょうね」

「ああ、驚いていた。しかし、僕は君みたいな人がやってみるのもいいかもしれないと思うね。亀井さんらしいよ」

「本当ですか？　私にはまだよくわからないのですが……」

「すぐにわかるようになるさ」

山口には屈託がない。定年退職してゆっくりできるという気持ちからだろうか。

「そうですか。ところで、火曜日にそちらにお伺いしてもいいですか？　いろいろ伺いたいことがあるので」

「もちろんいいよ。次の週から君はここの主なんだから。それまでの間にしっかり引き継がんと私が怒られる」

「ありがとうございます。特許の出願状況とか、スタッフの皆さんのこととか、進行中のプロジェクトのことなどいろいろお話を伺いたいものですから」

「もちろんだ。君の後任は山本君だろう？　ということは、そちらの引継ぎはほとんど不要だろう。さっさと川崎に来て、一週間、みっちり仕事の引継ぎをやってくれ。実は、こっちの整理はもう終わってるんだ。君にとっては突然だったと思うが、私の退職は、前から決まっていたからね」

山口は、自分の退職を喜んでいるようだった。

リョウは、できるだけ早く状況をつかみたかった。自分が担当していた事務機器関係の製品開発には、結構深くかかわっていたけれど、それ以外のことはまったく知らない。特許に至っては、何も知らない。開発センターがどれだけのお金をどう使って、どんなことをやっているのか、早くつかみ、方針を出したかった。

一方、開発センターの技術者の心を早くつかみたいとも思う。これまで付き合いはあったが、上司部下の関係ではない。いままで本心を語ってくれていた人たちも、これからは貝のように口を閉ざすかもしれない。知的生産者が意欲を失っては、生産性が著しく下がる。何とか彼らの気持ちを盛り上げたい。その方策を早く見つけたいと、気持ちが急くのを抑えきれないでいた。

一週間

月曜日の早朝、早朝幹部会が開かれた。マーケティングの桜井本部長は帰国していた。ほかに営業の松本本部長、財務の川本部長、人事の星川部長ら東京本社の面々に加え、川崎の事業所から、製造の渡瀬本部長、調達の平野部長、品質管理の小寺部長、そして製品開発の山口センター長らが出張してきていた。

プロジェクターが先週の売上げ、週間目標との差異、来週の目標値などを壁に映し出していた。

「おはようございます」

亀井社長がいつものように口火を切った。

「ご存じのように山口センター長が来週退職されますが、その後任ということで、今朝、東京のオフィスには、黒澤涼子クンが来てくれています」一瞬どよめきのようなものがあったようにリョウは感じた。が、実際にはちょっとした間があっただけだった。

「黒澤クンは、四年前に入社し、マーケティングで画期的な成果をあげてくれたことは皆さんご存じのとおりです。このたび山口センター長が退職されるにあたって、後任について皆さんからいろいろご意見をいただいたが、黒澤クンが最適ということで、やっていただくことにしました。彼女には、山口センター長が育成した人材を活かし、開発センターを当社の成長のエンジンに変身させ、成果をあげてもらうよう期待しています。皆さんの惜しみない協力をお願いします」

亀井社長は簡単にリョウを紹介し、

「黒澤クン、何か挨拶はないかい？」

とリョウの方に向き直った。

「皆さん、黒澤です。先週の木曜日に亀井社長からこのお話を伺い、とても光栄であると同時に驚いています。正直、私に務まるのか心配です。早くも社長からはたいへんな課題を与えられてしまいました。どうか、いままで以上に、皆さんのお力を貸してください。よろしくお願いします」

リョウは簡潔に挨拶をした。ふっとスクリーンを見ると、画面は社内ＬＡＮの人事異動のページに変わっている。

黒澤涼子（旧）マーケティング本部　事務機器セグメント・リーダー
（新）製品開発センター長

その画面を見て、改めて胸の高鳴りを覚えた。

早朝幹部会の後、その日は山本への引継ぎに専念した。火曜日の午後には川崎の製品開発センターに出社し、木曜日まで山口の最後の一週間に付き合った。いかに山口センター長が慕われているかがよくわかった。一方、彼が自由放任で、「やりたいようにやらせる」というのが方針だったことにも気づいた。マネジメントと言えることをしていなかったのではないか、とさえ感じる。

山口センター長に、来週末に合宿してチームビルディングを図ると話すと、大賛成してくれた。準備に必要な資料の用意をお願いしたところ、整理のいい山口は、ほとんどその場で、揃っているデータを出してきた。その中にある分析レベルの高さを見て、自分とは異なるタイプのリーダーだったのかもしれない、とリョウは山口のことを思い直した。

ファシリテーション

朝八時に川崎の開発センターに着くと、ちょうど人事の塩崎が駅の方から歩いてくるのが見えた。

「やあ、早いね」

どちらともなく声をかけた。

「どう、ファシリテーションの準備は？」

「どうってことない。先週打ち合わせたとおりやるだけだよ。それより、センター長さんの心の準備は大丈夫でしょうかね？」

「正直、ちょっと不安。今週火曜日からここに来ているけど、皆、大人しいというか、本心を出さないのよね。黙々と遅くまで仕事している」

「そうだろうね。ここの技術者の連中は優秀だけど、結構、物静かだからね。そうそう、来週末のオフサイトミーティングの会場、いいところが山中湖の方に見つかったよ。ここからならクルマで、一時間ちょっとで行ける」

塩崎の声が少し弾んでいるように感じた。

「近くていいわね。どんなところ？」

「日本ファシリテーション協会というところが紹介してくれた研修所でね、ワークショップをやるには理想的な設備が揃っているらしい」

「いくらぐらい？」

「タイミングがよくて安くしてもらえたよ。金曜日の午後から入って、一泊二日。会議室やら諸設備込みで、一人六五〇〇円で上がる」

「それはいいわね。一〇人で七万円足らずか。それなら出せる」

「食事は入ってないよ」

「オッケー。周りに、いくらでもコンビニやレストランがあるでしょう。それに決めよう。皆には、来週の土曜日をあけておくように言ってあるから」

「了解」

「それじゃ、二時からセンターの大会議室に来てくれる？　飲み会は六時半から、近くの『虎吉』を予約しといたから。そっちも出てくれるよね」

気持ちが声に出た。弾んでいる。リョウは前向きの気分が高まるのを感じた。

＊＊＊＊＊　＊＊＊　＊＊＊＊＊

二時少し過ぎ、開発センターの大会議室には、リョウの直属の部下となる八人の室長が勢ぞろいし、それにグループ秘書の横倉洋子も加わった。

まず、塩崎が口火を切った。

「皆さん、今日はどうも。新しくセンター長になられた黒澤さんのインテグレーションを始めたいと思いますが、これやったことのある方はいらっしゃいますか？」

誰も声を上げない。

「ありませんか。それじゃ簡単に要領を説明しますね」

塩崎はすばやく引き取って、以前にリョウと打ち合わせた手順を大まかに説明した。

「それじゃ、はじめにリョウ、いや黒澤さんから、挨拶をお願いします」

「こんにちは、黒澤です。今週一週間、皆さんのいろいろな活動に参加させてもらい、飲み会にも参加させていただきましたが、今日は、塩崎さんのファシリテーションで、皆さんとのコミュニケーションの足場をしっかりつくりたいと思います」

ゆっくりと、しかしハッキリした口調で、リョウは話しはじめた。

「リーダーズ・インテグレーションは、皆さんはじめてのようですね。これは、皆さんに私や私の方針について知りたいことを忌憚なく話してもらって、それに率直に私からお答えするというものです。好きでも嫌いでも、私と皆さんはこれから一緒に仕事をしていくわけで、私たちのコミュニケーションは不可欠です。私がどんな人間か、皆さんがどういうスタイルで仕事をしたいか、この機会にしっかり理解し合いたいと思います」

こう話すと、リョウはゆっくりと、皆を見渡す。出席者の表情には何も浮かんでいない。気にせずに方針を話すことにする。

「はじめに、私のほうから今年の年末までに達成したい目標を、簡単にお話ししたいと思います。ご存じのように世界的にコスト圧力が強まっている中で、コスト競争力を強化することは当センターの重要な役割の一つです。これまでも、調達部門と一緒になって、低コストの新しいサプライヤーの選択に取り組んできました。またより低コストの原料が使えるように、製品設計にも意欲的に取り組んできたと思います。製品のコストダウンに関する目標は、七パーセントです」

リーダーたちの目に驚きと懐疑の光が宿った。原油価格が高止まりしている中、残り九か月で七パーセントは決してたやすくない。

「また、厳しい話ですが、当開発センターの運営費も一〇パーセント圧縮したいと思います」

リョウのこの言葉にざわめきが起こった。

ファシリテーターの塩崎も、このいきなりの爆弾発言に驚いた様子だ。亀井社長からは二年で一割のコストダウンを言い渡されていたはずだ。リョウは九か月でそれを達成するよう皆に提案している。

「次ですが、単に安かろうということでは、中国をはじめとする低コスト国からの追い上げに勝ち目はありません。いままで以上に顧客ニーズを洞察し、顧客に対する価値を創造すること、これが中長期的にこの会社の生命線であり、ひいては、皆さんの雇用を確保することになります。顧客に対する価値創造こそ、当開発センターの『使命』に他なりません。私は、この会社の生命線を握る開発センター長を仰せつかって、非常に感激しています。ぜひ皆さんと一緒になって、年内に七〇パーセントアウトプットを高め、社長はじめ、社員全員をアッと言わせようではありませんか。ここでいうアウトプットとは、最終的には、皆さんが開発した製品が稼ぐ儲けで計られるべきものですが、結果が出るまでに時間がかかります。どういう形で短期間にアウトプットを計測したらいいのか、皆さんの知恵をお借りしたいと思います」

目標値の高さに、八人の室長たちは唖然としているのだろうか、表情が硬くなっているようにリョウには見えた。

「計測できるアウトプットの一つに、特許も入れたいと思います。マーケティングのときに、競合他社がすでに用途特許を押さえていて、ウチは、つくっても買ってもらえないという話をよく聞きました。山口センター長に一昨日お伺いしたところでは、この三年間ほど、コストダウンの一環で特許出願を抑えてきたそうですね」

室長たちの顔に少し苦笑いが浮かんだ。

「特許は、もちろん数を出せばいいというものではありませんが、予算圧縮のために重要な特許を出さずにいるということは主客転倒です。ぜひ製品開発だけでなく、製品特許、用途特許、プロセス特許をしっかり出すようにしてください。目標は昨年の二倍です。以上についての具体的方策は、水曜日にお話ししたように、来週金曜の夕刻からオフサイトのミーティングをして、皆さんと具体策を議論したいと思っています。貴重な週末をつぶして恐縮ですが、よろしくお願いします」

リョウは、もう少しこの過激な目標値に反応があるかと思っていたが、気が抜けるほどに反応はなかった。オフサイトの合宿にも、全員が出席するという。反応は強くないが、一見拒否反応もなさそうに見える。

「さて、最後に、しかし最も重要なことの一つですが、私の使命は、皆さんが大きな成果をあげるのをお手伝いすることだと考えています。山口センター長と違って、私には技術的なバックグラウンドはありません。私にできることは、より価値の高い案件の発掘と優先順位づけです。それを技術的に解決するのは皆さんの仕事です。私は口出ししません。皆さんの努力が最も効果的に会社の力になるようにするのが私の仕事です。どうか皆さんの知恵を私に貸してください。そして一緒に、やりがいのある大きな仕事にチャレンジして、達成感を分かち合いたいと思っています」

塩崎が立ち上がり、八人のリーダーとグループ秘書の横倉の方に向き直る。

「黒澤さん、ありがとうございます。ここで新センター長には退出してもらいますが、その前に、何かいまのお話について質問はありますか？」

最年長の糸川室長が手を挙げた。

「開発センターの予算をさらに一〇パーセント下げたいということですが、人を減らすということですか？　物費用の削減は、そろそろ限界にきていますからね」

リョウはゆっくりと、質問した糸川に向き直った。

「コストダウンの手段は、これから皆さんと議論していきたいと思います。糸川室長は人を減らす必要があるとお考えですか?」

「いや、そう言っているわけではないが……」

「そうですか。方法については、先ほど申し上げた目標を達成するために何が必要か、十分に皆さんと議論をしたうえでやるべきことを果敢にやっていきましょう、というのがいまの私に言えることです」

少し気まずさが漂ったように塩崎は感じたが、追加の質問の出る様子はない。塩崎は次に進めることにした。

「それでは、黒澤さん、しばらく席を外してください。ご本人を前にしては発言しにくいという人もいると思いますからね」

塩崎は、少し軽妙なトーンでリョウの退席を促した。

「さて、はじめに」

出て行くリョウを見送りながら、塩崎が続けた。

「黒澤さんについて皆さんが知っていることを教えてください。どんどん遠慮なく話してください。私が、書き留めていきますから」と言って、ま新しいフリップチャートに向かって右手を挙げた。手にはフェルトペンが握られている。「どうですか?」と振り向きながら再度促すと、一人の室長が快活に声を上げた。

「事務機器セグメントのマーケティングのリーダーとして大きな成果をあげた。大したリーダーシップや」

大阪出身の佐藤室長だった。事務機器セグメント関連の製品開発を担当しているため、リョウとはなじみだ。

「そうですね。そう書き留めます。他にはどうですか?」

「フルートがうまいと聞いたことがあるな」と別の声。

「え〜っ、本当。知らなかったな」

「スタンフォード大学のＭＢＡ」

「そうですね」と、うなずきながら塩崎はペンを走らせる。

普段、言葉少ない開発センターの室長たちから、どんどんと言葉が出てきた。塩崎はこのことに少し驚きながら、フリップチャートを埋めていった。あっという間に紙面がいっぱいになり（図表2）、参加者に手伝ってもらいながら、そのフリップチャートを壁に貼る。これだけ多くのコメントが出てくるということは、リョウがよく知られているということに他ならない。そして、それはプラス要因だと塩崎は感じた。

「皆さん、黒澤さんのことをよくご存じですね」

塩崎は、このエクササイズで室長たちが乗ってきたと感じた。アイスブレーク成功だ。

「では、次に黒澤さんについて知りたいこと、訊いてみたいことを挙げてください」

図表 2

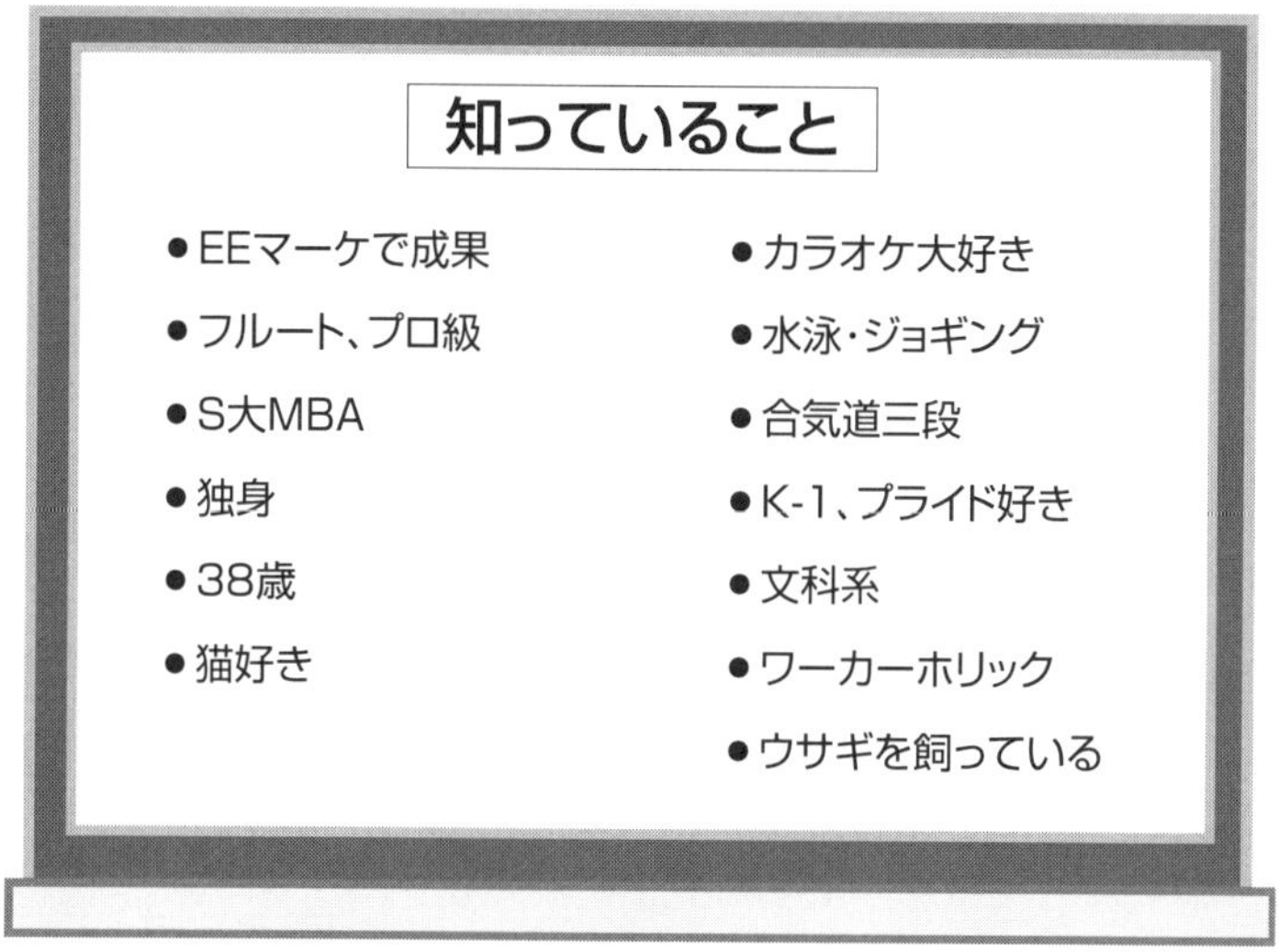
知っていること
●EEマーケで成果
●フルート、プロ級
●S大MBA
●独身
●38歳
●猫好き
●カラオケ大好き
●水泳・ジョギング
●合気道三段
●K-1、プライド好き
●文科系
●ワーカーホリック
●ウサギを飼っている

案の定、今度はなかなか発言が出ない。こういう質問に慣れていないのかもしれない。なにか躊躇いがあるのか、いや、あまりこういうことを考えたことがないに違いない、と塩崎は思った。

「ありませんか？　フルート以外にどんな趣味があるのかとか、黒澤さんは朝型か夜型かとか、いろいろあると思いますが、どうですか？」

相手の緊張をほぐすような簡単な質問を何度か繰り返してから、次第に核心に迫る質問を繰り出していく。ベテランのジャーナリストなどがよく使うインタビューのテクニックだが、ファシリテーターにとっても重要なスキルだ。塩崎は、先ほどの話題をかぶせながら、訊きやすそうなことに水を向けてみた。

「そうね、じゃ、趣味はなんですか？」と第一声が上がった。

「黒澤さんがマーケティングで活躍していたこと

がさっき出ましたが、その成功の秘訣を訊きたいですね」

「『成功の秘訣』、いいですね」

と塩崎は、相手の発言を鸚鵡返ししながら書き留めた。発言を繰り返すことで、相手への同意の気持ちを伝えることができる。塩崎は、発言を促すために意図的に繰り返した。

「ちょっと訊きにくいけど、いいかな」

古株の大森が口を開いた。

「技術的なバックグラウンドもないし、いきなり開発センター長になって来て、どうやって皆をリードするつもりかって。ちょっとキツイかな、これ」

「それ、きついわ」佐藤が受けた。

やっと出た、と内心思いながら塩崎は口を開いた。

「いや、いい質問だと思います。当然の疑問ですよね。せっかく黒澤さんには席を外してもらっているのですから、そういう本音の疑問をどんどん投げてください。それにちゃんと答えられてこそ、リーダーですからね」

と言いつつ、フリップチャートに記した。

「それじゃ、もう一つ厳しい質問」

武田室長が手を挙げた。技術的には評価の高い人だが、技術至上主義的な気分の強いタイプだ。

「黒澤センター長と意見が対立したときには、どうやって解決したらいいのか教えてほしいな。これからいろいろ出てくると思うんでね」

「いい質問ですね」

塩崎はうなずき、身振りで次の質問を促す。

「単に意見が対立するだけのときと、感情的にもつれることもあるよ」

「小西さん、いいポイントですね。両方、書きましょう」

塩崎は、小西のポイントを書き留めた。

「センター長をやるうえで、自分の性格上、問題だと思うことを三つ挙げてもらおう」

それまで沈黙を守っていた村田がいきなり発言した。平静を装ってはいるが、やや敵意が感じられなくはない。

「それもいい質問ですね。ただ、悪いところだけでなく、いいところも訊いてみませんか？『黒澤さんの何が開発センター長としての強みか』とか？」

「いいですよ。両方訊きましょう」

村田は同意した。

ファシリテーターにとって、フェアであることは大切だ。そのためには、発言を記録しているだけでなく、時には反対の立場に立って、異なる視点から発言を促すことも必要だ。

図表3

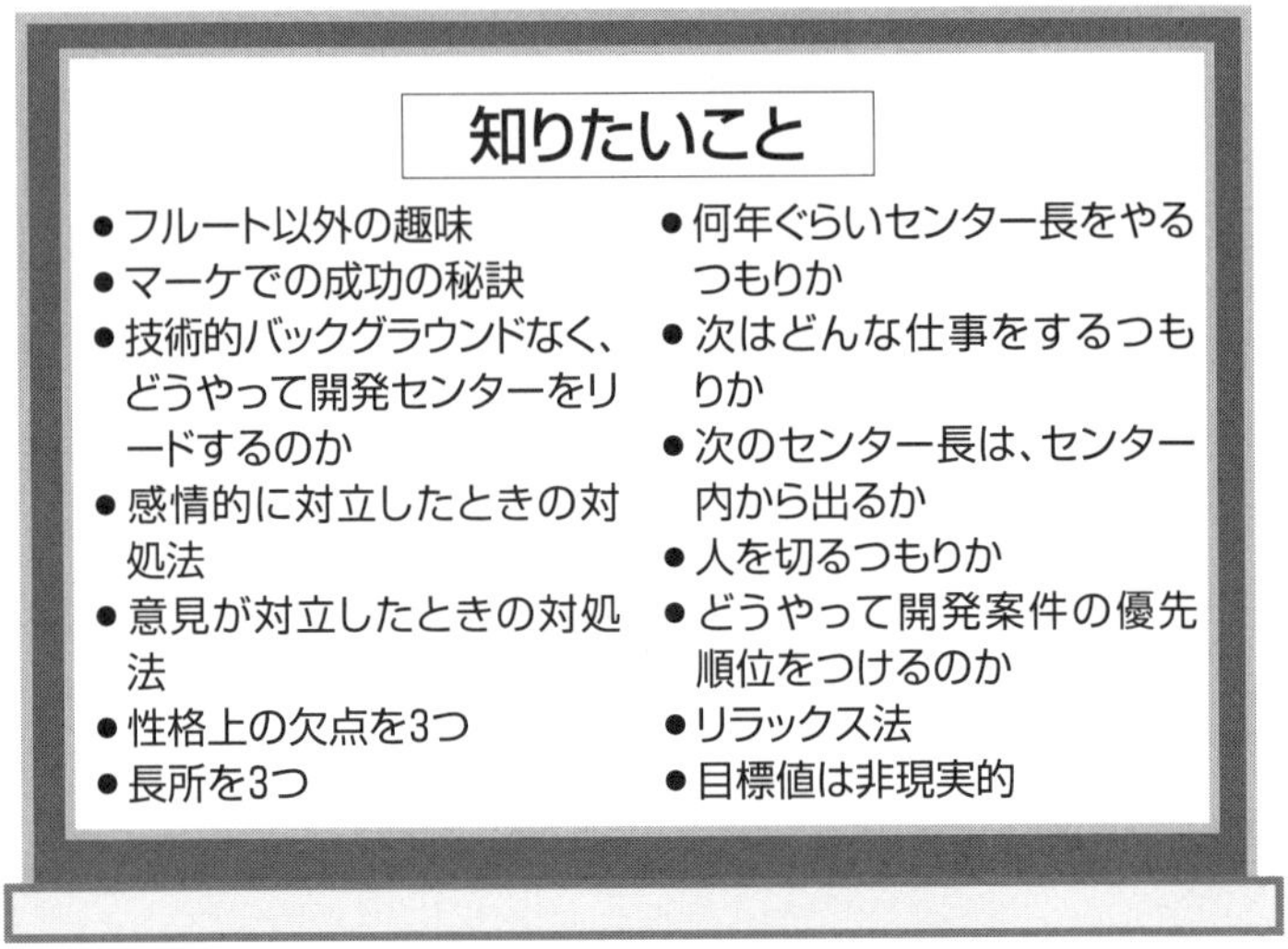
知りたいこと
●フルート以外の趣味
●マーケでの成功の秘訣
●技術的バックグラウンドなく、どうやって開発センターをリードするのか
●感情的に対立したときの対処法
●意見が対立したときの対処法
●性格上の欠点を3つ
●長所を3つ
●何年ぐらいセンター長をやるつもりか
●次はどんな仕事をするつもりか
●次のセンター長は、センター内から出るか
●人を切るつもりか
●どうやって開発案件の優先順位をつけるのか
●リラックス法
●目標値は非現実的

はじめはあまり出なかった質問も、ここにきて、どんどん出はじめるようになってきた。本音が出ている。「気持ちが開いてきたな」と、塩崎は感じた。

外部から来た、年下の女性リーダー。しかも製品開発の経験もない。そういう新リーダーに対する不信感が口をついて出はじめたのだ。次々と出る質問。時々、その具体的な意味を確認しながら、塩崎はフリップチャートにキーワードを書いていった。予想どおり、リョウに期待する前向きな意見はほとんど出てこない（**図表3**）。

「すごくストレスのかかる仕事だと思うのですが、リラックスの方法なんかを知りたいです」

それまで発言しなかったアシスタントの洋子が小さな声を出した。

「それもいい質問ですね」

批判にさらされているリョウに対して、同性として助けたいという気持ちが表れているると、皆が感じたのだろうか。それで質問は途切れた。

「さて、そろそろ質問も出つくしたかなという感じがします。いまの横倉さんの質問にも関連するのですが、次の課題に移りたいと思います。いいでしょうか」

少し間をとって見回す。

「それでは皆さん。黒澤さんがはじめに話された今年の目標について、皆さんがどう貢献できるか、経験の乏しい黒澤さんをリーダーとして盛り立て、成果をあげる方法を教えてください」

本来計画していた次の質問は、「黒澤新センター長に知っておいてほしいことは何か」だったが、塩崎は、これを後回しにして、議論の流れからこの質問に移ることにした。

「あの目標は現実的じゃないよ。ここはマーケティングとは違うんだから、製品開発はそう短期間に成果は出せない」

武田だった。

「あの目標は、黒澤さんが勝手につくったものではないと思います。亀井社長から出てきたものではないかと思います。お気持ちはわかりますが、ここでは、皆さんができることを挙げていただけないでしょうか」

塩崎は思わず反論していた。

「塩崎さん、武田室長の発言も先ほどの質問の一つとして記録しておいてくれませんか。センター長に回答していただきましょう」

冷静な小西室長がフォローしてきた。

「そのうえで、塩崎さんの質問にお答えします」

「そうですね。うっかりしてファシリテーターとしての立場を忘れていました。わかりました。黒澤さんに答えてもらうように記しておきます」

小西室長には一本とられた感じだが、塩崎はすぐ立ち直って、フリップチャートに武田のコメントを付け加えた。

「冷静に考えると、確かに目標値は現実的でない部分があると私も思います」

小西は塩崎が書き終わるのを見ながら、ゆっくりと言葉を選んだ。

「しかし、目標達成に向けていくつかアイディアもあります。例えば、開発のボトルネックになっているのは何かと考えると、試作の順番待ちや試作品の化学分析待ちの時間が非常に大きい。この待ち時間をなくせば、開発スピードは飛躍的に速くなると思います。新製品のデザインというのは、通常それほど時間のかかるものではないんですよ。それが試作され、性能評価されて、結果が出るまでの時間が長いのです。その結果を見ないと次の手が打てませんから、その間の待ち時間に我々技術者は優先順位の低い仕事をしているのです。設計・試作・評価・フィードバックを開発の一サイクルとして考えると、恐らくいまは平均一か月以上かかっているでしょう。仮に待ち時間をゼロにできれば、三日でできる仕事です。つまり、開発速度が一〇倍以上になる可能性を秘めています」

「すごいですね。そんなに速くなりますか」

塩崎は、小西の話に驚いた。

「これは、開発の効率を改善するための一案です。次に、製品開発の効果をどうやって高めるか考えてみましょう」

小西は、研究者らしく論理的に説明を続けた。

「この点で重要なのは、優先順位の低いものはやらないということです。黒澤さんのマーケティングの経験を活かして、大きな成果の出る案件に絞り込んで、集中できるといいですね」

「『試作待ち時間の解消』『評価待ち時間の解消』と『大きな案件への絞込み』ですね」

鸚鵡返しして、ポイントをフリップチャートに記しながら、塩崎は確認した。

「それについて一言いいですか？」

多くの技能者を抱え、試作・評価業務を担当する西村室長が小西の提案に発言を求めた。

「実は先日、上海交通大学を視察してきたのですが、あそこに分析を依頼すると日本の外注業者に比べて、ひとケタ安いことがわかりました。信じられないような価格です。世銀からお金を借りて、設備的にも最先端のものを揃えているし、専門の技官が担当するので腕もよさそうです。なにしろ教授が意欲的でスピードが速い。民間から仕事をとろうと貪欲なんですよ。中国の一流大学を使うといった工夫があってもいいかなと思いましたね」

「中国までいちいち評価資料を送っていたのでは、かえって遅くなるのじゃないか。それに、何より評価の質が心配だよ」

武田がムッとしたような声を出した。

「それが、いまよりかなり速くできそうなんですよ」

「信じられんな。だいたい評価基準値を日本と合わせるだけでも大変だ。何か問題が起こったときに誰が責任を持つんだ」

武田は不満そうに言い放った。

「待ってください。待ち時間を解消し、コストも下がるアイディアがあるというレベルで今日は留めませんか。来週末の合宿で、詳しくその話は議論しましょう。今日の目的は黒澤センター長のインテグレーションですから」

塩崎が割って入った。

「はじめに、確かセンターの運営費を九か月で一〇パーセント下げたいと言われていたが、やはりそれはできない相談だと思うんだよね」

自動車セグメントの製品開発を手がけている村田室長が口を開いた。

「人件費に手をつけない限り、そんなコストダウンは無理です」

「そうですね、村田室長。黒澤さんはなかなか厳しい目標を設定されていますから、私などが考えるとできないことだらけのように思います。確かに難しいですよね」

塩崎は、ことさら「難しい」を強調し、村田に同意しながら、「知りたいこと」を書いたフリップチャートの前に立った。そして、静かに最後の項目を指した。「目標値は非現実的」と書いたところに村田の眼が移動した。

恐らく、村田室長は、はじめからリョウの言った目標値のことを考えつづけていたに違いない。すでに議論されているのだが、頭から離れずに声になった、というところだろう。

「いや、そうですな。先ほど指摘がありましたね。蒸し返して申し訳ない。いや、難しいのだが、工夫次第では五パーセントぐらいならやれるかもしれないと思ってね」

村田が、照れ隠しか、意外な発言をした。

「どういう工夫でしょうか?」

「いや、いま具体案はないが、これまでもずいぶんコストダウンの知恵は出してきたから、これ以上は出ないということはないと思ってね……」

「特許をもっと出せというのはいいですな。新センター長が特許の費用を見てくださるということであれば、特許はいくらでも出せる。ウチの技術者たちも弾みがつく。これはやりますよ。アイディアはいくらでもある」

知的財産を担当する石川室長が嬉しそうに言った。やはり、前任の山口センター長は、特許出願を経費削減のために抑えていたのだろう。

話は続いた。「品質保証部門の下請けのようになっている製品評価部隊を品証部門に移してはどう

図表4

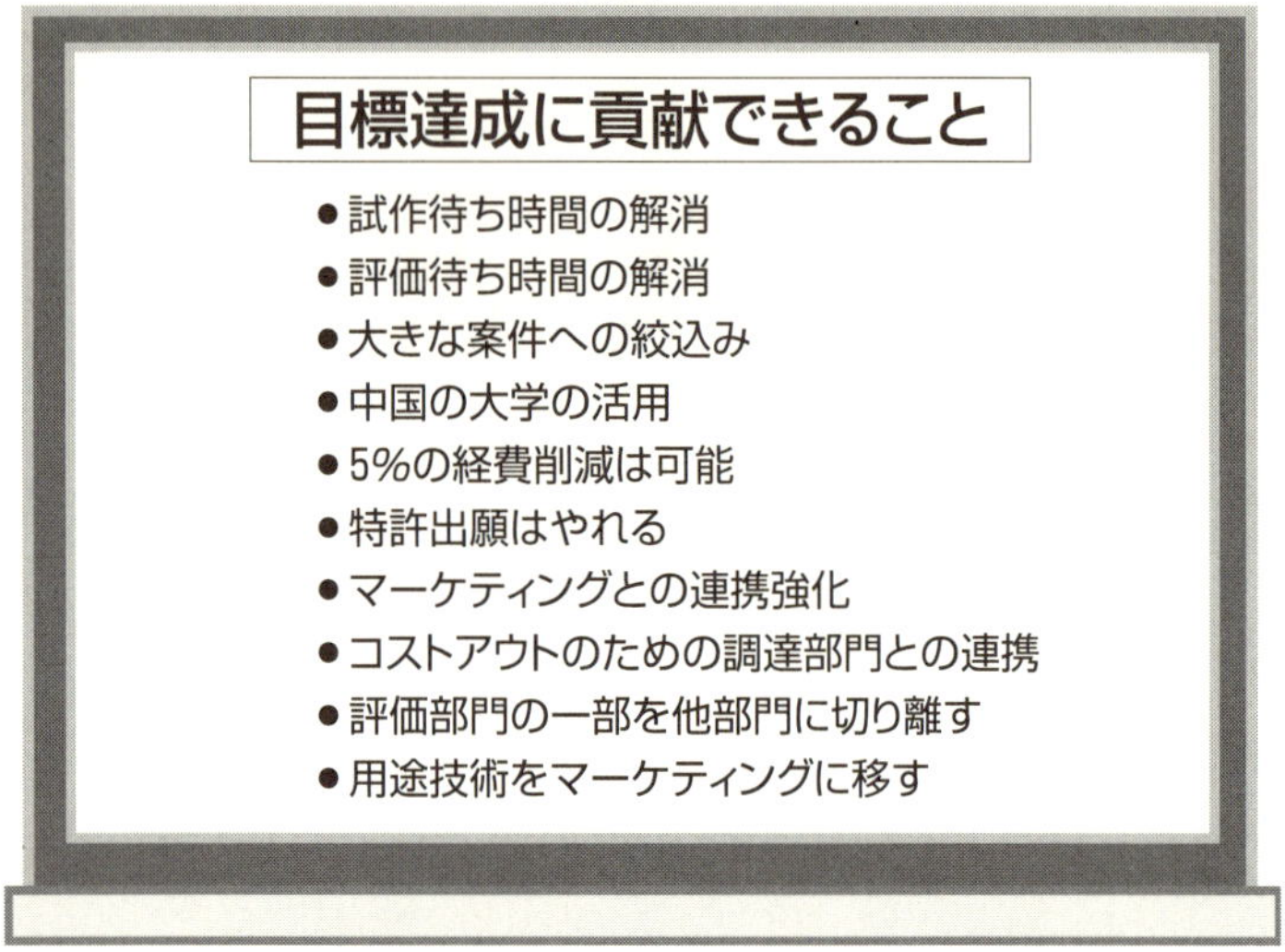
目標達成に貢献できること
●試作待ち時間の解消
●評価待ち時間の解消
●大きな案件への絞込み
●中国の大学の活用
●5%の経費削減は可能
●特許出願はやれる
●マーケティングとの連携強化
●コストアウトのための調達部門との連携
●評価部門の一部を他部門に切り離す
●用途技術をマーケティングに移す

か」とか、「応用技術部門をマーケティング本部に移してはどうか」など、実現性はともかく、いろいろ大胆なアイディアも出てきた。塩崎は、特別の苦労もなく、そのキーワードをフリップチャートに書き留めていくことに専念した（**図表4**）。

ころあいを見て、塩崎は最後の質問に移ることにした。「さて、皆さんのことについて、黒澤さんに知っておいてほしいことは、何かありますか」

参加者の目が宙をさまよう。この質問は意表をついたようだ。

「例えば、『時々飲み会でわっと騒ぎたい』とか、『技術力のあるプロ集団だから、細かい指図はするな』とか。いろいろあると思うのですがね」

塩崎は少し誘い水を出してみた。

「この二年ほど、暗い話が多い。何か元気の出るイベントをやってほしいね」

若い石川室長が口を開いた。

「それと、我々にはもっと成果を出す力があるということを信じてほしいな。まずはじっくり見てほしい」

糸川が付け加えた。

「他にはありませんか……」

塩崎は促すように一人ひとりの顔を見ながら、部屋を一回りした。

「わかりました。それでは、これでこのセッションは終わりたいと思います。長時間ありがとうございました。ここで皆さんには一度退場いただいて、入れ替わりに黒澤センター長に入っていただきます。この壁中に貼られた皆さんの質問やコメントを見てもらって、黒澤さんから、皆さんに答えてもらいたいと思います。その間三〇分ほど休憩にします。五時一五分にここに戻っていただけますか」

全員退室するのを見届けながら、塩崎はリョウの携帯電話を呼び出した。

「へぇー、結構いろいろ書いてあるじゃない」

部屋に入ってきたリョウは、壁に貼られているフリップチャートの多さに嬉しそうに驚いてみせた。

「ファシリテーターがいいと、いろいろ出るもんだよ」

と塩崎もおどけてみせる。

「そのようね……」

質問の内容をチャートに書かれているキーワードをたどりながら塩崎が説明しはじめると、リョウは話を理解しようと集中した。塩崎は、発言者が誰かわからないよう注意しながら、しかし、雰囲気が伝わるように、できるだけ具体的に話していった。

「やっぱり、『技術もわからないネエちゃんに何ができるの』という感じがあるわね。『黙って見てろ』という感じのも……」

塩崎の話を聞きながら、リョウがつぶやく。

「一方で、多少の期待もあるような気もするな」

塩崎はリョウを励ますように言った。

「どう、やれるかい？」

一通りの説明を済ませた塩崎がリョウに改めて訊く。

「もちろんよ。後一〇分あるわね。塩崎君も疲れたでしょう。ちょっと休憩したら？　私は一人にしてもらって、考えをまとめるわ」

オーケーと、廊下に出た塩崎は、缶コーヒーを買いに自動販売機の方に向かった。

リョウは、もう一度ゆっくりとチャートを見ながら、何を話すか頭をめぐらせた。もうすぐ、室長たちとグループ秘書の横倉が、塩崎に連れられて入室してくる。それまでに気持ちを整理したい。このインテグレーションを乗り切って、うまく自分のペースをつかみたい。リョウは、心地よい緊張感を感じていた。

コミットメント

リョウは意識的に、自分の「部下に対する約束」をこのインテグレーションの成果として残そうと、考えていた。できれば部下たちが驚くような約束を、あとで検証できる形で示したいと。これはインテグレーションの本来の目的ではないが、リョウが描くリーダーシップ像を満たすためには重要な要素だった。

廊下で物音がし、八人の室長とアシスタントの横倉洋子、そしてファシリテーターの塩崎が入ってきた。

塩崎の簡単な仕切りの後、リョウが切り出した。

「皆さん、長時間ありがとうございました。いま、皆さんのいろいろな質問や意見を拝見し、ここに来てよかったと実感しています。その理由は、これからの私の話の中にあると思いますので、じっくり聞いてください」

リョウは、自分が話している途中でも遠慮なく質問してくれるように念を押して続けた。

「まず、皆さんが私のことをよく知っているので驚きました。私のフルートのことやウサギを飼っていることまで、よくご存じですね」

定石どおり軽い話題から入る。

「私のリラクセーションの方法ですか……、フルートとウサギですかね、やっぱり」

少し冗談っぽく話して笑いをとる。

「そうですよね。どうして私のように技術畑でもない人間がいきなり製品開発センター長に任命されたのか、不思議に思われるでしょう」

少し皆がリラックスしてきたのを見て、本質的な話題に入る。

「確かに私には、前任者の山口センター長のような技術的なバックグラウンドはありません。しかし、顧客や会社が何を求めているかはよく知っているつもりです。このフリップチャートのどこかに書いてあったように、開発の方向づけや優先順位づけが、従来以上にできると思います。皆さんの持っている技術力を、最もお客様に喜ばれるものに集中させる。最も会社が求めているものに集中させる。それがセンター長として私にできることであり、求められていることだと思います。技術的なソリューションには、私は一切口出ししません。したくてもできませんよね。Howは、お任せします。何をやるか、つまりWhatの部分に徹底的にこだわりたいと思います。私のマーケティング部門での実績を、皆さんはよくご存じのようですね。私を信じてください。必ず重要な課題に集中していきます」

一呼吸おきながら、関連する話題を探してフリップチャート上に目を走らせた。

「えーっと、それを進めるうえでの『性格上の問題点を三つと長所を三つ』ですね」

ひと際明るい声を出した。

「性格上の問題点は、短気で性急に答えを求めるところ、左脳偏重で理屈っぽい、結構、自己チューで直情径行的、ってところかな」

　少し軽めの言葉を選び、皆の反応を見る。

「長所は、アクション・オリエンテッド、つまり行動力があって、思い込みにとらわれない現実主義者、そしてファシリテーション力だと思います。皆さん、ファシリテーションってご存じですか?」

　少し間をとって、皆の反応をうかがってみた。

「ファシリテーションというのは、『促進する』とか『容易にする』といった意味の英語ですね。化学になじみのある皆さんには、『触媒のような働き』という説明のほうがピントくるかもしれませんね。それ自体は反応しませんが、化学反応を促進する重要な助剤ですね。ちょうど今日、塩崎さんにやっていただいているように、皆さんが持っている知恵や疑問をうまく引き出し、反応させて、いちばん優れた考えを導き出す『グループウェア』のようなものがファシリテーションです。ちょっと考えてみてください。いままで、自分の上司に、リーダーとしての性格的長所や欠点を訊いたことはありますか?」

　と訊きながら、リョウはにっこり笑ってみせる。

「……、ないな」声にはならなかったが、何人かの口が動いていた。心からの同意を感じさせる。

「ないと思います。しかし、上司の性格的長所や欠点は、知っておくべき重要なことですよね」

　皆が、かすかにうなずく。

「いや、言いにくいと思うんやけど、スラスラと出てきて驚きやわ」

リョウと仕事をしてきた佐藤室長が、軽口を飛ばした。

「こういうことは、長年付き合ってはじめてわかるのではなく、はじめに知っておきたい。そういうものですよね?」

今度は、皆がはっきりとうなずくのがわかった。

「こういうインテグレーションという場を設定し、私のいないところで、塩崎さんがうまく質問したから言葉になって出てきた。皆さんが本当に訊きたかった『いい質問』がたくさんあったと思います。このようにコミュニケーションを助ける技術をファシリテーション・スキルと言います。私は、自分の欠点である短気で自己中心的なところを、このファシリテーションを学ぶことで改善しようと努力してきました。私はマーケティングも素人でしたが、このファシリテーション・スキルのおかげでチームの最もいい知恵が引き出せ、それが実行に移されて成功できたのだと思っています」

リョウは、皆の表情に手応えを感じていた。

「私と意見が対立したとき、あるいは感情的にもつれたときに、どうしたらいいかという質問がありましたね。仕事をしているのですから、こういうことは必ず起こると思います。お互い気まずいですよね。そう思ったら、ニコニコマークをつけたメールをください。時間をとって、じっくりお話を伺う機会をつくります。直接話しにくければ、今日ファシリテーターをやってもらった塩崎さんに相談してください。そうすれば、匿名で私に疑問が投げかけられます。建設的に解決することをお約束します。それが私たちのチームが成功し、会社の業績が上がるために必要なことですから」

「しかし、塩崎さんには悪いけど、本当に匿名性が守られているのか、わかりませんよね」

誰かが問いかけた。

「いい指摘ですね。そういう疑問は非常にもっともだと思います。実は、私もその疑問は持っていて、話は飛躍しますが、オンブズマン制度をつくるべきではないかと思っています。社員が匿名で相談できる、皆さんが信頼できるオンブズマン制度です。もし、そういうニーズが強くあるようなら、私の公約として、年末までにそういう制度を、亀井社長を説得してつくることをお約束しましょう」

何人かがうなずく。やはり、人に言えない問題があるのだろう。

「しかし、その仕組みができるまでは私の話を信じていただくしかないと思います。塩崎さんか、私に話してください。いいでしょうか。それがいちばん早い解決方法です」

「座右の銘はなんですか?」誰かが突然訊いた。

「実は、その時々で変わるのですが(笑い)、Create Energy.『やる気を創る』というのがいまは気に入っています。自分のやる気とチームのやる気、そして社会の、人の集団のやる気を創るという意味です。やる気があれば、方法は見えてくるという気がするんですよね。そして、これはリーダーの重要な仕事だとも思います」

こうして、次々とフリップチャートを見ながらリョウは自分の考えを説明した。批判的な質問にも、臆せず胸を張って自説を述べた。必ずしもすべての答えに納得したわけではないが、その前向きの姿勢に、チームは好感を持った。

図表5

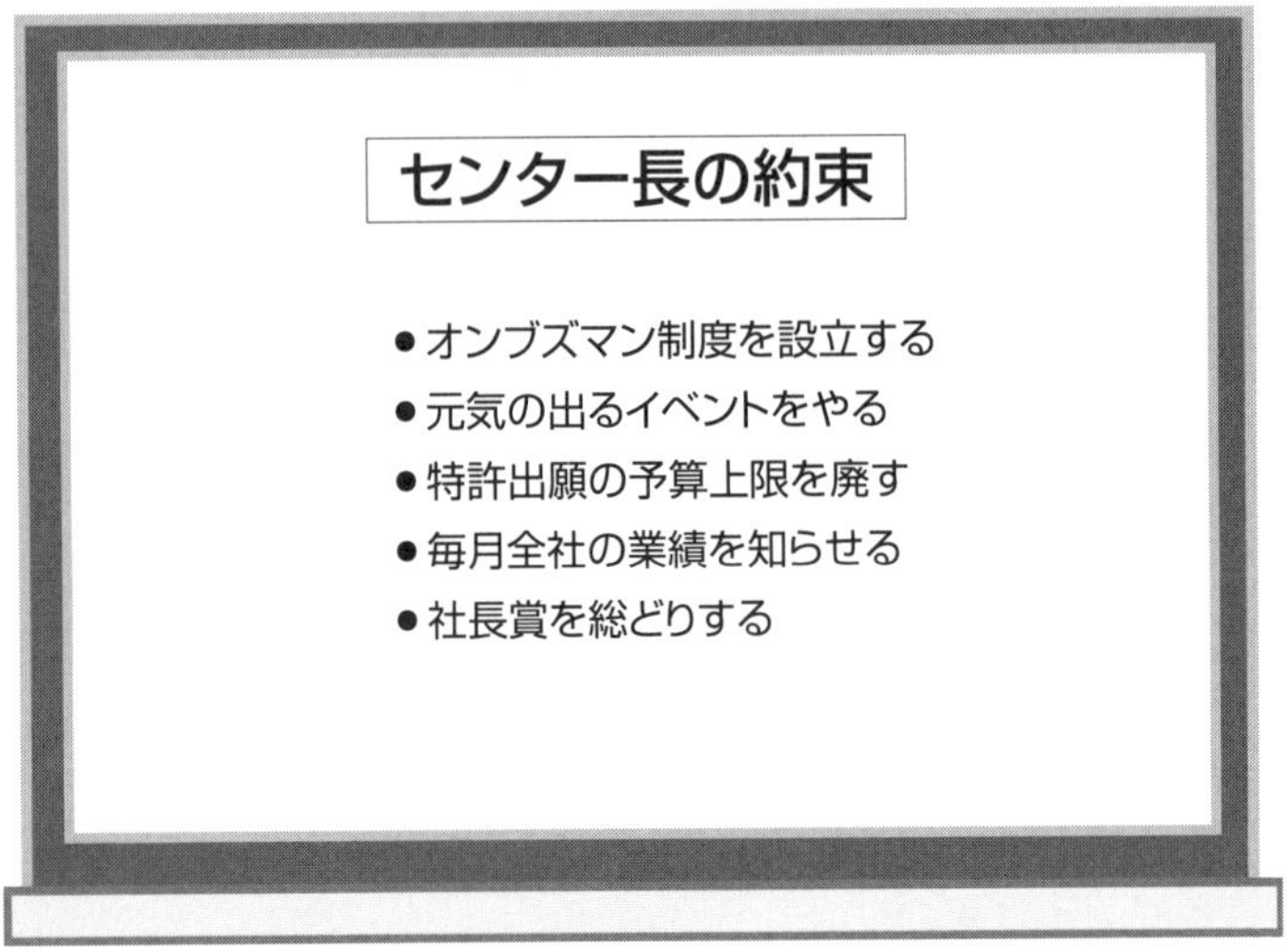
センター長の約束
●オンブズマン制度を設立する
●元気の出るイベントをやる
●特許出願の予算上限を廃す
●毎月全社の業績を知らせる
●社長賞を総どりする

「皆さん、半日ご苦労様。今回のインテグレーションの成果の一つとして、皆さんにいくつかお約束できることが出てきたと思います。締めくくりとして、その約束をまとめておきましょう」

そう言うと、新しいフリップチャートの前に立ってペンを手にした（**図表5**）。

「まず、オンブズマン制度の設立。それから元気の出るイベントの開催。これについては、皆さんが何をやりたいか、別途意見を聞かせてください。必ず年末までにやりましょう。それから……」

リョウは壁に貼られているフリップチャートを見渡しながら、次のポイントを探した。

「特許の予算枠が妨げとなって特許が出しにくいという話がありましたね。これも特許出願に予算の上限なしを約束します。もちろん、価値のない特許を出願しても無駄ですから、厳正に評価はしますよ」

リョウは、フリップチャートのもう一つの項目を指し、「この点について、私のほうから約束したいことが二つあります」と、皆を見回しながら口を開いた。

「まず毎月全社の業績を、センター員全員に理解してもらえるようにします。二つ目に、開発センターの貢献を社長以下、全社員に認めてもらえるようにします。皆さんは、必要以上に縁の下の力持ちになっています。縁の下の力持ちは重要ですが、もっと皆さんの業績は認められるべきだと思います。そうしないと必要な予算も人もとれません。ひいては、会社の業績に十分な貢献ができないということになります」

と言いながらも、リョウは最後の約束がやや抽象的だと感じていた。それまでの四つの約束は、やれたかどうか誰の目にもハッキリする。しかし最後のポイントは、何が達成されたらできたと言えるかハッキリしない。

「えー、皆さんの業績がより全社的に認められるようになったかどうかという指標として、四半期に一度の社長賞を今年はすべてとることにしましょう。第一期目は終わったところですから、今後の三期すべてを開発センターでとることを目標にしたいと思いますが、どうですか?」

これまで年に一度ぐらいは開発センターが社長賞をとっていたが、リョウはそれを全部とるという。確かにそれができれば、開発センターの業績が認められたという指標にはなる。しかし、そんなことが可能なのだろうか。室長たちは半信半疑だった。

「難しいかもしれませんが、皆さんの仕事が実は売上げ向上にも、コストダウンにも重要な働きをしています。それを全社員の皆さんに正しく理解してもらえれば、とれます」

リョウはハッキリと言ってのけた。

「私の出した目標にはいろいろご意見があると思います。かなり厳しい目標だと思いますが、それにもかかわらず、建設的なアイディアをいろいろありがとうございます。これらについては、さらに詳しく、具体的なアクションを詰めたいと思いますので、週末をつぶして恐縮ですが、来週の金曜日の午後から土曜日にかけて、山中湖畔に泊まり込みで議論しましょう」

「いいですね～」

塩崎が口を挟んだ。

「黒澤さんの約束は元気が出ますね。これらが守られたかどうか、今年度末にもう一度このような会をやりませんか?」

塩崎はリョウを一瞥してから、皆の顔を見渡した。

「インテグレーションは、本来統合化という意味ですから、今回のように新任のリーダーに早くチームの一員になってもらうことが目的ですが、この手法を使って、年度末にもう一度やって、約束がどの程度守られたか、来年はどうするのかを議論するのです。今回、黒澤さんから、これだけ明確な約束がありました。それをもとに評価して、次回は、黒澤さんにリーダーとしてのあり方をフィードバックするのです」

これはリョウが塩崎に依頼しておいたことである。リーダーズ・インテグレーションをそれだけに使うのではなく、リーダーシップのツールとしても使うという。

「それは面白い提案や」

佐藤が真っ先に賛成の声を上げた。それに促されたように、他の参加者からも賛成の声が口々に上がった。

「それでは、次回も私がファシリテーターということでいいですか？」

皆の反応を見ながら塩崎は続けた。

「ありがとうございます。さて、この後飲み会をセットしてあります。いまもう六時を少し過ぎていますから、予定の六時半からはじめるのはちょっと厳しいので、七時からでどうでしょう。場所は、すでにご連絡してある『虎吉』です」

塩崎は事務連絡を終えて、リョウのインテグレーションを終了した。会議室から皆が出ていく。壁のフリップチャートをデジカメに収め、記録に残した。フリップチャートを壁から外し終えると、インテグレーションを見事にこなしたリョウを振り返った。

「ご苦労様。疲れたかな？」

「いえ、塩崎君こそ、ご苦労さま。おかげでうまくスタートできそう。来週末のアクションづくりのワークアウトもバッチリお願いね。今度は、彼らが主役。きっと目標を達成できるアイディアが出てくると思う」

飲み会は、インテグレーションのときの話題が切り口となって大いに盛り上がった。年上のベテラン室長たちは、自分たちの意識が数時間前とは変わっていることに気づき、驚いている。いろいろなわだかまりが表面化され、応えられた。解消されたかどうかはまだわからないが、それなりに納得している自分がいることへの驚きだ。

「黒澤さん、正直言って、今日のインテグレーションですか、あれには驚きました」

リョウの隣に、糸川がビールびん片手にやってきた。

「そうですか。皆さんの貴重な時間を半日とってしまったのですが、糸川さんはどう受け止められました?」

糸川の注ぐビールを受けながら、リョウは応えた。

「いや、私も驚きでした。こんなに短時間に親近感を感じられるようになるとは」

リョウの向かいの席についた西村が話に割り込んできた。

「実は、開発経験のない年下の女性が我々のリーダーとしてくることに、正直言って抵抗感があったのですがね。かなり解消されましたよ。不思議ですね」

「少し種明かし、しましょうか?」

リョウはいたずらっぽい目をして応えた。
「種明かし……?」
出席者全員が異口同音に反応した。

ジョハリの窓

「一九四〇年代に、アメリカでグループダイナミックスという学問領域が開拓されたのをご存じですか。小集団の心理を扱う学問です。その応用として、コミュニケーション力やリーダーシップの開発など、幅広い分野の教育・研修に利用されてきました。今日の午後に皆さんと一緒にやった方法は、その一つなのです」

開発センターにいる知的好奇心の高い人たちには、理論的な枠組みを知ってもらうほうが、今後やりやすくなるだろうと考えたリョウは、今日のインテグレーションの背景を語りはじめた。

「私は、この開発センターというコミュニティーから見ると、いろいろな意味で異色ですよね。そういう場合、心理学者のJ・R・ギブ(**図表6**)が指摘した『受容懸念』が、必ずと言っていいほどあります。よそ者を受け入れる際に、お互いの心理に起こる『お前は何者だ?』とか『自分は受け入れられるだろうか?』といった懸念です。その懸念を払拭するために設計されたやり方が、今日やったリーダーズ・インテグレーションだったのです」

図表6　J. R. ギブの提唱した4つ懸念モデル

他人との関係において、ひとは自分の心身を守るために、ある程度防衛的な関係を築こうとする。米国の心理学者ギブは、その背景には懸念（恐怖や不信頼感）があると仮定し、それを上記の4つに分類した。“受容”とは、自分自身や他者をメンバーとして受け入れることができるかどうかにかかわる懸念。“データの流動”とは、「こんなことを言ってもいいのだろうか？」と不安になるような疑念。“目標形成”とは、グループ活動の目標が理解できないことに起因する不安感。“社会的統制”とは、グループ内で依存願望が満たされない場合に発生する不安感。この4つの懸念を解消していくことにより、グループは成長し、メンバーも成長していく好循環が生まれるというのがギブの提唱した理論である。

参考文献：ギブ, J.R.（三隅二不二監訳）『信頼形成のための風土　感受性訓練』 日本生産性本部　1971

「もう少し具体的に教えてもらえませんか」

理論派の小西が訊いた。

「普通、人間はそういう『受容懸念』を、できるだけ隠そうとします。しかし、実は隠すことによって『受容』を遅らせているのです。むしろ、懸念を言語化し、表面化させることで、解消するほうが近道なのです。解消されると信頼関係が生まれやすくなります」

「なんや難しそうやけど、わかるような気もするわ。嫌いな人に、『あんたのこういうところが嫌いや』とか思い切って言うと、意外と後でええ友達になったりするからね」

佐藤は語るともなく、うなずいた。

「『ジョハリの窓』というのをご存じですか？」

と言いながら、リョウは近くにあった紙ナプキンを引き寄せてペンで箱を描いて示した（図

表7）。インクの線がナプキンに滲む。

「これは自分や他人を理解するプロセスを図解したものです。この領域Ⅰが領域Ⅲに広がることを自己開示と言いますが、これが何かのきっかけで行われると、防衛規制も減り、安心感が生まれ、信頼関係が醸成されます。自己開示した人間は自信を得るとも言われています。皆さんは、自信満々の人が、結構自分の弱みを自らさらすことに気づいていらっしゃると思います。『あの人は強いから、ああいうことが言えるのだ』なんて言うでしょう。実は、逆なんですね。弱みを開示することで、自信を獲得している、そうすることで自信が得られることを体験的に知っているのです」

「ふーん……。アメリカのＭＢＡでは、こういうことも習うんですか？」

武田が不思議そうに訊いた。

「初歩的なことはビジネススクールでも習ったけど、これは私のドクガクね」

リョウは、少し砕けたトーンをつくって笑いを誘った。

「さらに領域Ⅰが、Ⅱに広がることをフィードバックと言います。他人が本人の気づいていないことを教えてあげるプロセスですね。正しくフィードバックされると、人は満足感を味わい、これも信頼関係につながっていきます」

「何となくわかるような気もするね。えーっと、フィードバックに『正しい』とか『正しくない』やり方とかがあるわけね」

小西が理屈っぽく突っ込んできた。

図表7 ジョハリの窓

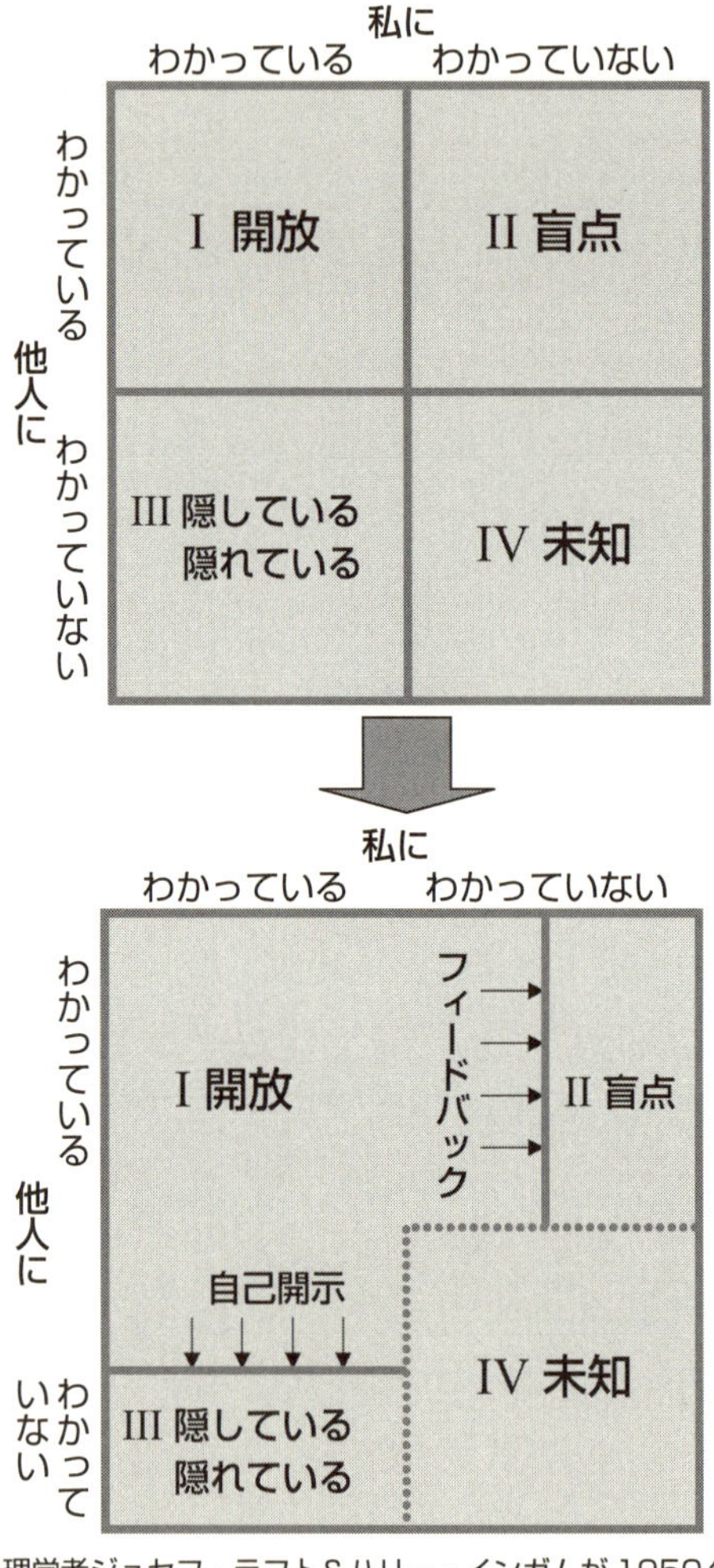

- 米国の心理学者ジョセフ・ラフト&ハリー・インガムが1950年代に考案
- 対人関係における気づきの図解モデルとして広く活用されている

出典：南山短期大学人間関係科/監修、津村俊充・山口真人/編 『人間関係トレーニング』 ナカニシヤ出版 1992

「ありますね。端的に言えば、中傷するような言い方はよくないフィードバック。そうではなく、例えば、相手が変えることができる行動を、できるだけ客観的、記述的に教えてあげるのはいいやり方です。今日、皆さんからもいくつかそういうコメントをいただきました」

実際には、間に立ったファシリテーターの塩崎が、コメントを記述的に言い換えて説明した部分も少なくはない。それもファシリテーターの役割である。

「へぇー、こういう学問があるのんか。なんか引っかかったみたいやな」

大阪出身の佐藤が驚愕した。

「悪くとらないでください」

「いや、感心しとるのよ」

「今日、皆さんが経験されたチームビルディングは、うまく私の自己開示と皆さんのフィードバックを促す機会になったと思います。これをうまくリードしてくださったファシリテーターの塩崎さんのおかげです。このエクササイズを通じて、皆さんとの親近感が増し、信頼関係を築く一助になったとしたら、これは、皆さんの時間を半日つぶした価値があったということです」

「いや、五時間前とはまるで違う感じですよ」

西村が口に出した。

「それにしてもジョハリの窓っていうのは、変な名前ですね」

「変わった名前でしょ。実は二人の心理学者のファーストネームをつなぎ合わせたものなのです。アメリカの臨床心理学者のジョセフ・ラフトと、ハリー・インガムが『対人関係における気づきの図解モデル』として提唱したのがはじまりだったので、その後、ジョーとハリーの名前をつないでジョハリの窓と呼ばれているのです」

リョウは饒舌になっていた。

金曜の夜は、土曜の朝につながっていった。三次会を終えて、リョウが帰宅したのは午前三時を少し廻っていた。体は疲れていたが、頭は冴えていた。新しい職場で、年長の部下からある程度受け入れられたと実感していた。その満足感もあるが、来週の金曜日から土曜にかけて行うオフサイトでのワークアウトのことが頭から離れない。シャワーを浴び、寝ついたのは五時ごろだろうか。

THE FACILITATOR

第2章

開発センターの改革

高い、〝高すぎる〟目標設定

金曜の午後、室長たちは四台のクルマに分乗した。リョウは、愛車のＳＵＶに糸川、大森の両室長を乗せ、山中湖半の研修所に向かった。人事の塩崎が、日本ファシリテーション協会を通じて見つけてくれたところだ。

開発センターを出るときには表情の硬かった室長たちも、湖が見えてくるころには、遠足気分が手伝ってか寛いでいた。

その場所は、湖畔から少し森の中に入ったところにあった。それほど奥深くはないが、木々に囲まれ、春の自然の匂いに満たされていた。

ロッジのように見えるその建物に入ると、すぐに部屋割りを決め、各自いったんチェックインした。全員が会議室に集まったのは四時近かった。

学校の教室のように並んでいる机と椅子を皆で動かし、コの字型に配列を変える。開発センターから持ち込んだフリップチャートを、フェルトペンの文字が壁に写ってしまわないように、二枚重ねにしてテープで壁に貼っていく。パソコンのプロジェクターを二台、正面の左右の白い壁に映写できるように設置し、二台のパソコンを立ち上げる。室長たちがきびきびと会議の準備を始めているのを、リョウは頼もしく感じていた。

「夕食は、仕出しをお願いしていますので、七時ぐらいからこの場での食事になります。この後すぐ、黒澤さんに口火を切っていただいて、夕食までの三時間ほどと、夕食後、八時三〇分ごろから一一時までを今日の会議時間にしたいと思います」

会議室の準備が整ったところで、塩崎が、スケジュールを説明しはじめた。

「明日は、七時から朝食、八時からこの場でセッションを始めます。終了予定は午後三時ですが、多少の延長は可能です」

塩崎の説明が一段落したところを見計らって、リョウはスッと立ち上がると、部屋の隅にあるケースを指した。

「亀井社長からの差し入れで、ビールとウィスキーが届いています。いい結果を期待しているとのことでした。今日の夕食後は、それをいただきながらの会議にしましょう」

参加者から、歓声が上がった。その流れを自分のほうに引きつけるように、リョウは、これからの会議の狙いと、進め方について説明を始めた。

「ちょうど一週間前に私のインテグレーションをやっていただきましたが、そのときに少しお話しした今年の目標をどうやって達成するか、その方策に絞って、今日と明日で計一一時間かけて、皆さんと徹底議論させていただきたいと思います。この会議の成果物として私が期待しているのは、年末までのアクションプランです。それも形だけのプランではなく、皆さんの思いのこもったプランができることを期待しています。今年の目標をもう一度整理しておきましょう。スライドを見てください」

新製品開発の案件　　七〇パーセントアップ
製品のコストダウン　　七パーセント
開発センターの運営費　　一〇パーセントダウン
特許申請　　二倍

「これは、やっぱり馬鹿げているよ。先週も言ったことだが、この目標は高すぎて現実的じゃない」

リョウがプロジェクターで目標を映し出すと、すかさず武田が声を上げた。

「まず、この目標の是非から議論したいね」

「現実的じゃない、ですか？」

視線を武田からゆっくりと全員に向け、リョウは、静かに、しかしはっきりした声で全員の意見を訊いてみた。武田の反論に、少しも動じていないことが、リョウの声に表れていた。

「まあ、非現実的とは言わんけど、やっぱり難しいな。開発センターの経費を一〇パーセントもカットしといて、七〇パーセントも新製品開発を増やせ言われてもなあ……ちょっと難しいと思うで、リョウさん」

いつも前向きな佐藤も、情けない声を漏らした。

「誰が見ても高いハードルだとは思いますね。センター長、いや黒澤さん。どこからこの目標が出てきたのか説明してもらえませんか」

小西が彼らしく冷静に背景を訊いた。

「私もこの目標は『高い』と考えています。しかし、『高すぎる』かどうか、検証が必要ではないでしょうか」

リョウは一人ひとりの眼を見ながら、確認するように言い放った。

ベストプラクティス

「村田室長」

リョウは、寡黙な村田に声をかけた。

「村田さんの自動車グループが昨年末に開発した自動車ボディ用のコーティング剤は、予想をはるかに上回る売れ行きですね。あのようにすばらしい開発には時間がかかったのでしょうね？」

「いや、実はあれは速かったですよ」

村田は押し殺したような低い声で、ゆっくりと答えた。

「実質三か月ぐらいでしょうかね、実際の開発に要した時間は。担当の木下君がよく頑張った。自ら顧客のところに何度も足を運んで、成分設計だけでなく、試作も分析・評価もほとんど一人でやったようなものです」

「三か月というのは異常に速いですね」

「彼は馬力があるので、昼間あいていない分析機器や評価試験機を、夜中にセンターに出てきて自分で操作してやっていたんですよ」

「そうですか。それはすごいですね」

リョウは大きくうなずきながら、佐藤の方に向き直った。

「佐藤さんのチームと一緒にやらせてもらったプリンターのインク用添加剤の低コスト化、あれも大成功じゃないですか」

「いや、ほんま。プリンター用インクは成長分野やから、あれはよかったと思います。上海出身の姚さんが中国系の新しいサプライヤーを見つけてきて、半額以下で原材料をつくらしたんですわ」

「あれは、今四半期の社長賞候補ね」

事務機器分野のマーケティング・リーダーだったリョウは、この分野には強い。

「皆さん、これらの案件は、他のものと比べて数倍速く開発され、何十倍もの効果をあげています。開発の『ベストプラクティス』は社内にもあります。こうした『ベストプラクティス』から学べば、もっと開発の効率を上げられると、私は信じています。なぜうまくいったかを調べて、その方法を他にも当てはめてみる。木下君や姚さんのような人のノウハウや情熱を、皆で『盗む』努力をするべきではないでしょうか」

何もお金をかけて社外に探しに行かなくても、「ベストプラクティス」は社内にある。問題は、組織が積極的にそれを認め、そこから学ぼうとするかどうかだ。個人的には、木下君や姚さんをロールモデルとして、彼らから学ぼうとしている若手はいるに違いない。しかし、組織としてそれを奨励し、どれだけ学ぼうとしているかが重要だ、とリョウは強調した。

「そういうことを皆さんは、意識してやっているでしょうか?」

リョウは、ゆっくりと室長たちの顔を見渡した。

「成長分野のマーケティングの人たちと、もっとテーマ探索して効果の大きいものを見つける。一方で、先週、試作・評価室長の西村さんから提案があったように、コストダウンをしながら効率を高める方法も探す。とにかく、分析も考えもしないで、過去の経験からだけで、この目標は無理というのは科学者らしくないと思いますが、どうですか?」

リョウは、開発センターのプライドを刺激してみた。

「年末まで、あと九か月しかないのですよ」

武田が不満げに食い下がった。

「九か月もあれば、会社は倒産することもできます。それぐらい長い時間です」

リョウは、武田の発言をさえぎって言い返した。

ストレッチゴール

「先ほどの小西さんのご質問にお答えしましょう。実は、社長から言われている目標はこうです」

新製品開発の案件　　　　来年末までに二倍
開発センターの運営費　　一〇パーセント削減

「社長は、来年末までに、全社で三〇パーセントのコストダウンを図りたいと私に言われました。これは、まだオープンになっていないので、ここだけの話にしてください。これに、センターはどう寄与せよ、とは言われませんでしたが、全社が三〇パーセントダウンしようとしているときに、センター経費は一〇パーセント削減でいいと言われています」

「三〇パーセントやて？」

佐藤が驚きの声を上げた。

「それぐらいコスト競争力をつけないと生きていけないと、社長は考えておられます」

「来年までにセンターのコストを一〇パーセント下げるという社長のターゲットはまだいいと思うが、センター長の目標は年内に一〇パーセントでしょう？」

糸川が話を戻した。

「新製品開発の目標も、社長の出されているものよりかなり高い」

「糸川さん、そのとおりです。私の年末までの目標は、社長のそれに対して、より高く設定しています」

リョウは、質問した糸川室長にというよりは、全員に向けて、ゆっくりと話しはじめた。

「与えられた目標に対して、より高い自己目標を掲げなくて、どうして所期の目標が達成できるでしょうか？　一〇パーセント下げろと言われたからといって、一〇パーセントを自己目標としているようでは、とても達成できません。結局後でできなかった理由を探すはめになるでしょう」

リョウの表情や声には、自然な迫力が表れていた。

「これは、私の信念です。人間はそういうものだと思います」

取り組んだことすべてがうまくいくわけではないのだから、より高い自己目標を設定しておかなくて、どうして所期の目標を達成できるのか。GEのウェルチ前会長が、ストレッチゴールと呼んでいた発想だ。リョウは、それを、会社としてのオフィシャルな目標とするのではなく、開発センター内部の、いや室長、センター員一人ひとりの内部の目標として強く意識させたかった。それに一丸となって情熱を燃やすチームに開発センターを変身させたかった。そう思うと、興奮で上気するのを感じたが、ことさら静かに口を開いた。

「皆さんは、社長の掲げる目標値に問題があるとお考えですか？」

誰からも返事はない。リョウは、一人ひとりと目を合わせながら、粘り強く沈黙に耐えた。

「いや、社長の目標値に異論はない。正直言って、いまの世の中、それぐらい要るのだろう。しかしセンター長の目標は高すぎる」

武田がぼそりと言った。

「皆さんが、社長の掲げる目標を達成しようとしているのなら、どうやってそれを達成するかを全力で知恵を絞りましょう。私が言いたいのは、自己目標をそのレベルにしていては、よほどラッキーでもなければ、それを達成することはできない、ということです。皆さんは、いつも幸運を当てにして仕事をしているわけではないでしょ？」

「黒澤さんの言うことは、ごもっともです」

大森が静かに口を開いた。

「我々も、常に不測の事態に備えていろいろな手を考え、製品開発をしています。ただ、やはりあと九か月で七〇パーセントも新製品開発を増やしたり、一〇パーセントも経費を下げるのは難しい。黒澤さんは新しいから、おわかりにならないかもしれませんが、長年やってきている我々には、その難しさがわかるのですよ」

言葉は丁寧だが、はっきりと、あなたは素人だ、と言われているのだ。

話ははじめからつまずいてしまった。目標を達成するための施策を議論する会議で、目標そのものに合意が得られない。ファシリテーターの塩崎は、リョウが掲げる目標値が高すぎて全員の反感を買ってしまったと感じていたが、リョウも後に引きそうにない。いや、後には引かないというよりは、涼しい顔をして、議論を楽しんでいるかのように塩崎には見えた。

話は平行線のまま、あっという間に一時間以上経過し、これ以上やっても無駄だと感じた塩崎は、休憩を提案した。

「白熱した議論が続いていますが、少しお疲れもあると思います。ここで、一五分間休憩をとりたいと思います。続きは五時半から始めますので、それまでにここに戻ってください」

皆が席を立つのを見送りながら、塩崎は、リョウに囁くように言った。

「ちょっと頭を冷やしたほうがいいと思うな。気分転換にSWOT分析をやってみようと思うけど、どうかな？」

「なかなかよかったじゃない」

リョウは、塩崎の質問には答えずに、驚くほどさわやかな声を返してきた。

「よかったって、いまの議論のことかい？」

「皆、遠慮なくどんどん反論してくるし、手応えあるよね。上司である私を恐れず、こういう本音の議論がどんどんできるところは、先週の私のインテグレーションと塩ちゃんの今日のファシリテーションが効いてると思うな。皆、黙ってないで、しゃべるじゃない。筋が通っているし」

塩崎は、リョウが室長全員との議論で孤軍奮闘しているのを心配していたのだが、リョウは議論を楽しんでいたらしい。

「ああＳＷＯＴね。いいアイディアじゃない。さすが名ファシリテーター、膠着した議論を打開する手を打ってくるわね」

塩崎は、呆れ顔で答えると、振り返ってホワイトボードの方に歩いていった。そこに大きく三×三のマトリックスを描いて、ＳＷＯＴ分析の準備を始めた。

リョウは、自分の目標を無理やり押しつけたくなかった。皆に心の底から納得してもらいたかった。そのために一日や二日使うのはなんでもない。心を開いて、虚心坦懐に自分たちの置かれている事業環境を見れば、納得できるはずだ。この山中湖畔での合宿の最大の狙いをそこに置いていた。室長たちが「高い目標」を意識し、それに対して強く動機づけられる。それを達成することに情熱を燃やせるようになる。

「それができれば、やり方なんか後からいくらでも出てくる。そのきっかけをつくるのが、この合宿の真の狙いだ」

リョウは、自分に言い聞かせるように心の中で繰り返した。

ＳＷＯＴ分析

「それでは、ここでちょっと雰囲気を変えて、ＳＷＯＴをやりたいと思います」

全員が揃ったところで、塩崎は話しはじめた。

「なんです？　そのスウォットていうのは？　スイスの時計みたいな名前やね」佐藤が訊いた。

「Strength, Weakness, Opportunities, and Threatsの頭文字をとってＳ・Ｗ・Ｏ・Ｔです。我々の周りの環境要因としての機会と脅威、内部要因としての当社の強み・弱点を挙げてもらい、それをこのようなマトリックスに整理してみるのです」

塩崎はホワイトボードを指しながら説明した（**図表8**）。

「こうやって、例えば『機会』のボックスに沿ってみると、当社の周りにある機会を捉えるために当社の強み・弱点をどう活用すべきかを考えます。『脅威』についても同じですね。ボックスに沿ってみて、当社の『強み』を活かして、いかに機会を捉え、脅威をマネージするかという議論をするという具合です。いいでしょうか？」

「それは開発センターについてではなく、会社についてやるのですね」

小西が鋭い確認を入れた。

「いい質問ですね。もちろん開発センターについてやってもいいのですが、今日は我がＳＣＣ社についてやりましょう」

塩崎は、答えながら右側の壁に貼ってあるフリップチャートの方に向かった。

単純な質問だけに活発に意見が出た。

図表8 SWOT分析

		機　会	脅　威
		●インテリジェント家電の成長 ●プリンターの成長 ●健康ブーム ●クリーン志向 ●中国の建築ブーム ●低コストサプライヤー	●既存分野で低コスト競合出現 ●自動車分野の伸び悩み ●顧客の海外展開 ●グローバル競争の激化 ●デフレ圧力
強み	●既存技術ベースの開発力 ●既存市場における商品企画力・製品開発力 ●既存分野で30%のシェア ●既存分野での顧客への食い込み・マーケティング力 ●生産技術	●家電分野での開発強化 ●インク用途での拡販 ●健康・クリーン分野での提案→パートナーとなる顧客の開拓 ●中国への足がかりの模索 ●低コストサプライヤーの積極的評価	●低コストサプライヤーの積極採用 ●顧客の海外展開についていくＳＣＭの強化
弱点	●医薬・食品市場でのマーケティング力、商品企画力、製品開発力、営業力 ●コスト競争力 ●新しい技術への取り組み ●偏った顧客マネジメント ●顧客カバレージ ●海外展開力 ●人手不足 ●高齢化 ●部門間コミュニケーション ●営業の力不足 ●品質管理	●健康・クリーン志向への集中 ●当該分野でのパートナーとなる顧客開拓 ●新技術の探索 ●低コストサプライヤーの積極的評価 ●成長分野を意識した顧客カバレージの見直し ●顧客の中国移転に連動したＳＣＭ ●低コスト労働力の採用 ●若手中国人研究者の採用 ●マーケティング部門と一体となった商品企画 ●品質管理部門への人材投入	●既存分野でのコスト削減 ●絞り込んだ新規分野への資源投入 ●中国人技術者の採用 ●中国でのＳＣＭの強化 ●低コストサプライヤーの積極的評価

自社の強みについては、

「既存技術をベースとした開発力がある」「既存市場における商品企画力や製品開発力がある」「事務機器、電気・電子分野で三〇パーセントの市場シェアがある」「同市場で営業は重要な顧客にしっかり食い込んでいる」「同市場でマーケティング力がある」「生産技術がしっかりしている」等々。

弱点はもっと簡単だった。内省的傾向の強い日本人の特徴かもしれない、とリョウは思った。

「医薬・食品市場でのマーケティング力、商品企画力、製品開発力、営業力が弱い」「コスト競争力がいまいち」「新しい技術への取り組みがほとんどない」「顧客マネジメントが偏っている」「顧客カバレージが不足している」「顧客の海外展開についていけていない」「海外の営業チャネルが弱い」「開発開始から販売までの時間が長い」「不採算製品をやめられない」「人手不足」「社員の高齢化」「部門間コミュニケーションが悪い」「営業の力不足」「品質管理の整備が必要」等々。

機会としては、

「インテリジェント家電の成長が期待される」「プリンターの需要拡大」「健康ブーム」「クリーン志向」「中国での建築ブーム」「新しい低コストサプライヤーの登場」などが出た。

脅威としては、

「事務機器、電気・電子分野で、低コストの競合が出現しつつある」「自動車分野の伸び悩み」「グローバル競争の激化」「デフレ圧力」が挙げられた。

「いろいろ出てきましたね。さて、それでは、以上のポイントの交点にある、この表の四つの空白を埋めてほしいのですが……」

塩崎は、参加者が考えやすいように、出てきたキーワードを、ホワイトボードに描いておいたSWOTマトリックスに簡潔に整理していくと（図表8）、今度は、自社の対応策を引き出す質問に移った。

「全体的にコスト競争力強化が最優先という感じがするな。開発サイドとしては、先ほどプリンターインクのケースで見たように、積極的に代替原料ソースを探して低コスト化を図る。佐藤室長のところにいる姚さんのケースがいい例じゃないですか。中国系、インド系、東欧系など低コスト国の原材料をいかに早く採用できるかが最優先という感じがするな」

知財の石川室長が、力強く口火を切った。

「さらにコスト競争力をつけるということですね」とチャンクアップして、塩崎が書き留める。チャンクアップとは、抽象レベルの高い言葉に発言をまとめることである。逆に、具体化するときにはチャンクダウンと表現することもある。

「姚さんは、原材料のコストダウンだけでなく、上海の大学との橋渡しをして分析コストを下げる面でも大変助けになっています。彼のように、単に技術があるだけでなく、中国人脈を活用して会社の競争力を高める力のある中国系の人を開発センターにもう少し採用するということが必要じゃないですかね」

試作・評価室長の西村が話を発展させた。

「少し遅いぐらいかもしれないが、やはり中国系のビジネスマインドのある技術者を採用することが、いろいろな意味でコストダウンの足がかりになると思うね」

最年長の糸川が、珍しく前向きの発言をした。

「コストダウンという観点からは、中国だけでなく、東南アジアもあるし、インドや東欧も見逃せないと思いますね。しかし、顧客の中国移転の動きや低コストの現地サプライヤーが中国から多く出てきていることを考えると、中国がやはり最重要ということに異論はありません。ただ、上海はかなりコスト高になってきつつあります。もう少し奥地や大連のように、日本語のコミュニティーがある地域も視野に入れたほうがよくはないですかね」

小西は話を少し大きくしようとしている、と塩崎は感じながら記録をとった。

「既存分野にも成長が見られるということで頼もしいのだが、やはり新規分野である医療・食品市場の開拓が見逃せません。すでに指摘されているように、なかでも健康ブームやクリーンなイメージの製品に対する需要は、長期的な動きだと思うので、既存技術が活かせそうなこの分野に集中してはどうでしょう。ところが開発サイドから見ると、何をすれば売れるのかが見えにくい。我々と一緒に開発に取り組んでくれるパートナーとなってくれるような顧客を見つけられないだろうか?」

この分野を担当する大森室長が、突然、日ごろの悩みを打ち明けるように問題提起した。

「大森さん、いいポイントだと思います。我々が強い事務機器分野では、そういうパートナー的なお客さんがいますからね。ただマーケティングや営業任せにしないで、開発センターの技術者が、『こういうことができる技術がありますが』という提案を持って、自ら顧客のところに意見交換に行くことが必要だと思います。そのほうが説得力があります」

リョウは、先月までやっていたマーケティング時代の経験を話してみた。

「確かに顧客側も技術屋が多いから、開発担当者が行くと、先方から話が出やすいという面はあるね」

「それはええけど、センターがなんでもかんでもやらんといかんようになるという問題もあるで」

リョウと一緒に事務機器分野の開拓を担った経験のある佐藤が混ぜ返した。

「開発だけでも忙しいのに、そんなに客先に出て行く時間はないと思うな。だいたいマーケティングがサボってるからいかんのじゃないか」

「それに客に直接言われると、何でもやらざるを得なくなるんじゃないかな。うちの研究者ではよう断らんだろう」

「さっきの木下君のように営業センスも馬力もある人はいいけど、皆がそうというわけでもないからね」

リョウの話がきっかけとなって、皆が同じ波長で考えはじめた。

「開発センターの技術者がどの程度顧客先に行くかどうかは別にして、技術提案をしながら、製品開発のパートナーとなってくれる顧客を探すというポイントはいいですよね」

塩崎は、論点を整理しながら、異論のありそうな武田、糸川に目で意見を促してみたが、反論は出なかった。すばやく手を動かし、ＳＷＯＴの表の中にポイントを書き込む。

食事までのわずかな時間だったが、SWOT分析は、参加者の目線を上げ、会社の戦略的な課題に意識を戻すのに有効だったようだ。目標をどこにするかで紛糾し、いったんバラバラになったのだが、これで問題意識が再び収束するのを、塩崎は実感していた。

SWOTは、機会と脅威という環境要因と、自社の強みと弱点という内部要因を組み合わせた簡単な表を作成するエクササイズだが、完成した表よりは、これを皆で作成するプロセスが重要なのだと、塩崎は改めて実感していた。書かれた言葉以上に、問題意識が深く共有化される。それを目の前にして議論すると、建設的な意見が増える。同じことでも外部の人間から言われたのでは、反発が生まれるかもしれないが、こうして自分たちが考えれば動機が内存化する。そういう納得効果がSWOTという共同作業の中にはある。この枠組みの中で関係者が共同作業をし、作成する過程が重要なのだと、塩崎は繰り返し思った。

経費削減

社長からの差し入れのビールも入り、夕食は楽しく進んだ。山中湖近辺のレジャー施設やゴルフ場の話題に話が弾んだ。SWOTを使った議論で、少し全体の意識がまとまりつつあることも影響しているかもしれない。

食後は、当初の予定どおり、センターの経費削減の議論に移ることにした。目標議論を積み残してはいるが、このまま目標議論を再開しても堂々巡りするのは目に見えていると塩崎は考えた。

＊＊＊＊＊＊　＊＊＊　＊＊＊＊＊＊

「以前、マーケティングで経費削減のためのブレストをしたことがあるのですが、電話代やコピー紙の節約など、はっきり言ってくだらないものばかり出てきました。トイレットペーパーまで節約して、各自が、マイ・ペーパーを持ってトイレに行ってはどうか、といった笑い話のようなものまで出てきました。おわかりのように、皆さんが不便な思いをする割には、実際の削減効果はほとんどありません」

食後の和んだ雰囲気の中で、リョウが冗談を交えながら切り出した。

「精神論だけで効果のないものはやめましょう。やはり大きなコスト項目に着目して、しっかりコストダウンしなければダメだと思います。そこで今回は、費目の大きなものからつぶしていきたいと思います」

財務部門に依頼しておいた開発センターのコストのパレート分析をプロジェクターで映し出した。

「開発センターの上位費目を見ると、人件費が五〇パーセント近くを占め、試験費・旅費・文具などの変動費が三二パーセント、建物や試験装置などの償却費が一五パーセント、残りは雑費となっています」

「ということは、割合の大きな人を、まず減らすということですかね？」

大森が訊いた。

「こういう絵を見せると、そう考えられると思います。その可能性を否定するつもりはありませんが、そういう意図ではありません。ここでは、単に大きな費目から順番にブレストして、各費目でどんな経費削減のアイディアがあるのか、まず出していきたいのです。その後で、その期待効果や、実施上の課題について議論し、優先順位づけをしたいのです。まずは制約条件を取っ払って、自由にアイディアを出してください」

リョウはじっくりと発言が出るのを待った。

「人件費が全体の半分を占めているのだから、これを一〇パーセント減らせば、計算上は全体の五パーセントが削減されることになる……。実施するかどうかは、いま言われたように別の議論としてね」

小西が手を挙げ、ゆっくりと話しはじめた。

「人件費の中を、さらにパレート分析すれば、我々年輩の管理職のコストが大きいはずだから、そこから減らすと効果的ということにもなる。恐らく、センターにいる一〇〇人ほどの中で、コストの高い上位五人を減らせば一〇パーセント程度の経費は浮くはず。いや、もっとかな？」

「塩崎さんは人事として意見があると思うけど、ブレストだからね。いまの意見を書いといてね」

リョウは、何か言いたそうな塩崎を促した。

「二つ目に大きな費目の『試験費・旅費・文具など』というのは、内訳はあるのですか」

試作・評価業務を預かる西村室長が訊いた。

「あります。この図です」

リョウはパワーポイントのページを繰った。西村が予想したとおり、彼の預かる試作・評価室関連の費用が圧倒的に大きい。

「やはり私のところの試作・評価費用が大半以上を占めていますね。先日もお話ししたように、その中の外注分析費の占める割合が結構大きいので、中国の大学への委託を検討させてください。三分の一から五分の一程度に経費を抑えられると思うのですよ」

「三分の一から五分の一？　西村室長、これ以上サービスを下げないでほしいな。ただでさえも、依頼した試作は遅いし、評価試験待ちも長い。このうえ分析の質まで落とされたら、成果なんかますます出なくなるよ」

武田室長が先週の議論を蒸し返してきたが、リョウも塩崎も止めなかった。

「だいたい、何でもかんでも中国に持っていって、日本に人材がいなくなったら、どうするんだ。我々開発部門だけでもしっかりしないと、空洞化するだけじゃないか」

パーキングエリア

武田の反対演説は長かった。この数年続いたコストダウンの弊害、開発強化の必要性、煩雑化する事務手続きへと武田の矛先はエスカレートしていった。一五分経っても終わる気配はない。

「塩崎さん、新しい紙にパーキングエリア（ＰＡ）をつくって『空洞化』『試作・分析サービスの低下』『事務手続きの煩雑化』と書き留めてください。それとコストダウンのアイディアのところに『中国への化学分析委託』もね」

リョウは静かに記録を促した。

「パーキングエリアって、あの高速道路の駐車区域のことですか？」

誰かが訊いた。

「そうです。アイディアの駐車場ですね」

ブレーンストーミングではアイディアに対する批判はご法度だが、往々にして批判は出てくるものだ。そういう発言を、いちいちとがめるのではなく、ＰＡと題した紙を一枚用意してすばやく書き留め、話を本筋に戻す。皆に見えるようにＰＡを貼り出しておくところがポイントだ。一種の備忘録だが、多少本筋を外した意見にも、記録することで敬意を払う。これには同じ議論が蒸し返されるのを防ぐ効能もある。

「西村さんのところのコストがこの費目の大半を占めていますが、他にアイディアはありませんか」

塩崎が話題を戻した。

「分析の委託件数の削減ができるとありがたいですね。繰り返し同じような委託が結構きているんですよ。お客から頼まれると、何でも引き受けてくる営業が多いですからね。このあたりを減らせると効果は大きい」

この西村室長の発言に、今度は大森が反発した。

「西村さん、それは主客転倒だよ。西村さんの部署のコストは下がるかもしれんが、お客は怒るよ。それじゃ、会社全体としてはマイナスだ」

塩崎は、すばやく手を動かした。「試験分析委託件数削減」「同じ試験の繰り返し削減」「客からの依頼試験の削減」。そして、PAに「客へのサービス低下」「他部門へのサービス低下」と書き留めた。

西村室長は、何か反論したそうだったが、塩崎が先に次のアイディアを求めていた。知財を担当する石川が手を挙げる。

「特許を去年の二倍以上出願するという目標がありますね。特許費用はその二番目に大きな費目の中に入っていると思うのですが、これは結構コストアップにつながります。一件二〇～三〇万円くらいはかかりますすから」

そんなにかかるのか。リョウは少し驚いた。

「そこで、少し考えているのですが、実は出願した後も年金と言いますか、特許の維持費がかかっているわけです。特許が切れるまで二〇年ぐらい払い続けるわけです。そこで過去の特許を皆さんに見直していただいて、不要なものの年金の支払いを止めるというのはどうでしょう。出願時にはわかりにくい特許の価値も、数年経つとかなり正確に判断できるようになると思うのですが……」

石川は続けた。

「例えば、登録されている特許を順位づけして、下位一〇パーセントは切り捨てるといったことをしてはどうでしょう」

「多分、社内の誰も困らないコストカットですね」

リョウは関心を示した。

「石川さん、売れる特許はないのでしょうか」

「ＩＢＭのように売れる特許がたくさんあると、私も威張れるのですが、あまり多くはないかもしれません。しかし、そういう検討をあまりしてきていないことも事実ですね」

塩崎が、「特許年金の見直し」「特許販売の検討」と書き留める。

「売るだけではなく、他社とのクロスライセンスなども間接的に経費を節減したり、売上げを高める効果はありますすから、それも加速しましょう」

と石川は続けた。

「すばらしい」

リョウの明るい声が、さらに弾んでいるように聞こえた。

「塩ちゃん、『儲かる特許活動という勉強会を開く』と書き留めといてね」

室長たちも特許の活性化には、不満はなさそうに見える。

こうして、コストダウンのアイディア出しは進んだ。単にブレーンストーミングするよりも今回のように、うまく範囲を区切ると、実のあるアイディアが出やすいものだ。

一方、お決まりのように批判的な意見も出た。アルコールも手伝って、リョウの目標値に対する疑問も再三にわたって持ち出された。そちらはブレストの妨げにならないようPAに書き留め、後で優先順を決めるのに使うことにする。

塩崎は、予定どおり一一時に会議を打ち切ろうとしたが、武田と西村両室長の試作・評価コストの削減をめぐる意見の対立もぶり返し、すんなりとは終わりそうにはない。塩崎は、心配そうにリョウの顔を見たが、リョウは本音の議論ができた証拠だと、進行の遅れを気にする様子もない。

スノーフレーク

「皆さん、それではそろそろ時間ですから終わりたいと思いますが、机と椅子を少し壁の方に移動させて、真ん中に空間をつくってください」

リョウが、突然大きな声を出した。

これから、簡単なゲームをやりたいと言う。

全員で机と椅子を壁ぎわに押しやると、部屋の真ん中にできた空間に円陣を組むように集まった。

「ありがとうございます。それでは」

と白地に少しすかした模様入りのＡ４サイズの和紙を全員に配った。

室長たちは、不思議そうな顔をしている。

「何をするのかって？　まぁ、ちょっと私の言うとおりにしてみてください。それではまず、この紙を半分に折ってください」

リョウが指示した。

半分って、どう半分にするのかな、と口々に問うが、リョウは答えず、微笑んで皆の顔を見渡している。

「皆さん、折れたようですね。では、次にどこでもいいですから、その角を一つちぎり取ってください」

ごみを出さないようにと、塩崎がごみ箱を円陣の中央に持ち込むと、各自二、三歩前に出ては切り取った角を捨てる。

「いいですね。それでは、もう一度その紙を半分に折ってください」

リョウの指示に、皆キツネにつままれたような顔をしている。またもや縦に折るのか横に折るのか、よくわからないが、リョウは、「半分にです」と同じ言葉を繰り返して、ニコニコ見ているだけだ。

「それでは、もう一度角をちぎり取ってください」

「リョウさん、これなんかのおまじないでっか？」

佐藤が角をちぎりながら訊いた。

「おまじないじゃありません。まあ、私の言うとおり続けてください」

リョウは、さらに紙を半分に折り、角をちぎり取るようにと指示した。

「これで、皆さん三回折って、三回角をとりましたね。それでは紙を開いて、他の人に見えるように胸の前に広げてみてください」

できた形を見て、少し驚きの声が上がる。

「犬みたいやね」

と、佐藤は隣の大森の作品を見て笑った。佐藤のは、切り絵細工の鬼の顔のように見えなくもない。

「いろいろな形になりましたね。十人十色と言いますが、この九人の中に同じものがありますか？」

リョウは、ゆっくりと全員の作品を見ながら続けた。

「なさそうですね。これは、スノーフレークと呼ばれる、アイスブレーク、つまり心を開くためのゲームです。他愛ないものですが、私の『紙を半分に折って、角をちぎり取ってください』という単純な指示に対して、これだけ異なる形が出てきましたね。ちょっとした驚きです。恐らく理科系の皆さんのことですから、どれだけの組み合わせがあるのか、頭の中で計算されているのではありませんか。縦に折るか横に折るかで、二通り。どちらの場合も角は四つずつありますから、全部で八通り。これを三回繰り返しているから場合の数は、という具合に計算されているのでは？　今日は斜めに折った人はいませんが、それも含めると場合の数はもっと増えますね。ちぎり方も違います。大きくちぎる人、小さくちぎる人、いろいろです。それによってできた形には随分違いが出ています……。さて左脳優先の分析はここまでにして（笑い）、ここでちょっと右脳を使って形の違いを感じてみてください」

全員、自分の「作品」の両端を両手で摘むようにして胸の前に出していた。それを見回しながらゆっくりと訊いた。

「何か感じられますか？」

「組み合わせの数を考える問題かと思いましたが、違うんですね」

めずらしく小西がユーモラスに切り出した。

「『多様性を感じなさい。同じ言葉でも聞く人によってこれぐらい理解が変わりますよ』ということですかね？」

「不思議だね。単純なゲームだけど、一五分前とは全然違う気分になっているね。気恥ずかしいが、童心に返ったように心が開いている気がする」

何人かが思い思いに感想をもらした。

「皆さん、見かけによらず、すばらしい感受性の方々ですね」

「見かけによらずは、よけいだろう」

冗談めかしながらも、リョウは室長たちの反応に素直に喜びを口にした。感情的に議論していた武田と西村の顔も少しは和んでいるように見える。目標値について譲らなかったリョウに対する気持ちも、少しは緩んでくれただろうか。

目隠し道案内

「それじゃ、皆さん、隣の人と一組になってペアをつくってください。そして表に出ましょう」

部屋の中央に集まっている皆に言い残すと、リョウはさっさとドアを開けて外に出て行った。

春とはいえ、少し肌寒い。快晴。夜空に、無数の星が明るかった。

見ると、森の奥から誰かが懐中電灯片手に歩いてくる。塩崎だ。先ほどのスノーフレークには加わらず、先に外に出て、何かしていたようだ。

「それでは、これから目隠しを配りますから、ペアの中の一人はそれで目隠しをしてください。もうお一人には懐中電灯をお渡しします。準備ができたら、ペアのお二人は手をつないでください」

塩崎が説明すると、「えーっ」と言う声が聞こえる。四〇代、五〇代の室長たちが、男同士手をつながされることへの照れが声になったのである。

「これから森の中を散策しますから、二人一組で縦に並んでください。では、先頭のペアから順番に、そうですね、三〇秒間隔ぐらいで私の後についてきてください。ところどころ丸太や大きな枝が落ちていて、足場の悪いところがあります。頭を打ちそうな低い枝もあります。目隠しをしていない方は、ペアの相手方に足場や頭上の様子を的確に言葉で伝えてあげてください。では、ケガをしないよう気をつけていきましょう」

そう言って塩崎は、先頭に立って歩き出した。先に出て適当なルートを探していたのに違いない。先ほど激論を交わしていた武田が目隠しをし、その手を取って西村が案内している。全員このようにペアとなって、塩崎の後について歩きはじめた。

誰かが声をかける。

「足元に直径二〇センチ程度の丸太があるから、つまずかないようにまたいでください。一〇センチほど前です。そうそう、あっ、今度は右から木の枝がせり出しています。屈んで、頭を低くして、もうちょっと！」

はじめはぎこちなかったが、すぐに慣れて楽しそうな声が上がりはじめた。二〇分ほど森の中を散策してから、研修所に戻ってきたのは真夜中を少し過ぎていた。少し身体が冷えていた。

「ご苦労様でした。目隠しをとってください。気分はどうですか？」

塩崎は全員の顔色を確認しながら言った。

「『俺たちが、なんでこんな馬鹿馬鹿しいことを……』と思われたでしょうね」

「いやいや、なかなか面白かったわ」

グループアシスタントの横倉洋子に手を引かれることになった佐藤は嬉しそうな声を上げた。

「ハイ、佐藤さんはそうでしょうね。このエクササイズの第一の目的は、『この俺が、なんで？』という、つまらないプライドや自意識に気づいてもらうことです。皆さんは、優秀な成績で理科系の一流大学を出て大学院に進まれ、博士になり、研究開発一筋。室長として部下を率いていらっしゃいます。何と言ったって、この会社を支える製品をつくっているのは『俺たちだ』と思っておられると思います。それはすばらしいことですが、こういう状況ではそんなプライドや過去の実績なんか、何の役にも立ちませんね。新しい状況では、立場やプライドにこだわっていては、物事は進まない。過去の実績なんて何の役にも立たない、そういうことを感じていただければと思います。

二点目は、コミュニケーションの重要性です。室長の皆さんは、部下とだけでなく、マーケや製造、調達といろいろな部署の方々とのコミュニケーションが欠かせませんね。正確な情報を伝えることの重要性と難しさを感じていただけたでしょうか。先ほどのスノーフレークでもそうですが、言葉だけのコミュニケーションは非常に難しく、危うい。しかし、我々の活動の多くは言葉に頼らざるを得ません。そこで重要なことは、オーバーコミュニケーションです。技術系の方は端的に話をされすぎる傾向があります。正確に言葉を選び、論理的に必要最小限で話す話し方です。それでは、ロゴスとしては正しくても、実際には意思が伝わっていなかったり、印象が薄くて忘れられることが少なくありません。

もう一点。信頼関係がコミュニケーションには不可欠です。信頼されるよう普段から振る舞うことが大切ですね。信頼がなければコミュニケーションは成り立ちません。

口に出してしまえば当たり前のことですが、それをこのエクササイズを通して体感していただけたとしたら何よりです」

アルコールも入り、つい先ほどまで激論・熱弁を交わしていたのだが、二つの簡単なゲームを経てチームの雰囲気はガラッと変わった。感情的な対立があったことも忘れ、これまでの議論は、チームが成功するためのものだったように思えてきた。「おかげで、気持ちよく眠れそうだ」との誰かの言葉が、塩崎の気持ちを軽くした。

作業仮説

深夜に及んだ昨夜の議論のため、土曜の朝食は遅かった。予定より一時間遅らせ、九時から会議を始めることにした。

「おはようございま〜す」

塩崎は、目の覚めるような大きな声を出した。その声には、元気が出てくる、明るさがあった。

「昨夜はご苦労様でした。今日は、これから売上げを伸ばすためのアイディア出しをし、その後、4W1Hエクササイズ、つまり誰が、いつまでに、どこで、何を、どのようにするのかをまとめて、三時までに終わりたいと思います。よろしいでしょうか」

全員がうなずくのを見て、リョウが切り出した。

「それでは、昨夜のリキャップ、つまり復習から入りたいと思います。まず目標値についてですが、皆さんの気持ちが、昨夜の議論で私にもよくわかりました。一方、社長の掲げる目標や会社を取り巻く競争環境を考えると、私としても提案した目標を、簡単には降ろす気になりません。そこで、提案ですが、私の目標を『作業仮説』とし、そこにどこまで近づけるかを議論したいと思うのですが、どうでしょう。目標が現実的かどうかについて、ブンブンと空中戦のように議論するのではなく、どこまでいけるか具体的にアイディアを出し、検討するのです。いくらアイディアを出しても到達できないのなら、私も諦めます。どうでしょう、『作業仮説』ということで」

しばらくの沈黙の後、佐藤が口を開いた。

「なんやまたキツネにつままれたみたいやな。そやけど、一応筋は通ってるし、できる、でけへんの議論は、いろいろ考えた後で、ええんちゃうかという気になってきたわ」

ファシリテーターの塩崎が、「作業仮説としての目標」と題して、リョウの掲げた目標値を一枚のフリップチャートに書き、見えやすいところに貼り出した。

期待と課題のマトリックス

「さて、昨夜の皆さんのアイディアを少し整理してみました」

リョウは、パソコンを操作し、一枚のマトリックスを壁に映し出す。そこには、横軸に昨夜出され

図表9　期待と課題のマトリックス

課題＼期待	中国への化学分析委託	試験分析委託件数削減	特許販売の検討	プリンター使用制限	実験計画法の導入
サービスの低下					
スピードの低下					
分析の質の低下					
国内の空洞化					
事務手続きの煩雑化					
コストアップ					
緊急時の対応力低下					

たコストダウンのアイディアが記され、縦軸にはPAに記された課題が列挙されていた。その二軸が交わる箱には何も書かれていない（**図表9**）。

「おわかりのように、この縦横の交点の一つひとつが論点です。例えば、『中国への化学分析委託』ですが、試験の外注費用というコストを大幅に下げる効果が期待される一方、縦軸の課題の中にある『サービスの低下』『スピードの低下』『分析の質の低下』といった懸念があります。これらの論点について答えを出すにはデータが必要です。もちろん今日はデータがありませんから、まず、このマトリックスを見ながら横軸に追加すべきアイディアや、縦軸に追加すべき懸念・課題を見落としていないか、もう少し議論したいと思います。

それでマトリックスを完成させる。その後、各交点の担当と締め切りを決めたい。担当の方は、次回までに意思決定に必要なデータを集めてくる。

そういう進め方でどうでしょう？」

「いや、この図はいいですね。こう整理してみると、全体が見えるし、意思決定をするうえで、我々が何を知らないといけないのかがはっきりする。昨夜このマトリックスを出してもらっていたら、あんな感情的な議論に時間をつぶさなくても済んだのに、と思いますよ」

大森が賛成した。

「この線で議論しましょう。まず、私から」

と引き継いだのは、意外にも武田だった。

「昨日言い忘れていたけど、オフィスサプライの中をパレート分析した結果を見ると、使用制限している紙や筆記具のコストは、実は無視できるぐらいに小さい。一方、プリンターやコピーのトナーやインクが、ひどく大きかったですね。驚きました。コストダウンというと、皆『コピーの裏紙を使え』みたいな話になるけれど、昨日の分析結果を見ると、いくら裏紙を使っても、プリンターやコピーを使う限りコストは下がらない。プリンターそのものをできるだけ使わないようにすることが効果的だと気づきました。それを横軸の『期待』の一つに加えてください」

「それは、結構面白いかもしれない。裏紙をコピー機なんかで使って、結構失敗しているでしょ。詰まったり、裏表間違えたり。あれトナーの無駄遣いですよね。かえってコスト高になっているかもしれない。この際、思い切って裏紙の使用をやめませんか。センターの雰囲気がよくなると思いますよ」

石川が乗ってきた。

「コスト分析から見ると、紙の使用が少々増えても、トナー代が半分になれば大幅なコストダウンです。いいアイディアですね。武田さん、石川さん、ぜひ実行プランをつくってください」

リョウは、塩崎に記録を促した。

昨夜の混乱した議論からは考えられないほど、スムーズに議論が進みはじめた。いや、いったん思いを吐き出した後、一晩、頭を冷やしてからの議論だからこそ、秩序が生まれているとも言える。リョウはその効果を計算に入れていた。昨夜のチームビルディングのゲームで、皆の気持ちが開かれたことも効いているに違いない。いったん思考の枠組みやプロセスが共有されると、アイディアが出るのは早い。

こうしていくつかのアイディアが追加された後、課題を誰が担当するのかの議論に移った。

「中国への委託の件は、私、西村が担当します。期限は一週間でいいですよ。もう、だいたい調べはついていますから」

「早いですね！」とリョウが言おうとすると、別の方から声が上がった。

「特許の件は、私がやります。これも一週間でやります」

石川知的財産室長だった。

「『試験分析委託件数削減』は私がやりまひょ。営業とは仲ええからね。ま、いろいろ話してみますわ」

「あの、すみません。『期待』の追加、まだいいでしょうか」

自動車分野を担当する村田室長だ。

「実験計画法の導入を加えたいのですが」

最近のパソコンのおかげで高度な統計解析ができ、グラフィックス表示もできる優れたソフトが出ている。これをうまく使えば、実験点数を何十分の一に減らせる可能性があるというのだ。もちろん
「期待と課題のマトリックス」に加えられた。

「人件費についてですが……、私に担当させてもらえませんか。私に多少アイディアがあります。ただ、慎重に扱わないといけない分野ですからセンター長の協力をいただけると助かります」

小西だった。昨夜の話は本気だったのかもしれない。

「いいですよ。やりましょう」

リョウは努めて明るく応えた。

「そうだ。私からも提案があります」

軽いノリでリョウが続けた。

「旅費削減策の一つとして電話会議を普及させましょう」

「電話会議って、声だけでやる会議ですか、電話で？　言葉だけではコミュニケーションは難しいというエクササイズを昨夜したばかりですよね」

「塩崎さん、糸川室長の懸念を縦軸に加えてください。担当は、私。別途話しますが、電話会議のほうが移動する手間もなく、時間のロスが少ないので、慣れるとそのほうがありがたいと思うようにな

ります よ。私は、社長のスタッフ会議にそれで出て、ずいぶん助かってます。それに、言葉だけではありません。『ウィンドウズ』の『アクセサリ』の中にある『ネットミーティング』というソフトを使うと、資料もパソコン上でシェアできます。話し手が、ポインターで画面を指しながら『ここから、ここまで』といった具合に説明できるので、ほとんど不便を感じません」

新たなアイディアがいくつか追加され、担当者と期限はすぐに決まった。ほとんどが一週間で調査できるというので、来週の金曜日に、その結果に基づく議論を川崎のセンターで行うことにした。これでコストダウンの議論はひとまず終え、今日の課題である売上げを伸ばすための議論に移った。

ワァオ！を創れ

リョウは、開発センターのプロジェクトリストを壁に映し出した。そこには、工数（マンパワー×時間）と開発完了時期、予算などが記されている。さらに今後三年間でどの程度の売上げが期待できるかも記されている。リョウがマーケティングと営業本部の関係部署と話し合って事前に得たインプットだった。

「今回こちらに着任して開発案件をじっくりと見せてもらいました。この一覧表にあるように、たくさんテーマがあるのですね。皆さん大変だろうと思います。と思う一方で、私には納得できないことがあります」

リョウは、自分が一方的に話すプレゼンテーションにならないように、ここで間を置いて、一人ひとりとアイコンタクトをとっていった。

「と言うと？」

目があった糸川が自然と口を開いた。

「WOW！がないのです」

「『ワァオ』って何です？」

佐藤が不思議そうに訊いた。

「感嘆詞の『ワァオ』です。感動。驚きですね。『これができたらすごい』というもの、それを感じる案件が残念ながら一つもありません。ただ、マーケティングに言われたものを、時間とリソースの許す範囲で開発しているだけという感じを受けました。これでは他社の出す製品と見分けがつかないでしょう。売上げを伸ばすことはできません。木下君の自動車用のコーティング剤にしても、姚さんのプリンターインク用添加剤にしても、『そこまでできるのか』という感動をお客様にも与えるところがありますよね。開発期間も非常に短い。『ワァオ』です。担当者の熱意を感じます。しかし、残念ながらここにリストアップされている五〇近くもある開発テーマには、それを感じないのです。お客様のビジネスや、その求めるものに思いを致して、その期待を超えてやろう『感動を開発しよう』とする意欲が見えません」

「と、言われてもね……」大森が口にしたが、その声は、リョウには届かなかった。

インタラクティブ・プレゼンテーション

「さて、このテーマ一覧表をもとに、市場セグメントごとに費用対効果を示す図をつくってみました」（図表10）

リョウは、次のパワーポイントを見せた。

開発センターはマーケティング同様、市場セグメントごとに組織化されている。糸川が産業機器、佐藤は事務機器分野、村田は自動車という具合だ。これを見ると、大森が担当する医療・食品分野の投資効果が小さい。一方、佐藤の事務機器部門は大きいのだが、これはSCC社の実力を反映していると言っていい。SCC社は事務機器分野の市場シェアは大きいのだが、医療・食品分野では後発で、市場シェアはほとんどないに等しいのだ。医療・食品分野は、景気変動の影響を受けにくく、高齢化の進む中で安定収益を見込める。そう判断した社長の亀井が、三年前に参入を決意したのだが、めぼしい開発成果が出ていない。昨夜のSWOT分析でも同じことが指摘されていた。

費用対効果で評価すると、医療・食品分野の開発は優先順位は低くなる。この分野を伸ばしたいという社長の全社戦略に反する答えが出てしまう。「数字で見える費用対効果で開発の優先順位をつけるのは誤りだ」と言うのは簡単だが、かと言って、むやみに新しい市場に開発の重点を置けば、闇夜

図表10 SCC社の開発投資効率

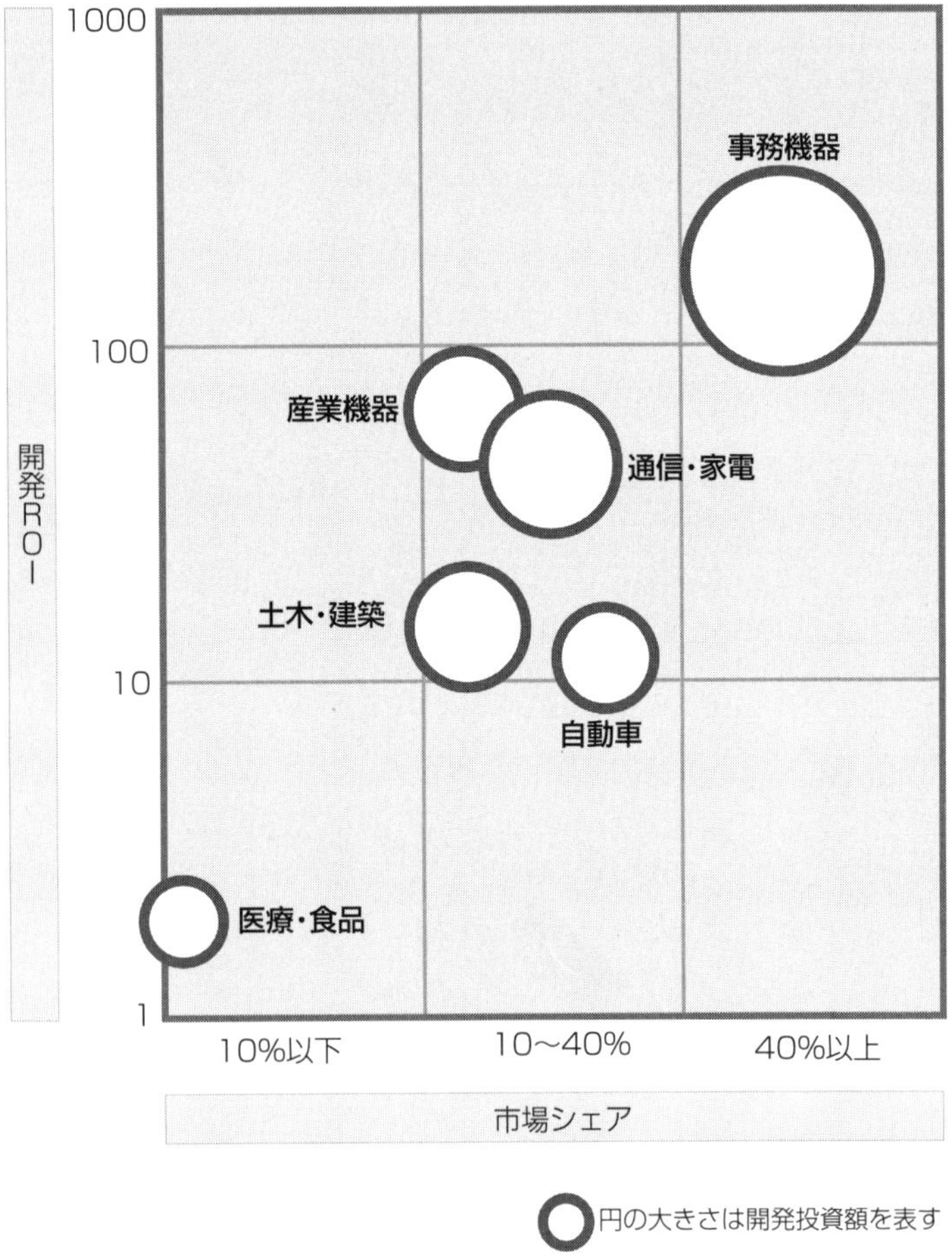

に鉄砲を撃つようなものになる。それでは、誰もセンターに期待しなくなるだろう。

「長々とお話ししましたが、この二つの問題、つまり、テーマに『ワァオ』が感じられないことと、新規分野のＲＯＩが低いことは、関係しているように思います」

「どういうことでしょう？」

大森が質問した。リョウの語りかけるようなリズムと間のおかげで、リョウのプレゼンテーションには、自然と質問を引き出すようなところがある。インタラクティブで、彼女と一緒に全員がシンクロして考えられるような話し方である。

「皆さんに議論していただきたいのですが、『言い出しっぺ』ということで、マーケティングにいた私の経験からお話ししましょう」

リョウは、次のページを映し出した。

「これは、スタンフォード大学のＳ・Ｊ・クライン教授の提唱したチェーンリンクド・モデルです**（図表11）**。この種のモデルでは、製品開発から事業化までを直線的に表すものが多いのですが、このモデルの特徴は、らせん状にというか、行ったり来たりしながら開発が進むという点にあります。科学的知見は、すべてのプロセスで『研究』『知識』という上段から入っていますね。開発のスタートは、市場発掘です。技術ではないことに注意してください。さて、先ほどの二つの問題を考えてみましょう。『ワァオ』がないのは、このプロセス上、どこの問題だと思われますか？」

「科学的知見が不十分だと、『ワァオ』は出にくいですよね」

図表11 チェーンリンクド・モデル

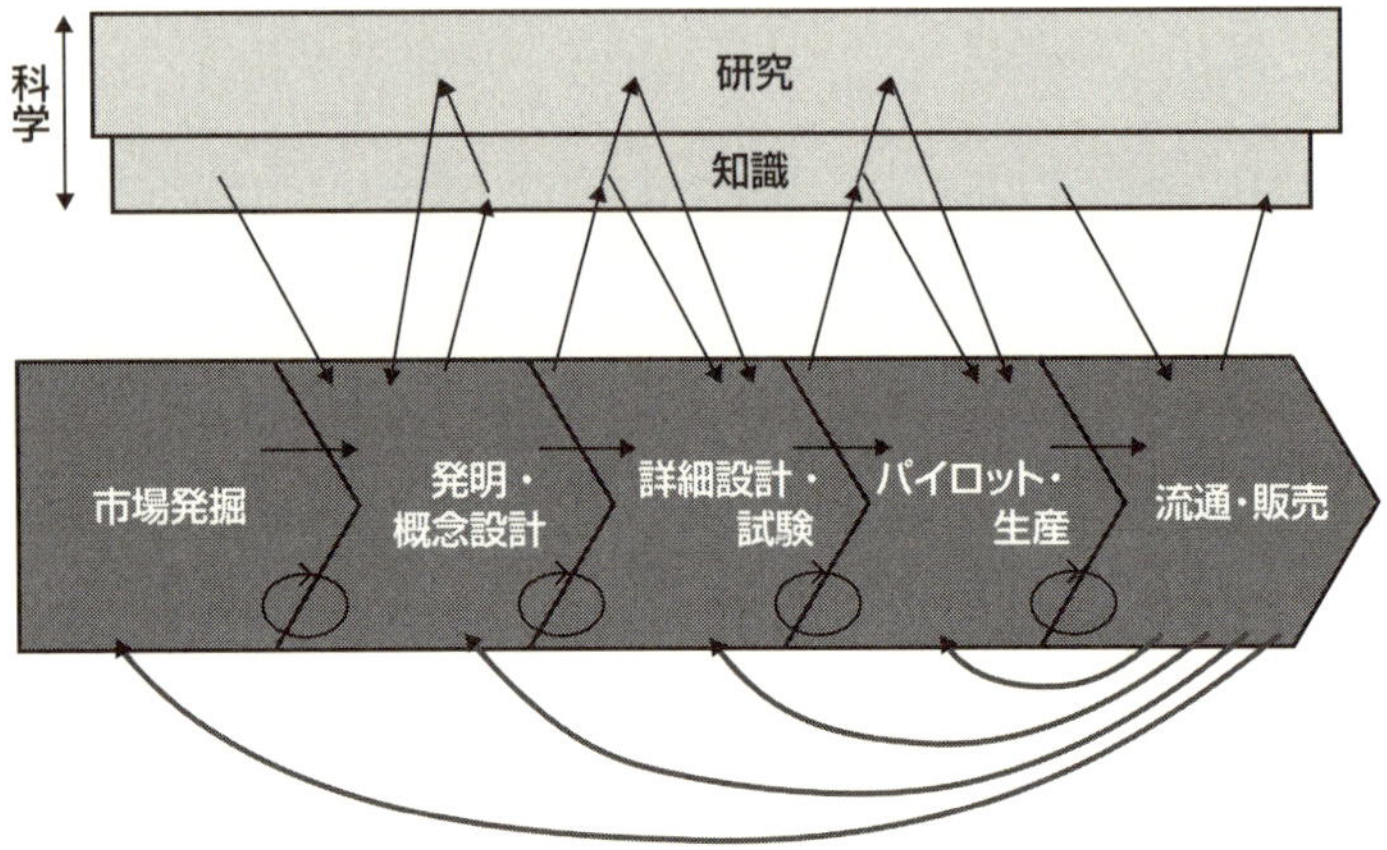

出典：Stephen J. Kline "Innovation is not a Linear Process" *Research Management*, 28 (4) 1985
『産業科学技術の動向と課題』 通商産業省、1992

大森が、おずおずと口を開いた。

「そうですね。期待に反して、技術的な解決能力が低いとそうなりますね」

「いや、我々の技術力が低いとは思わないな。現に、マーケティングからの要求スペックはほとんど満たしている」

武田が口をへの字に曲げて反論した。

「武田さんは、どこに問題があると思いますか？」

「そりゃ、この図のはじめのところだよ。マーケティングがろくな案件を見つけてこないからだ」

SCC社では、マーケティングが顧客のニーズを引き出し、商品開発のターゲットを設定する役割を担っている。開発センターはそのターゲットに対し商品開発を進め、できた製品を製造部門に移管するという役割になっている。武田は、マーケティングが悪いからだと強調した。

「私はマーケティングにいましたから、いまの武田さんの指摘はよくわかります。実は、そのとおりだと、私も思うのです。しかし、マーケティングが悪いと言っているだけでは問題は解決しませんね。武田さんはどうしたらいいとお考えですか？」

「マーケティングのことは、マーケティングが解決するしかないだろう。我々の問題じゃないよ」

ぷいっと横を向くように、武田は言い捨てた。


二つ以上の組織が共同して働くとき、多くの場合、問題は組織と組織の間に発生する。マーケティングの問題だと武田は一蹴したが、それが変化を拒む武田の気持ちを表していることをリョウは敏感に嗅ぎ取った。

「確かに、新しい医療・食品分野では、顧客のニーズをつかみにくいと思いますが、事務機器や自動車セグメントではシェアも高く、マーケティングも結構顧客のニーズを、他社に先駆けてつかんできているのではないでしょうか」

「やっぱり、木下君みたいな馬力のある開発者がいるっちゅうことかねぇ」

事務機器セグメントの佐藤が、いつになく考え深げに言葉を口にした。

「佐藤さん、いい例ですね。木下君が馬力を出してやったことは何でしょうか」

「徹夜で実験しとったし、その結果を持って、C社の開発部門に足しげく通っとったね」

「そう、しつこいほど顧客に提案を繰り返していました。すると、次第に先方の技術者も本当の課題を話してくれるようになり、結局、他社に先駆けてソリューションを提供できた。それも顧客の期待を超えるレベルで。それがワァオですね」

SCC社の強い事務機器や自動車分野では、主だった顧客の製品開発部門にしっかり人脈ができており、顧客からSCC社のマーケティング担当者に問題解決の依頼がくるほど、それはしっかりしている。しかし、それだけでは不十分だ。木下がやったように、開発センターがもっとプロアクティブに動いて、顧客の課題を掘り下げなければいけない。マーケティングからくるテーマを待つ姿勢ではいけないとリョウは言いたかった。

マインドマッピング、まず発散

「センター長は、我々がもっと顧客のところに行くべきだと言いたいのですかな」

糸川が、椅子から腰を起こすようにして訊いた。

「私は、そう考えていますが、皆さんはどうですか？」

リョウが訊くと、次々と反対意見が出てきた。

「製品開発だけでも十分忙しいのに、このうえ、顧客のところにもっと行けというのは無理ですよ。それはマーケティングの仕事でしょう」

「時間がないというだけじゃなく、能力的な問題もあると思う。すべての開発者がマーケティング的なセンスがあるわけじゃないからね」

「木下君のように馬力のある人にはできるかもしれんが、とても他には当てはめられないと思いますね」

「医療・食品分野では、顧客の商品開発の初期段階に我々が入り込めるとはとても考えられないね」

……。

否定的な意見に、リョウはじっくりと耳を傾け、我慢強く聴くと、キーワードを壁に貼ったフリップチャートの中央部に、一件ずつ書いていった。

「時間不足」「マーケティングセンス不足」「馬力がない」「医療・食品分野では入り込めない」……。

「そろそろ時間ですから、ここでいったん切って、昼食にしたいと思います。一時にもう一度集まってください。その間、ここに書いたキーワードの周りに、もう少し具体的な理由をカードに書いて、貼り付けていってください。例えば、『時間不足』なら、『実験が優先する』とか『レポートを書くのに忙しい』など、なぜ、顧客に行く時間がないのかをできるだけ具体的に書き出して、『時間不足』と書いたフリップチャートに貼り付けていってください。一時からは、それを見ながら、議論を続けましょう」

開発者が客とのフェースタイムをしっかり確保することは、マーケティングにいたリョウから見れば自明のことだったが、立場によって考え方は異なるものだ。センターから見れば、武田が、いみじくも言ったように「それはマーケティングの仕事」と見えることは理解できる。誰しも自分の仕事を増やしたくはない。しかし、製品開発のために顧客のニーズを理解するというのは、実はマーケティングと開発部門の共同作業なのだ。リョウはこの考えをセンター長として押しつけるよりは、議論の中で、室長たちの気持ちの中から湧き上がらせたいと思った。そのために、マインドマッピングという手法を使いながら、彼らがなぜ客先に「行きたくない」「行けない」と言っているのか、洗い出してみることにした。

マインドマッピング。この手法は、大きな紙の真ん中に、中心的な概念を書き、その周りに関連することを書き出していくというものだ。どのような関連かは問わない。二次元的に書き出すという視覚的な効果も手伝って、箇条書きにするより、発想を刺激する効果が期待できる。さらに、後で関連性や重要度を議論するときにも、空間を利用して図解できる。発散と収束の両方のプロセスに効果を発揮する可視化手法である。

「昼食を食べながらの作業、ありがとうございます。我々は、ここを三時に出たいと思いますので、残りは、あと二時間となりました」

塩崎が切り出した。メンバーはすべて会議室に戻っており、カードに書いては壁に貼り付ける作業をしたり、貼り付けられたカード群を少し離れて、じっくり眺めたりしていた。サッサと作業を終えて、昼食のサンドイッチを食べている者もいた。

「もう少し時間もらえないかな。まだ書き足らないから。あと二〇分ほど」

誰かの声がした。

「わかりました。それでは一時三〇分から始めますのでよろしく」

リョウが応じた。

壁に貼ったフリップチャートのスペースが不足し、紙を継ぎ足して、「できない理由」を室長たちは書き出している。リョウは、部屋の中央に立って、四方の壁で行われているこの作業を見ていた。

「今日は発散だけにして、収束過程には移らないほうがいいかもしれないね」

一瞬、自分の考えが声になって聞こえたように錯覚したが、隣に来ていた塩崎が発した声だとすぐに気づいた。

「私もそう考えていたところよ。来週、センターに帰ってからもこのマインドマッピングを続けて、なぜできないのか、洗い出す作業を続けたほうがいいと思う。なぜできないと言っているのか、とことんその全体像を考えさせないと、どうやればできるかを、真剣に考えるようにはならないわよね。新しいことをやっても、すぐできない理由に戻るクセがあるのよね。マーケもそうだった」

一時半からは、出てきたマインドマッピングの結果について、順番に説明してもらった。理由の一つひとつを見れば、もっともだと思えるのだが、全体を見れば、会社の開発部隊としてはあまりに受身すぎるという印象はぬぐいきれない。皆はこれをどう思って話しているのだろうか。嬉々として、説明する室長たちを見ながらリョウは思った。が、そのことは口にしなかった。

「二日間、ありがとうございます。おかげでコストダウンのほうは、具体的なアクションが出てきました。来週以降『期待と課題のマトリックス』の空欄を埋めていってください」

リョウは、簡単に二日間のリキャップ（まとめ）をしていった。

「新製品開発のほうですが、最後にやったマインドマッピングが中途半端な形で終わりましたので、来週月曜日の五時以降に、第三会議室で続きをやることにしたいと思います」

壁にアクションリストを記したエクセルシートを映して説明した後、その場で全員にそれをメールした。

ファシリタティブ・リーダー

自宅が同方向だからということで、帰りのクルマには小西、佐藤、そして村田室長が乗り込んできた。後片づけに手間取り、予定より少し遅れたが、四時少し過ぎてリョウは愛車のＳＵＶを発進させた。

「黒澤さん、少し訊きたいことがあるのですが」

東富士五湖道路を経て中央自動車道に入るころ、助手席の小西があらたまって訊いてきた。

「先週の黒澤さんのインテグレーションに刺激され、私もファシリテーションについて少し勉強しはじめているのですが……、本を読むと、とにかくファシリテーターは中立であるべきだとか、プロセス・コントローラーで議論の中身に入ってはいけないとか、書いてあります。塩崎さんはそうですが、失礼ながら黒澤さんはご自分の意見を言われるし、中立じゃありませんよね」

「私のは、都合ファシリテーターです」

リョウは屈託なく微笑んだ。

「ファシリテーターを『ファシリテーションを目的とする人』と定義すると、私は、ファシリテーターではありません」

リョウは、運転席で座りなおすと、小西に合わせて理屈っぽく話しはじめた。

「私はビジネスリーダーです。皆さんをリードし、結果を出すのが私の仕事。私にとってファシリテーションは、そのための道具であって、目的ではありません。もちろん皆さんの言うことをフェアに傾聴しようという意味では、偏見のない中立的な立場で聴く努力をしているつもりですが、プロセスだけでなく、議論の中身にも入っていきます。意見も言います。結果に対する責任をとるのは私ですからね。つまりファシリタティブ、ファシリテーター的ではありますが、厳密にはファシリテーターではないのです。だから塩崎さんに入ってもらって、補ってもらっているわけです」

「なるほど、ファシリテーターとファシリタティブ・リーダーは違うということですか」

小西は、何か思い当たることがあるのか反芻した。

「通常、リーダーとして思い浮かべるのは、自らぐいぐい引っ張っていくタイプですよね。メンバーは、それに従うだけ。そういうスタイルをディレクティブ・リーダーシップと呼ぶ人もあります。リーダーシップにはそれだけではなく、皆さんの意見を引き出し、よく聴き、あるいは触発してチームを引っ張っていくというタイプもあるのです。私はそういうリーダーでいたいと思っています」

教育への情熱

「ところで、ディベートもそうですが、ファシリテーションを教育に応用すると、多面的にモノを見る力や、論理的にモノを考える力がつくように思うのですが、どうですか？」

「小西さんは、本当に鋭いですね。まったくそうだと思います。アメリカの小学校には、例えばAちゃんがいじめられていると、その子を一時間かけて皆でいいところを見つけて誉めましょう、なんていう授業をするところがあります。そうすると子供たちは、『野球の試合に負けたときに優しい言葉をかけてくれた』とか、『誕生日のパーティーに誘ってくれた』とか、Aちゃんのことをいろいろ思い出して、誉めるわけですね。先生は、『抽象的にいい子だとか言うのではなくて、実例を挙げてどう感じたのかを具体的に説明するように』と、自分の気持ちを観察することや、誉め方も指導するわけです。モノの見方と言ってもいいかもしれません。これを一時間やって、クラス全員の三〇人から、何かいいことを言われると誰だって元気になると思いませんか。クラスの雰囲気も変わるでしょう。単にいじめ対策だけでなく、小さいときにこういう経験をすると、多面的に人を見る目を養うと思いませんか？　もう少し高学年になれば、例えば日本の真珠湾攻撃について、『日本を弁護できる点はありませんか』とか、既成概念と違うことを考えさせる質問をするのです。そういう教育は、物事を多面的に観察し、他人の意見を聴き、自ら考える能力を養うと思います。

教室という双方向コミュニケーションのできる、せっかくの場を、一方的に先生の言うことを聞く場にしておくのは、もったいない限りです。いえ、知識は重要ですから、軽視するつもりはありません。ただそれは自分で覚えるようにすればいい。皆が一緒にいる教室では、もっとファシリテーション的なものを取り入れ、インタラクティブに多様な見方を交換し、刺激し合う場にしていくべきだと思います。そうすることで、心の開いた議論の仕方を学ぶこともできると思います。日本人の強みであるグループの力をもっと発揮できるのではないかと思うのです。学校の先生がファシリテーターになる必要はありませんが、先ほどのリーダーの場合と同じで、ファシリタティブな先生となって、教室がもっとインタラクティブになるべきだと思いますね」

「黒澤さんは、驚くほど教育に情熱をお持ちなんですね」

小西は、熱っぽく語るリョウに驚いた。

他人事のように話したが、「Aちゃん」というのは、リョウ自身のことだったのだ。自分が小学校のときに、父親の仕事の関係で一年間過ごしたニューヨーク州の小学校での体験だった。

「多面的な観察力や論理的な思考力を養うという観点からディベートと比較すると、ファシリテーションはどう違うのでしょう?」

小西には、ディベート経験があるらしい。

「そうですね。ディベートも多角的な視野を養う訓練になると思いますが、対立的なところが嫌われているのでしょうか、残念ながら日本ではなかなか普及しませんね。ファシリテーションの場合は、『こういう視点で見ると、何が考えられますか?』などとファシリテーターが問いかけ、皆でアイディアを出し合いますから、あまり対立的ではありません。性格的に日本人向きじゃないでしょうか」

「アメリカでは、どの程度ファシリテーションの利用が進んでいるのですか?」

突然、後ろの座席から村田の声が割り込んできた。

「もともと共通基盤の薄い国ですから、言葉による理解を工夫しているところはありますね。ファシリテーションの会議への応用という意味では、三〇年は違うと思います」

「そんなに違うのですか?」

「会議へのファシリテーションの応用については、三〇年も前にベストセラーになったハウツウ書がアメリカで出ています。マイケル・ドイルとデイヴィッド・ストラウスという人が書いた*How to make meetings work!*(『会議が絶対うまくいく法』斎藤聖美訳、日本経済新聞社)という本です。たしか一九七六年に初版が出ています。この本が日本で翻訳出版されたのは二〇〇三年のことです。この差だけでも二七年です。その本の背景にあるファシリテーションやグループダイナミックスに関する研究を含めると、三〇年以上の差はあるでしょう」

「アメリカは共通の文化的基盤がないから、そういうことでもせんと会議がまとまらんかったけど、日本人は腹芸や以心伝心でわかってしまうんやないかね」

佐藤も後部座席から割り込んできた。

「もともとはそうかもしれません。しかし、日本人、特にホワイトカラーと呼ばれる人たちの会議がうまいとはとても思えませんね」

「そら、そうやな」佐藤はあっさり認めた。

「実は、日本人の価値観やモノの理解の多様性は想像以上に大きい、という調査結果を見たことがあります。『単一民族』なんて真っ赤なウソですが、そういう集団催眠術にかかっているような気がします。本当はかなり異なる価値観や意見の違いがあるのですが、言葉を使わなくてもわかり合えるという集団催眠のおかげで、言葉で論理的にコミュニケーションすることをサボっているように思いますね」

「それは私も同感です」

「ファシリテーションを通じて、自ら積極的に表現し、かつ他人の意見もよく聴くという姿勢を学ぶことができると思います。姿勢だけでなく、その具体的なスキルも学べます。日本人になじみやすいものだと思うのです。だから単に会議を効率的に運営するだけでなく、組織の活性化を促進したり、学校教育などでも大いに活用すべきだと思います。全員が同じ論理的フレームワークを共有し、そこに知恵を出してコミュニケーションを図る、そういうツールを活用するだけでも、効率が相当上がると思いますよ。集団だけではなく、個人の成長を促すきっかけにもなると思います」

アイスブレーク

「多面的な観察力とか論理的な思考力とか、難しいことはようわからんけど、とにかくグループで考えることを助けるいうところが、日本人向きでええなと思うわ。ところで、昨日の晩にやったゲーム、アイスブレークいうんですかね、あれもファシリテーションの一つですか？　どこであぁいうのを仕入れてくるんです？」

佐藤が不思議そうに訊いた。

「日本ではあまりないのですが、インターネットで調べると、アメリカには何百何千という団体がアイスブレーク集を載せています。例えば大学のサイトでは、先生が講義をするためのアイスブレークを載せていたり、読書グループのような趣味のサークルのものがあったり。毎月一ドルで会員になってもらったら面白いアイスブレークを提供します、というサイトもあるぐらいです」

「英語、ですか……。日本語のサイトはないんですか？」

「ないですね。私の知っている範囲では、以前にお話しした日本ファシリテーション協会というNPO（民間非営利組織）のサイトに、いいアイスブレーク集があるぐらいです。実は、昨夜の二つはそこからのパクリです。佐藤さんのように大阪の人は面白いことをやって雰囲気を和ませるのが得意ですから、アイスブレーク向きかもしれませんね」

「私の存在がアイスブレークやて？　そんなアホな！」

リョウの突っ込みに、早速、佐藤はボケで受けてみせた。

アイスブレークは、心の柔軟体操

「アイスブレークというのは、会議のはじめにやるものだと思っていましたが、昨晩は会議が終わってからやりましたね……」

村田もアイスブレークに興味を持ったようだ。

「ええ、会議のはじめにやるものだと思い込んでいる人が多いようですね。確かにアイスブレークの中には、場を柔らかくして初対面の堅苦しさを取り除くためのものとか、自己紹介をうまくするためのものとか、会議のはじめにやると効果的なものがたくさんあります。しかし、それだけではないのです。昨日使ったものは、頑なになっている心を柔らかくほぐすためのものでした。終わる前に感情的になった気持ちを解いておこうと思ったので、やってみました。アイスブレークにはそういう使い方もあるのです」

「そういう意味では、会議の途中にやってもいいんでしょうね」

「そのとおりです。筋肉と同じように心も硬くなりますから。ほら、テニスの選手がゲーム中に腕や足腰のストレッチをしていますよね。会議の途中でも、アイスブレークで硬くなった気持ちをほぐすと、結構効果的です。昨晩のような手の込んだものではなく、簡単なもので十分効果があると思います」

一呼吸おいて、リョウは続けた。

「アイスブレークは『ファシリテーターが参加者の気持ちをほぐすもの』と理解されています。こう言うと参加者は受け身のように思えますね。私は、一歩進んで参加者が自分の心を開く、自分の気持ちを柔らかくする努力が必要だと思うのです」

「というと?」

「皆さんは、運動をする前に準備体操とか柔軟体操とかしますよね。誰かが背中を押してくれたりすることがあるかもしれませんが、自分で意識的に体の力を抜いて、ストレッチしないとなかなか効果が出ません。他人任せでは、体の柔軟性も得にくいわけです。心も同じで、虚心坦懐に人の話を聴く、議論の枠組みに沿って考えてみる、思いついたことを口に出してみるという、開かれた気持ちにするのがアイスブレークですから、アイスブレークの機会に自分の心を自ら開く努力が必要なのです。体と同じで、心も硬くなりがちです。硬い心は、他人の意見を軽視し、言葉尻だけを取り上げ、曲解しようとします。そういう無意識的な拒絶反応が自分の心にはあることを意識して、心のアイスをブレークすると効果的です」

「アイスブレークは心を開く柔軟体操。せっかくファシリテーターがアイスブレークやってくれるのに、『あっ、そのアイスブレーク知ってるわ、おもろないいな』とか思ったらあかんいうことやね」

佐藤のまとめが、全員の爆笑を誘った。

ファシリテーションは、知のグループウェア

「ところで、論理的なフレームワークってことを何度か言われていますね。それでグループ思考を促すのだと……。もう少し説明してもらえませんか？」

「小西さんのように論理的な能力の高い方は、意識的か無意識にかはわかりませんが、ご自分で論理の枠組みをつくって考えているはずです。例えば、『この案件のいい面や悪い面をすべて考えて、比較検討しよう』とか『プロセスを洗い出して、どこにボトルネックがあるのか順番に見ていこう』などといった具合です。その枠組みを黒板やフリップチャートに描き、可視化して示すと、メンバーの意識もそこに集まって、それに沿って意見を出しやすくなります。その論理的フレームワークが優れたものだとチームの知恵が活かされ、一人で考えるより、はるかに優れた結論を導き出すことができるのです」

話しながら、リョウは追い越し車線から外れ、いちばん左側に車線変更した。スピードを少し落とす。

「コストダウンのための方策をブレストしましたね。ブレーンストーミング自体は論理的フレームワークではないと思われるかもしれませんが、コストをパレート分析して大きい費目からアイディアを

出してもらうというのは、論理的フレームワークですよね。そのときに、いろいろ課題も反対意見も出ました。これをそのまま議論すると、私が言う『空中戦』になってしまいます。効率の悪い議論の仕方です。感情的にもなりやすい。それよりも、例えば今日は、期待と課題という形で議論を整理し、誰がいつまでにデータを調べるのか4W1Hを明らかにしました。これも、私の言う論理的フレームワークの一つです。もちろんＳＷＯＴも」

「なるほど。当然他にもそういうフレームワークがいっぱいあるわけですね」

「そういうことです。小西さんのような方なら、そういう論理のフレームワークをうまく使えると思います。それを可視化することで、皆が一緒に考えることができるわけです」

「可視化ですか」

「『ＳＷＯＴ』にしても『期待と課題』にしてもマトリックス形式でしたが、例えば、何のためにやっているのか混乱しているなと思ったら、ツリー状に目的と手段を結んで構造を示すのがいいですね。私たち開発センターの都合が、全社のそれに優先するという議論を、我々はしてはいけない。しかし、そういう部分最適化が全体最適化に優先する議論を無意識にしてしまうことはよくありますよね。そういうとき、このツリー構造を描きながら議論すると、全員で真の目的を共有することができます。いったん目的が共有化されると、改めて視野を広げ、もっと有効な、いままで気づかなかったような解決策を考えられることもあります。結構役に立ちますよ。口先だけの議論をやめて、発言をこういう図の中に書き込む。関係のないものはＰＡ（パーキングエリア）に放り出す。それをチームでやることで、全員の参加意欲が高まりチームの強さが発揮できます」

「なるほど。『論理を構造化』して『可視化』して共有するか」

「可視化することで思考プロセスを個人の頭の外に出すことができます。そうやって思考プロセスを外部化すれば、グループで知恵を合わせて考えることができます。ファシリテーションは、知のグループウェアなのです」

未知の問題を解決する思考パターン

リョウは、説明を続けた。

「可視化することで、常に論理の構造が意識されますよね。無関係な議論が減ります。加えて、例えば、実現の難しさと達成されたときの成果の大きさを縦軸と横軸にとり、マトリックスで示すと、言葉だけでは難しい二次元思考をグループで行うことができます」

「二次元思考というのは、二つの軸を同時に考えるということですね。中期経営計画書で、そういうマトリックスを見たことがあります。誰かが描いた絵を結果として見るのと、いま言われたように、そういうマトリックスを皆でつくっていくのとでは、社員の意識に大きな違いが出るということですね」

以前に出た「ジョハリの窓」のことを、小西は思い出していた。あの二軸のマトリックス（窓）を思い浮かべるだけで、自分以外の、もう一つの次元で自分を見る気持ちを取り戻せる。

「ところで、我々技術者は、実験をしたり、コンピュータで数値データを出して図示することができますが、『これは売れそうだ』といった感覚を図示することもできるのでしょうか？」

「感性もある程度は定量化して図に表すことができます。クルマを運転しながらでは、なかなかうまく説明できませんが、例えば、相対的にどちらの効果が大きいのかといった議論を踏まえて図に表すのです。その場合は、データの客観的な正しさではなく、『納得性』という主観がポイントになりますね。そのうちテーマの優先順位づけをやると思いますから、その中でそういうスキルも使うと思います」

高速道路の降り口を間違わないように注意深く出口を意識しながら、リョウは手短に答えた。

「意見を出してくれと言っても、なかなか出ないですよね。論理の枠組みを示すだけでは不十分なのではないかなと思うのですが」

いつも寡黙な村田が、今日は珍しく話に入ってくる。

「そのとおりですね。これが子供のころから話すことを教えられているアメリカ人相手だと、発言が多すぎて抑えるのに苦労する場合が多いのですが、日本人の場合は、議論に慣れていないということもあって確かに意見が出にくいですね。まあ逆に、私はファシリテーション教育を普及することで、もっと自分の意見が言える人たちを育てたいと思っています」

「自分もあまり発言しないほうですが、振り返ってみると、どうしてもじっくり考えて間違いのないことを言いたいと思ってしまう。それがいけないのでしょうね」

村田らしい疑問だ。

「そういう傾向が、特に知的レベルの高い日本人には多いですね。日本人が世界のいろいろなコミュニティーの中で、リーダーシップをとれないのは、そのためかもしれないと思うことがあります。じっくり考えること自体は悪くありませんが、『外部化されたグループ思考プロセス』にも参加する力をつけてもらうと、村田さんのような思慮深い人の力が、もっと全体に活かされると思います。深く考える前に発言していただく。そういうクセをつけてもらえるといいですね」

「深く考える前にですか……」

「そうです。そのためには村田さんが、恐らく無意識に使っている論理の構造を意識化して、それを提案してもらうのもいいと思いますよ」

「……」

「日本の受験教育では、入試問題をパターン化してすばやく解く練習をしますよね。実は、未知の問題へのアプローチにもパターンがあります。例えば、まず『何が事実で、何が推測かを峻別する』『要因を網羅してみる』『仮説を立てる』『プロセスを描いてみる』『蓋然性の高いものから検証してみる』『逆の立場から見てみる』等々です。理科系の方は、専門分野でそういうことを日々やっていらっしゃいますよね。それを意識して、積極的に応用すればいいのです。はじめは、分野が違うと戸惑われるかもしれませんが、同じパターンが他の分野でも使えることが多いのです。まずそれを意識するようにしてください。そしてその次には、その思考パターンを可視化して提案する練習をする。そうすれば皆で考えることができます」

「言われることは、よくわかります。問題解決プロセスに対するメタ認識（認識についての認識）ですかね。努力してみます」

発言を促す技術

「そう言うても、やっぱり意見は出にくいなあ。なんかファシリテーターのほうの工夫てないんですか」

佐藤が入ってきた。

「いくつかありますが、一つは質問のポケットをたくさん持つことです。参加者が具体的なイメージを描けるような問いかけをする力があるといいですね。そういう意味では、ファシリテーターは、ある程度議論の内容に通じた人であるほうがいいわけです。とは言っても、ファシリテーターが参加者より問題を理解しているケースはそれほど多くはありません。一般的な質問で役に立つのは、全体を意識させる質問、分散（多様性）を意識させる質問、自分たちがコントロールできるものとそうでないものを意識させる質問、時間軸を意識させる、基準を意識させるなどが、私の経験では有効です」

「うぉっ、ぎょうさん出てきたな。わからんわ。何、それ」

「全体を意識させるというのは、自分の役割だけでなく、それがシステム全体で、どういう役割を果たしているかを考えさせるということですね。例えば、目標を頭に、それを達成するためのツリーをつくってみる。逆に、自分たちが目標だと思っていることは、何かの手段ではないかとツリーを遡って描いてみるといったことです。他にも、プロセスマッピングといって、プロセスを描いてみるなど、いろいろなマッピング手法があります」

「分散っちゅうのは？」

「ほとんどの人が平均値で、話をしています。例えば、『女性のほうが男性より地図が読めない』とかですね。平均値をとるとそうかもしれませんが、実際には佐藤さんより空間的感覚に優れた女性はいくらでもいます。逆に、特別なケースを捉えて、議論することも多いですね。例えば、『当社の開発は遅い』という話です。開発期間を調べると、三か月から三年のものまである。平均は一年。ここで、『開発が遅い』というのは、三年かかったような特別遅いケースが取りざたされてつくられた認識です。他社と比べてどうかというデータがあるわけではありません。このように、人間の認識は、平均値や、特別なケースをベースにつくられる場合が多いですから、ファシリテーターが、『分散はどうなっていますか？』とか、『いつもそうですか？』といった質問をすることが、効果的な呼び水になることがあるのです」

「コントローラブルとアンコントローラブルというのは、わかるような気がします」

小西だった。

「要するに、コントローラブルなものに、議論を向けていくということですね」

「そうですね。どうしても人間、他が悪いからできないのだと言いたいですからね」

「時間軸を意識させるというのはどういうふうにするのでしょう」

「『昔からそうですか？』とか、『今回だけではないですか？』『繰り返し起こることですか？』『将来はどうなっていますか？』といった質問ですね。データを見るときも、現時点でのスナップショットなのか、時間的な経過が含まれているのか、そういう見方をファシリテーターが促すといい場合があります」

「なかなか難しそうやね」

「基準を意識させるというのは、比較の基準というか『ベンチマークはあるのか』、『あるとすれば、それは一定のものか』『なければ、それをつくるべきではないか』といった問いかけですね」

「ファシリテーターには、優れた論理思考が要求されるということですね」

「そうですね。それと事実ベースで議論する姿勢が必要ですね。一つでも発言が出てきたら、それをより具体的にしてもらうように突っ込んでみる。『もっと他に同じようなことはありませんか？』とか『逆の場合は？』という具合です」

「なるほど」

「しかし、時には沈黙に耐えて、我慢強く、相手の発言を待つことも必要です」

気持ちを和らげる質問・雰囲気づくり

「いきなりいろいろ質問をしても、参加者が硬くなったり、防衛的になって、発言しなくなることも少なくありません。ファシリテーターの質問の順番としては、イエス・ノーで答えられるような簡単な質問から入って気分をほぐしてから、核心に迫る質問に移っていくという心遣いも必要です。テレビのインタビュー番組を見ていると気づかれると思いますが、ベテランのインタビュアーは、ほとんどの人がこのテクニックを使っています」

「政治家へのインタビューなんかは、確かにそうですね」

「覚えておられますか？　私のリーダーズ・インテグレーションをやったときに、塩崎さんは、そういう手順で質問をされていったはずです」

リョウについて知っていることを自由に話してもらうというセッションから始まったことを、小西たちは思い出した。

「また、発言しやすい雰囲気、空間づくりも重要ですね。発言が出にくい背景には、はっきりと理由があることもあります。例えば、言いたいことはあるが、言い出せない雰囲気や誰かへの配慮がある場合。こういう場合は、ファシリテーターがその障害が何かを察知して、取り除く工夫が必要です。誰かに気兼ねしているようなら、小グループに分けてグループを変えてみるとか、匿名になるように工夫する。私のリーダーズ・インテグレーションでは、私が席を外しましたよね」

「言いたいことを会議の席で思いつかないという場合も多いですよね」

「日々の場面では感じていることでも、いざ問われると言語化できないというケースですね。卵が先か鶏が先かという議論になりますが、だからこそ、全員が多面的な観察力を高めたり、正解ではなくても言語化する力をつけるファシリテーション教育が必要だと思うのです」


このようなファシリテーション・スキルについて、日本語でまとめられた好著として、堀公俊著『問題解決ファシリテーター「ファシリテーション能力」養成講座』(東洋経済新報社、二〇〇三年)、同『ファシリテーション入門』(日経文庫、二〇〇四年)、フラン・リース著、黒田由貴子+P・Y・インターナショナル訳『ファシリテーター型リーダーの時代』(プレジデント社、二〇〇二年)がある。参考にされたい。

フォローアップ

試作・評価室長の西村は、事務機器分野担当の研究員、姚同山を通じて上海の大学に連絡をとった。姚の同級生、楊禎楠がこの大学の教授をしているのだ。文化大革命の影響で五〇歳以上の人たちは十分な教育を受ける機会が少なかったため、大学の要職を占めるのは三〇代の教授に世代交代している。

その若さが、大学に活力を与えているのかもしれない。

　企業との連携に意欲的な楊教授の反応は速かった。月曜日の午前中に返事があり、手持ちのサンプルを使って、ラウンド・ロビンテストを実施することになった。複数の研究機関に同じサンプルを送り、化学分析・機器分析の基準が合っているかを比較するテストだ。念のため社内でも評価を行う。サンプルはその日のうちにフェデックスに乗せられた。

　楊研究室からの返事は、五日後に、電子メールで届いた。日本の外注先よりも速い。メールにはスペクトルダイヤグラムなどの図表データだけでなく、電子顕微鏡写真も添付されていた。実用に耐える解像度がある。見積額は、日本の六分の一。

「これは、かなり高めの見積もりですよ」

　この姚同山の発言は、西村を驚かせた。大量発注する条件で交渉すれば、さらに価格は下がるだろうというのだ。楊教授は、この大学に付属する化学分析センター長も兼務しており、世銀から融資を受けて最先端分析機器を取り揃えているという。キャパシティに不足はないし、機器の精度、分析者の腕にも問題はない。分析はこのセンターに勤める大学助手たちが行っているのだ。

　山中湖畔の研修所で議論した一週間後の金曜日、集まったリョウをはじめとする面々に、西村室長は、中間報告した。

「楊教授率いる上海の化学分析センターから、最も速く結果が送られてきました。今後、国内の外注業者ならびに社内の評価結果と比較して確認しますが、十分なレベルの結果が得られていると見ています。価格は現行の一八パーセント以下、つまり八〇パーセント以上のコストダウンが可能になると思います」

「確かにコストダウン効果はすごいな。しかし、進めるのは、ラウンド・ロビンテストの結果を確認してからにしてほしいな。安かろう悪かろうでは困る。それに今回速かったのは、特別のことじゃないのかな。受注したいための。今後もすばやく、質のよい分析ができるのかどうか、十分確認が必要だ」

いつものことだが、武田室長が真っ先に慎重論を発した。

「そうですね。先週の会議でもその点の指摘はされています。課題として、分析の質の確認、緊急時の対応、スピードなどがありましたね」

リョウは、先週の合宿でメリット、デメリットに整理した表をスクリーンに映し出しながら話した。

「西村さん、ラウンド・ロビンテストの結果はいつ出るのですか」

「来週中にはすべての結果を出させます」

「すべてじゃないだろう、一部の試験だ。すべての分析手法について調べるにはもっと時間がかかるはずだ」

武田が、西村をさえぎるように反論した。

「それでは、来週のラウンド・ロビンテストの結果がポジティブと出るのであれば、確認された試験方法については、上海の分析センターへの委託を始めましょう。西村室長は、引き続き他の分析や試験についてもラウンド・ロビンテストを実施してください。確認できたものから移管を進めましょう。西村さん、タイムラインを作成し、それぞれの段階でどの程度のコストダウン効果が見込めるか、見積もってください」

リョウがまとめようとしたが、

「センター長、中国への分析外注には、私は反対です」

武田が強くこだわった。

「わかっています。武田さんのポイントはもっともだと思います。したがって、ステップ・バイ・ステップで、確認できたものから順番に実施していきましょう。それに、何かの理由で中国が使えなくなったり、異常が発生したときに対応できるよう、国内でも一〇パーセント程度は社内あるいは国内の外注でも行うようにしましょう。これで、武田さんのすべてのポイントはカバーしていますね」

「いや理由は他にも……」

「武田さん。これは大きなコストダウン効果が得られます。分析費用は最終的には、五分の一以下になるでしょう。センター全体の運営費から考えても、これだけで五パーセント以上のコストダウン効果が見込めるのではないかと思います。西村さん、早急にプランを作成し、ラウンド・ロビンテストを進めてください。それと外注業者との契約見直しも準備してください」

リョウは畳み掛けた。

「中国ではできない高度な分析というのもあります……」

「武田室長、その点も先週議論しましたね」

リョウは、珍しく職位で呼んだ。

「何もすべてを中国に外注しようとしているのではありません。特殊化合物の微量分析など、格差化するために重要な技術は、社内で磨いたり、国内の優れた分析業者の力を借りればいいのです。誰でもできる分析をルーチン的にやるより、そのほうが研究者の士気も上がるのではありませんか」

「……」

武田は収まらない様子だった。武田の心配はすべてカバーされている。感情的なものが残っているのだ。

「武田さん。すみませんが、この会議の後ちょっとお時間ありませんか」

リョウは、この件をさっさと打ち切り、武田とオフラインで話をすることにした。PA（パーキングエリア）に関係のない案件を書き留めるのと同じように、オフラインに話を切り替えたほうがいい場合も多い。そうリョウは判断した。

知的財産室長の石川からは、山中湖畔のミーティングをやった週末に、特許リストがメールで流されていた。現在特許庁に維持費を払っている特許リストだ。これを見直し、「A：現在役立っている。B：いまは役立っていないが、今後役立つ。C：役立つ見通しはない」の三つにABC分類するよう依頼されている。各室単位の評価をメールで集め、全体討議する段取りだ。

一方、競合他社を三社選び、そこに売り込める特許、そこから買いたい特許を洗い出すよう指示が出されてもいた。

「ということで、いま研究員のほうで作業が進んでいます。来週の水曜日には、室単位で答えが返ってくる段取りです」

石川は簡潔に報告した。

「最後に、契約している田中弁理士事務所に依頼し、『儲かる特許の出し方』というテーマで定期講習会を無料で実施してもらえることにもなりました。この件の日取りを決めたいのですが……」

「洋子さん、皆さんのスケジュール調整をして、日取りを決めてください」

リョウはテキパキと指示した。

「室単位で特許をＡＢＣ分類した結果は、来週の水曜日に出ますね。それをもとに、室長の皆さんに集まっていただいて、会社全体としての優先順位づけをしましょう。放棄する特許、クロスライセンスを狙う特許、などを選んでアクションをとりましょう。これも洋子さん、スケジュール調整お願いね」

プリンターやコピー用のトナーの節約案を担当した武田室長は、まず自分の土木・建築室の中で、社外用以外はプリントアウトもコピーも原則禁止とするパイロット実験を一週間行っていた。室員からは不評のようだが、ちょっとしたメモ代わりに、ウェブのページなどをプリントアウトすることはなくなり、その効果は大きかった。確かに、パソコンの画面だけで長文の書類を読むのは疲れる気がするが、続けていると慣れるような気もする。むしろ書類の整理が電子書類だけに一本化されるという利便性もないではない。武田はセンター員の不評を覚悟して、センター全体にこのプリンター利用方針を展開し、三か月トライすることを提案した。

「さすが、武田室長、やることが徹底してますね」

石川が嬉しそうに切り出した。

「三か月のトライは賛成です。確かに不評でしょうが、いったん全廃してから、どうしてもプリントアウトしたほうがいいというものだけ戻せばいいでしょう。そのほうが、電話番号だけなのに、プリントしてから見るという悪い癖もなくなるでしょう。ところで、二つ提案があります。一つはコピーの裏紙使用の廃止です。これは、皆が喜びますよ。もう一つは、トナーやインクの節約で浮いた予算の三〇パーセントを、交際費枠の増加に充てるというのはどうでしょう?」

「いいアイディアですね。来週の全センターミーティングで、私から皆さんに話しましょう。洋子さん、現在のプリンターと紙の使用量をベンチマークしておいてください」

「ベンチマーク?ですか」

洋子はベンチマークの意味がわからないようだった。

「この武田さんと石川さんの案で、どれぐらい変わるかを計測するために、現在どの程度インクや紙が使用されているかを、基準として調べるという意味です」

「ベンチマークちゅうのは、そういうときにも使えんのか」

佐藤が感心したように独り言を言った。その佐藤は、営業からの試験分析委託をどうやって削減するかについて、営業部や担当者と議論を始めていた。

「いや、あきませんわ。客の依頼を断ったら売上げが落ちる言うてきかんのですわ。おまけに、いくら開発センターに依頼しても営業の腹は痛みませんからね。リョウさんの真似してファシリテーションしようと思たんですけど、うまいこといきません」

「佐藤さん、どうやってファシリテーションしようとしたの?」

リョウが聞いた。

「いや、『試験分析委託を減らしたいんやけど』と言うて、ブレーンストーミングしましょう言うたり、減らしたときのメリット、デメリットを出してください、言うてみたんやけど、ぜんぜんあきませんわ」

「そりゃそうでしょうね。利害が対立しているのですから、何か違った提案をしないと議論が進まないでしょう」

リョウは少し呆れたような声を出した。

「それについて、私にちょっとアイディアがあるのですが……、いいでしょうか」

小西が割り込んできた。

「ＧＥのワークアウトの語源には、ワークをアウトする。つまりやらなくても済む仕事を見つけて、それをやめるという意味があると聞きました。それをこれに当てはめて考えると、いっそのこと、我々が分析費用を持つのをやめるという提案をしてみてはどうでしょう」

「試験分析委託をやらないのですか？」

西村がいぶかしげに訊いた。

「いや、委託は受けるのです。ただその予算は我々が持つのではなく、委託先の営業に持たせるという案です。そうすれば、依頼するかどうかは営業のほうで真剣に考えるでしょう。これには、開発センターの経費がその分少なくなるという効果もあります」

「開発センターの予算を移管しちゃうわけね。小西さんは頭いいね。それ営業に提案して、話してみますわ」

佐藤は、変な東京弁を使いながら、すぐ小西の案に同意した。

自動車分野を担当する村田室長は、実験計画法のパソコン用ソフトを扱う三社に連絡をとり、センターでデモ・説明会を開く段取りを報告した。一方、財務部門と話をして、コストメリット分析をする手立てを講じていた。

この一週間目のフォローアップ・ミーティングでは、多少の懸案を積み残しはしたものの、大きな前進が見られた。

「このフォローは毎週続けよう」

明らかに室長たちの動きが、これまでと変わってきているが、ここで手を緩めてはいけないと考えていた。

変革のタネ

この会が終わった日の夕刻、通信・家電室の小西室長が、センター運営を抜本的に見直す案を持ってリョウに会いに来た。

「ちょっとあの場では、報告しづらかったので……」

と小西は切り出した。

「やはり、センターのコストを一〇パーセントも下げながら、アウトプットを上げるというのは、物費用の削減だけでは難しいと思うのです。そこで提案ですが、まず営業センスのある人をマーケティングに異動させてニーズの発掘を強化する、というのはどうかと思うのです」

「さらに」と小西は続けた。センターには製造・品質管理により適正のある人たちもいる。その人たちには、そちらに移ってもらってはどうか。

「具体的には、こういう人たちです」

小西は、彼の私案として具体名の入った資料を見せた。いずれも技術と開発センターでの経験を活かせるポジションへの異動である。

ルーチン的な品質評価機能は、そっくり品質管理部門などに移す。一方、技術力強化を狙って、現在の用途別ではなく、技術別の組織に移行し、プロジェクト体制で製品開発を行うことが提案されていた。新しいセンターでは、有能な若手を室長やプロジェクトリーダーに登用し、活力をつけるのだという。小西の試算では、これでいったん三〇パーセント程度の人員削減を実現する一方、一〇パーセントを新たに外部から採用する。それは日本人である必要はない、というのである。上海の大学との連携を強化するのであれば、むしろそこから何人かは採用すべきだろうと。異文化が混じることで、活性化もすると小西は力説した。

大胆な提案だった。

「小西さん、いままでにこういう議論をセンター内でされたことはありますか？」

「いえ、はじめてです」

「なぜ、新米の私に、いままで話したことのない案を打ち明けてくださるのでしょうか？」

リョウは率直に疑問を投げてみた。

「もちろん山口前センター長のもとでも、センターの改革案は何度も議論してきました。しかし、これまでは常にセンターの中に眼が向いていました。目標の立て方も積み上げ式でした」

小西は、開発センターには営業やマーケティングとの間に得体の知れないライバル意識があり、これまでは無意識のうちに、その枠にとらわれていたような気がするとも説明した。

「先週末に山中湖畔でやった会議で、自分たちの思考範囲が狭いことに気づきました。開発センターの中か、せいぜい社内しか見ていなかったのです。外部との競争環境の中で自分たちの姿を見直す。それを素直に受け入れる。この素直に受け入れるというところは、『ジョハリの窓』の話がきっかけになっているかもしれません。そうすると、いろいろとアイディアが湧いてくるのです。不思議です」

「すばらしいですね」

リョウは感動していた。自分がやったことにこれだけ感じ、反応してくれる人がいたとは……。

「小西さん、お考えはよくわかります。研究所にいる人間は『オタク』『技術バカ』という認識が一般にはあるようですが、私はそうは思いません。むしろ開発センターは人材の宝庫です。この人たちをセンターに留めておくよりは、その能力と経験を活かせる部門に移して活躍していただくことが会社の業績アップには近道かもしれません」

「黒澤さん。失礼ですが、私の提案がセンター長の一存では実現しないことはわかっているつもりです。大きな課題ですからね」

リョウの言葉をさえぎるように、小西は話を続けた。

「他の本部の合意が必要ですし、亀井社長や本社スタッフのサポートも必要だと思います。ただ、黒澤さんの影響力と行動力があればできるのではないかと思いまして……」

「そのとおりですね。私の決裁権だけではどうにもなりません。ただ、センター全体でしっかり議論したうえで、社長や他の本部のリーダーに提案していくことは可能です。そして小西さんのご期待に応えたいと思います。これは方向としてはいい提案だと思いますからね」

リョウは嬉しかった。

「亀井社長以下、各部門の本部長らを巻き込み、全社的な組織変革を起こしていきましょう。もう少し時間をください」

小西との話が終わると、すぐさまリョウはグループアシスタントの横倉洋子を呼び、センターの若手研究者とのランチミーティングをセットするように指示した。川崎事業所の応接室か会議室を使い、毎回ランダムに数人ずつを選んで二週間で全員と話ができるようにすることと、来る人に、特に準備の必要はないことを伝えた。自分の目でどんな研究者がいるのか、早く見ておきたかった。

THE FACILITATOR

第3章

全社改革へ

早朝幹部会

この年の七月二日は月曜日だった。新宿にあるSCC本社ビルの最上階の役員会議室では、朝七時から亀井社長のもとに幹部が集まり、定例の早朝幹部会が行われていた。会議室には芳ばしいモカの香りが立ち込め、クロワッサンとカマンベールが隅のテーブルに盛られていた。この朝会に来るメンバーの朝食に、近くのベイカリーから届けられる。社長の亀井の趣味だといっていい。

カレンダーどおりの会計年度になっているSCC社としては、ちょうど第2四半期を終えたところだった。最終集計はまだ出ていないが、五パーセントほど利益計画に達しなかったようだ。第3四半期はお盆休みもあり、計画は低めに設定されているが、この四半期にどれだけ取り戻せるかが主な議題だった。いつもは電話で参加するリョウも、今日は珍しく、この会議室に顔を出していた。

「コスト削減のために、社内会議のための出張はしないんじゃなかったのかい?」

会議が終わると、今朝の会議に財務資料を間に合わせるために徹夜でもしたのだろうか、眼を赤くした川本財務部長がリョウを冷やかした。それほど徹底してリョウは東京本社に顔を出さず、開発センター長になってからも、客先回りを続け、川崎センターの変革に取り組んでいた。

「黒澤クン!」

川本部長の肩越しに野太い声がかかった。社長の亀井だった。

「部屋のほうに来てくれたまえ」

開発センター長に着任して三か月。毎週のように電話やメールで社長に経過報告をしているが、今日はまとめて報告したいと社長に申し入れてあったのだ。

「プロジェクターを使いながらお話ししたいのですが、この部屋を引き続き使えませんか？」

「ん？　使えるだろう」社長秘書の木村恵子に一瞬目で確認して、亀井は立ちかけた席に腰を下ろしなおした。

「相変わらず、プリンターの使用制限をやっとるのかね」

「はい。社長に資料をお渡ししてもごみ箱に行くだけですから」

いつものいたずらっぽい微笑を浮かべながら、リョウは答えた。

「それより、資料はすべて新しくした開発センターのウェブ上にあります。最近、ご覧いただいていますか？」

いや、亀井は軽く首を振った。

「それも見ていただきたいのです」

「君が、以前につくったマーケティングのサイトはよく見とるよ。何が売れているか、計画と実績の差はどうか、次のアクションなど、よくわかるからね」

「ありがとうございます。後任の山本君がしっかり毎週更新してくれているようです。開発センターから見ていてもあれは助かります」

「うん。山本はなかなか伸びとる。それも君のおかげかもしれん」

浮力の原理

「今日お話ししたいことは、二点あります」

イントラネットを操作して開発センターのホームページを映し出しながら、リョウは話しはじめた。

「一つは、この三か月間センターの皆と今年の目標についてみっちり議論してきました。その結果を報告させてください。私たちの社長に対するコミットメントです。二つ目は、この議論の過程で開発センターだけではどうしようもない全社横断的な組織改革の必要性が見えてきました。コストを下げながら製品開発力を高めるためです。それについて、今後の進め方をご相談させていただきたいのです」

リョウは、山中湖畔での合宿に始まる活動について概ね説明し、センターのイントラネットに戻した。

「亀井社長、このリストをご覧ください。これは、4W1Hと呼んでいるアクションテーブルです」

「細かいね。私にはよく見えないが、何が書いてあるのかね」

「センターの経費削減活動、開発案件の発掘活動、製品コスト削減活動という三つの場面（Where）に分けて、それぞれの中に具体的なプロジェクト（What）と期限（by When）、その期待経済効果

(How much)、誰が主担当者（Who）か、が書かれています。ここにある『センターの経費削減活動』をすべて足し合わせると、年内に一五パーセント程度センター経費を削減できる可能性があることがわかります。『製品コスト削減活動』のほうは、センターの力で、平均で五パーセント程度低減できる可能性が見えてきました」

「それは大きいね」

「はじめは、そんな高い目標はできないという、『できない論』が山ほど出てきたのですが、『やれる方法を考えてみましょう』というふうにファシリテーションしていくうちに、チーム全体が『やれるかもしれない』『いや、達成しよう』『そのためにアイディアをもっと出そう』というように意識が変わってきました」

「それはすごい変化だ。他部門でもそういう気持ちが欲しいところだな。ところで、この数字は君のコミットメントということだね」

亀井は抜け目なく、まず数字を押さえてきた。

「私たちのコミットメントです」

リョウは、自分だけの成果ではないという意味を込めて、複数形で答えた。

「そうか」亀井は、いつものように能率手帳にメモをとると、顔を上げて訊き直した。

「それで、どうやってそんな前向きな雰囲気が生まれたのかね？」

「浮力の原理です」

謎めいた言葉を使った。

「禅問答のようだな」

「先ほどお話しした山中湖畔での合宿の後、その続きで二晩かけて、できない理由をどんどん挙げていってもらったんです。開発センターの第三会議室の壁の半分が、それで埋まりました」

「できない理由でかね?」

「ええ。それで三日目もやろうと言ったら、『もういいから、今度は、どうやったらできるか考えたい』と、前向きの気持ちが湧き上がってきたのです」

マインドマッピング、収束へ

「そこで、壁いっぱいに書き出した『できない理由』を、皆で見ながら、マッピングし直したのです」

リョウは、マインドマッピングについて説明した。

「フリップチャートの中央部にある後ろ向きのキーワードを前向きのものに書き直し、貼ってあった『できない理由』を一件一件、カードを裏返すように『できるやり方』に書き換えていきました(図表12)。週末にセンターに出てきて、ワイワイ議論してやってみたんです。一日でできました。その作業が終わるころには、皆の頭の中に、何を変えなければいけないのかというアイディアだけではなく、やりたいというチャレンジ精神が生まれていて、目が輝いてきました。あとは、『開発センター

図表12a マインドマッピング（発散）

他社がしっかり
入り込んでいる
誰と会ったらいいいかつかめない
顧客から期待
されていない
新規分野では
客先に行けない
人間関係が
できていない
一、二度は
行けるが、
それどまり
マーケティング
の仕事
提案力不足
会って何を
話したらいいか
わからない
客のニーズが
つかめない

図表12b マインドマッピング（収束）

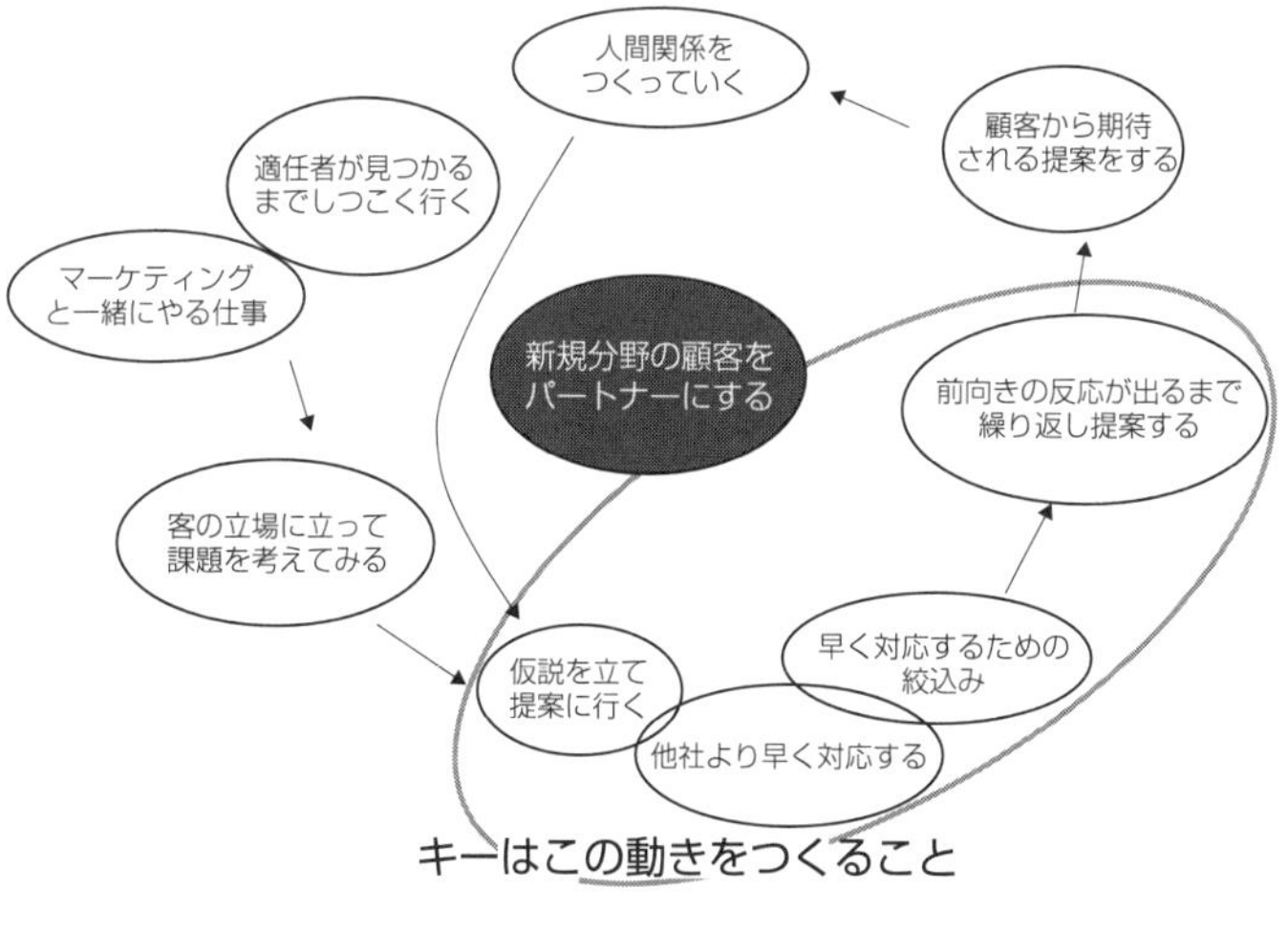
人間関係を
つくっていく
顧客から期待
される提案をする
適任者が見つかる
までしつこく行く
マーケティング
と一緒にやる仕事
新規分野の顧客を
パートナーにする
前向きの反応が出るまで
繰り返し提案する
客の立場に立って
課題を考えてみる
早く対応するための
絞込み
仮説を立て
提案に行く
他社より早く対応する
キーはこの動きをつくること

としてどうするか』という切り口で、具体的な行動に落とし込んでいったのです。堰を切ったようにとでも言うのでしょうか、どんどんいいアイディアが出てきて、はじめは、とても無理だと言っていた目標が、これなら達成できるかもしれないという気分でいっぱいになっています」

「うちの社員は、できない理由を考えるのは天才的だと思っていたが、それも二晩もやると、自分たちの後ろ向きさ加減に嫌気がさして、前向きにモノを考えるようになったということか。それで浮力の原理ね」

「後は、そんな会議をしなくても、アイディアを思いついた人が、第三会議室にかってに来て、壁に貼ってあるフリップチャートに気づいたことを書いていくようにしました」


山中湖畔での会議の後、リョウは、この第三会議室を「アウト・オブ・ボックス」と名づけ、壁中にフリップチャートを貼り付けて、いつでも議論をし、改革のアイディアを書き込めるようにしていた。開発センターを変えるための専用作業スペースだ。他の会議には使わせない。ドアいっぱいの大きさで、“Out of Box”と書いた看板をかけさせた。

見事にファシリテートされ、活性化した眼で日々の活動を見直し、気づいたことを討議する。改善案を持ち込み、一つひとつアクションに結びつけていく、そういうスペースだった。アシスタントの洋子が時々来ては、デジカメで撮って、壁に書かれたものをパソコンに落としては、関係者に配信していた。

亀井は、話を聞きながら、リョウがファシリテーションと称してやっていることが少しわかったような気がした。**それは、「会議のやり方」というレベルのものではない。人を触発して、クリエーティブなアイディアを生む。動機づけ、行動を変えるものなのだ。**

「新しい開発案件のほうは、まだ始まったばかりで、数字をお出しできないのですが、元気のいい研究員が客先に出向いては技術提案をし、じかにお客様の求めているものを探る動きを始めました。あと一、二か月もすれば手応えがあると思います」

「それは、マーケティングの仕事だろう。彼らはどうしとるのかね?」

「マーケとはもちろん連携して動いています。彼らが面白そうなセグメントを見つけ、客を絞り込んで、開発センターの技術者が行くという具合です」

したがって、こちらのほうはターゲットを出すのにもう少し時間が欲しい。士気が高くなり、行動が変わってきているから、もう少しでいい報告ができると、リョウは説明した。

「特許については成果が出はじめています」

イントラネットのページを繰りながらリョウは説明を続けた。

「ご覧のように第1四半期の特許出願は九件でしたが、今期はすでに一五件に達しています」

「件数だけじゃいかんよ」

「わかっています。センター内でバッチリ審査をやって厳選しています。特許申請のコストが高いことも勉強しましたので、三つのアイディアを一本の特許にまとめたりと、件数がむやみに増えないようにも工夫しています。その結果の一五件です。古い特許の価値も見直しています。すでに三〇件近くの特許は、価値がないと判断して権利放棄することにしました。年金の支払い分だけコストセーブになります」

「そうか。センターの経費削減を進めながら特許が増えているというのはいい傾向だな。三か月の成果としては期待以上だ。製品のコストダウンのほうを、意欲的にやってくれ。安い原料を使って品質問題を起こしてもらっては困るが、もっとコスト競争力をつけなくてはいかん」

そう手短に言うと、亀井は老眼鏡を右手に取りながら背をゆっくりと椅子にあずけた。

「問題は医療・食品分野だな。ここでヒット商品が必要だ」

「それについて、ご相談があるのですが」

リョウは大森室長が担当する医療・食品分野を別枠のプロジェクトにする案を相談しようとしたが、ちょうどそのとき、社長秘書の木村恵子がメモを持って入ってきた。一瞥すると、亀井は「緊急の電話が入った、ちょっと失礼」と言い残すと席を立ってしまった。

一〇分ほどで戻ってくると、亀井は珍しく緊張した顔つきで話した。

「悪いがあと一五分ほどで切り上げてくれないか。突然フルイ化学の社長の高石さんが、お出でになることになった」

「わかりました。一五分でお話しします」

キッパリとした口調で言うと、リョウは医療・食品分野の話をすることは諦めていた。この短い時間では無理だ。その代わりに、センターから人材を他の部門に移すという小西の改革案を、手短に説明した。亀井がどの程度開発センターの技術者を他の分野に使えると評価しているのか、反応を見たかったのだ。

「君も知ってのとおり、応用化学品業界も生き残りをかけて戦っている。生半可なことでは生き残れないだろう。小西室長の案は、検討に値すると思う。もっと大胆な案でもいい。皆が賛成するのならやってみようじゃないか。アウト・オブ・ボックス・シンキングと言うそうだね、既成の枠にとらわれない考えのことを。昔は水平思考とか言ったものだが。コストを下げながら開発力も強化する。いいね。そういう案が提案されたら、即実行しよう。なんならマーケティングを開発センターの下につけてもいいぞ」

威勢よく言うと、亀井は腰を上げ、会議室を出た。一七八センチ、一〇〇キロはある偉丈夫だが、身のこなしは軽い。若いころは全日本ラグビーのウイングで鳴らしたらしい。

反対ではない。そのことに嬉しさはあったが、しかし、社長は本当に賛成したのだろうか……。

「皆が賛成するのなら」という社長の言葉に、リョウは引っかかるものを感じていた。

久しぶりに本社に来たついでに人事に顔を出してみた。塩崎が爽やかな笑顔で迎えてくれた。

「うまくやっているようじゃない。センターの技術者たちの受けは結構いいみたいだね」

さすが人事だけあって、どこからか情報を仕入れているらしい。

「そう？　これでも結構厳しくやってんのよ。受けがいいというのはちょっと心外ね」

「わかってる……。　プリンター使用禁止だってね。国内の分析外注もなくなって、すごいコストダウンだって聞いてるよ」

「人聞きの悪い。使用禁止じゃないのよ」

「ああ、知ってる、知ってる。でも、一部のセンター員は自分でプリンターを買って、持ち込んでるらしいじゃないか。机の下に隠して使ってるって聞いてるぞ」

「地獄耳ね」

プリンターの使用規制を始めて一か月が過ぎた。パイロット期間は三か月としている。いまがいちばん苦しいときかもしれない、とリョウは思った。

「ところで、相談があるのだけど」

「また、手弁当のファシリテーターかい？」

「まだ、そこまでいかないけど……」

塩崎はパソコンをたたいて会議室を探すと、「ちょうどこの前のJ会議室が空いてる」と先に部屋を出た。人事がよく使う面談室のような小部屋だった。

リョウは、小西の案と社長との話を簡単に説明した。

「どう思う？　関係本部と根回しをしてこいという意味だろうか？」

「いや、違うだろう。小西室長の案は大胆だから、誰だってすぐにやろうとは言えない。それだけのことだと思うよ。説明時間、一五分だったんだろう？」

言われてみれば当たり前のことだが、リョウは気づいていなかった。

「じゃあ、どうすればいいのかな。この後、どうやって進めたらいいと思う？」

「幹部会のメンバーで山中湖畔にでも行って議論するか？　社長と渡瀬製造本部長が手に手を取って森の中を歩くのって想像するだけでキモイ」

「それ……、いいわね」

塩崎は冗談で言ったのだが、リョウは本気で考えはじめた。

「それ、やりましょう。塩ちゃん、ファシリテーターね」

「おいおい……」

「でも、やっぱり社長は外したほうがいいわね。社長はこのワークショップのスポンサーになってもらって、出てきた提案を実行するかどうか決めてもらう。社長がいると、皆本当のこと言わないかもしれないからね」

「冗談だろう？　どうやって招集するんだよ？」

「いい質問ね。社長に言い出してもらうしかないわね。私、根回しってガラじゃないものね。テーマは『コストダウンと商品企画力アップのための組織改革』どう？」

リョウは嬉しそうにまくし立てた。Ｊ会議室を出ると、その足で木村恵子のところに向かった。

「八月後半から九月の幹部会メンバーのスケジュールを知りたいのだけど」

海外出張などのない週を二つほど押さえると、リョウは社長への伝言を依頼した。「詳しくはメールでご説明する」と。

トップの意思

新しい開発製品の評価を聞くため客先に立ち寄った後、川崎のセンターに戻ったのは夜の九時を少し回ったころだった。ほとんどのセンター員はまだオフィスで忙しく立ち働いている。

技術者たちと冗談を言いながらデスクにつく。メールを開くと、亀井からの返事がきていた。

「ノー」だ!?

リョウはすぐに亀井のケイタイに電話を入れた。

「君かね、いまクルマの中だ」

野太い声が少ししわがれていた。客との会食の帰りらしい。

「外部のファシリテーターを入れたいとあったね。会社の幹部が機密事項を議論するのに、信頼できる外部の人間がいるのかね？」

「ハイ、組織変革を専門にするコンサルタントにいい人が……」

「いや。無理だろう。外部の人間には無理だ。君がやるというのなら、やってもいいがね」

リョウ自身がファシリテーターをやれと亀井は言う。幹部の中には、いきなり入ってくる外部の人間を胡散臭く見る声も出るだろう。そういう中で、ホンネの議論などできはしないと亀井は言うのだ。確かにファシリテーションそのものが、まだまだ組織変革の手段として認知されてはいない。まして外部のファシリテーターを八月の幹部の合宿にいきなり入れるのは現実的ではないかもしれない。無理やりやれば、逆効果になるかもしれない。

リョウは妥協することにした。小西室長が開発センターの代表としてメンバーに加わること、自分以外に人事の塩崎もファシリテーションに加わることを条件に、ファシリテーター役を引き受けた。社長からの注文は、遊びの要素をたっぷり入れろということだった。

「最終日は、ゴルフコンペにしましょう」

「それがいい」

亀井は、自分が所属する経営者の団体が蓼科に所有する研修所を利用するよう勧めた。

＊＊＊＊＊　＊＊＊＊＊　＊＊＊＊＊

翌週の早朝幹部会で、川本財務部長から第２四半期の正式業績報告があった。先週の速報値より悪い。入力ミスもあり、売上げが一週間前に比べて落ち込んでいることが判明したのだという。桜井マーケティング本部長から今後の市場の見通し、松本営業本部長からは、主要顧客からの受注動向について説明がなされた。

製造本部長の渡瀬は、松本の売上げ見通しの甘さを厳しく批判した。原材料を仕入れた割には売上げが伸びず、在庫が増え、コストが上がっている。明るい話題はなかった。

元気のない暗い見通しの中で、亀井は八月の盆休み明けの第四木曜日から週末にかけて、蓼科で泊まり込みの幹部会を開催することを要請した。

「すでに出張などのスケジュールの入っている人がいるかもしれないが、このままでは当社もジリ貧になる。悪循環に陥る前に抜本的な手を打ちたい。いかにしてコストを下げるか。コストを下げながら、なおかつ売上げを伸ばすか。これまでのやり方にとらわれず、アウト・オブ・ボックスで、しっかり議論してほしい。万難を排して出席するように」

亀井はアウト・オブ・ボックス・シンキングという言葉が気に入っているようだ。

「結論として、まず来年末までに三割のコストダウンを達成する具体的なアクションを聞かせてほしい。次に、コストダウンを実現しながらトップライン（売上げ）を二割伸ばす具体的な方策を提案してほしい。特に医療・食品分野への食い込みは重要なポイントだ。景気変動の影響を少しは緩和できるようになる。『トップラインを上げるにはコストがかかる、先行投資が必要だ』というのはイン・ボックス・シンキングだ。そんな当たり前の話は聞きたくない。諸君の創造的なアイディアや議論を期待している。なお私に遠慮なく議論してもらうために、私は議論には加わらない。土曜日の夕方六時に皆さんの提案を聞きに行く。その場で決裁できるような案を出してほしい」

木曜日から泊まり込みで議論して、土曜日の夜に決裁できるような案を出せと、亀井は幹部会メンバーに明確な「スペック」を示した。

「私は加わらないが、黒澤クンにファシリテーションしてもらう。彼女のほうから会議の準備など連絡があると思うので従ってほしい」

その翌日の日曜日には、有志でゴルフコンペをやるので「よろしく」と付け加えると、いつもの愛嬌のある亀井の顔に戻っていた。

電話とマイクロソフトのネットミーティングで参加していたリョウは、早朝幹部会が終わると、午前中に主だった幹部会メンバーに、議論に必要なデータの準備を依頼するメールを出した。メールを出した後には、電話で確認をとることも忘れなかった。その中で、製造本部長の渡瀬の反応が気になった。

「社長が気にしているのは製造本部のことかもしれない」

何がということはないのだが……。リョウは、うっすらとした悪い予兆のようなものを感じていた。

＊＊＊＊＊　＊＊＊＊＊　＊＊＊＊＊

八月に行う幹部会メンバーによる蓼科でのミーティングの準備を進める一方、リョウは開発センターの経営指標や技術資料を社内に公開する準備を急いだ。

幸い、吉村という二七歳の若手技術者がホームページ作成に長けていることを知った。彼をプロジェクトリーダーに抜擢したのが奏効して、センターのホームページ改訂は急ピッチで進んでいた。

リョウの狙いの一つはITをフルに活用して、関係部署への効率的な情報提供を行うことだ。既存製品のデータベースを作成し、営業やマーケティングが、このホームページから資料を引き出して客先にプレゼンできるようにする。これまでは電話で問合せを受ける都度、いちいち資料を作成していたのだが、これで電話での問合せを大幅に減らせる。少なくなる問合せの中身は、逆に高度化するだろう。これで開発者がレベルの低い仕事から解放され、士気も上がるに違いない。

特許の出願状況もグラフにして掲載した。リョウが就任した四月以降に急速に増えていることは、一目瞭然だった。従来のコストダウンで、出願を控えていたアイディアがどっと権利化されている。

二つ目の狙いは、経営幹部に対してわかりやすい指標を提示して、経営の中心課題として開発センターの活動を扱えるようにすることだった。例えば、全製品に占める新製品の割合を、製品活性化指数（VI）としてグラフに表し、毎月更新していくことにした。データを整理してみてわかったことだが、この数年、二〇パーセント以下のVIしかない。古い製品に頼っていることがはっきりわかる。

いつ何が製品化されるかを示す『開発カレンダー』も開示した。そのカレンダー上の開発コードをクリックすると、最新の開発状況や開発会議の議事録を見ることさえできる。

コストダウンへの寄与もグラフで示した。年度末のターゲットに対して進捗がわかるようにした。

開発センターの経費も四半期単位で当初予算との対比ができるようにした。

従来は、組織図や電話番号程度しか掲載されていなかったが、こうして開発センターのイントラネットサイトは、経営をファシリテーションするためのツールに生まれ変わろうとしていた。情報セキュリティの問題はあるが、それを気にして何もしないよりは、まずつくってから考えようと、リョウは実現を急がせた。まるでクロッキー画のように、新しいサイトは急速にその形を現した。

幹部の合宿

八月二二日、水曜日の夜、いったん川崎の開発センターから世田谷区の自宅に帰宅したリョウは、準備を整えて愛用のSUVで蓼科に向かった。中央自動車道を諏訪のインターチェンジで降り、二九九号線を東に上がった。道路はそれほど混んではいなかったが、研修所についたのは午後一一時を少し回っていた。

宿泊施設はリゾートホテルのように瀟洒な建物だった。チェックインを済ませた後、会議室を覗きに行く。三〇人がコの字型に座れる広い部屋には、プロジェクターやフリップチャートがすでに準備されている。新しいマーカーも用意されていた。四月に開発センターで行った山中湖の研修所よりは、かなり高級感がある。

スクリーン代わりにもなる前方の大きなホワイトボードに背を向けて座ると、リョウは明日からの会議をどのようにファシリテーションするか目をつぶって考えてみた。肩と腰が、疲れを主張していた。首にも凝りがあることが目を閉じるとわかる。それを振り払うように、リョウは出席者を思い浮かべてみた。

渡瀬浩二製造本部長
平野敦夫調達部長
小寺幸雄品質管理部長
川本啓介財務部長
松本雅之営業本部長
桜井健二マーケティング本部長
星川史生人事部長

これら、いつもの幹部会メンバーに加えて、リョウの代わりに開発センターを代表する小西通信・家電分野開発室長、リョウと一緒にファシリテーターをしてくれる塩崎人事課長の総勢一〇名だ。映像を頭の中に浮かべてメンタルリハーサルを試みる。

社長の課題が難しいだけに、厳しい議論をリョウは予想した。

＊＊＊＊＊　＊＊＊＊　＊＊＊＊＊＊

翌木曜日の朝は、小雨が降りしきっていた。七時からのバイキングスタイルの朝食を終え、八時には全員が会議室に集まっていた。

塩崎が早めに来て、一〇人がゆったりと、しかし緊密に話ができるようにテーブルを配置し直していた。

「おはようございます」

いつになく、リョウの声は緊張気味に聞こえた。

「今日はお忙しい皆さんにお揃いいただいて、ありがとうございます。これからここで三日間、当社のコスト構造を抜本的に変え、売上げを伸ばすための議論を進めさせていただきたいと思います。人事の塩崎さんと私でファシリテーションをさせていただきますので、よろしくお願いします」

「ちょっと……、いいですかな」

リョウが本論に入ろうとしたとき、製造本部長の渡瀬が手を挙げた。

「そのファシリ何とかというのは、何ですかな？　先日も、社長がそういうことを言ってましたな。それにアウト・オブ何とかとか……、近ごろ、横文字が多くなって、私のようなロートルには話がようわからんようになって、困る」

言葉の意味は、よくわかったうえでの質問であることは明らかだった。棘がある。ここはその棘に引っかからないように回答しよう。――ファシリテーションしますと言うと嫌がられる。記録係を買ってでれば、誰からも抵抗されず、自然にファシリテートする機会が得られる――というベテランのファシリテーターの言葉が頭をよぎる。リョウは反射的に判断した。

渡瀬の質問にまず笑顔で応える。少し開いた口から静かに長く息を吐くと、スーッと気持ちが落着いていくのを感じる。リョウはゆっくりと口を開いた。

「ファシリテーション、ですね。言葉の意味はおわかりかと思いますが、要は、皆さんの話がうまく進むように、お手伝いさせていただくということです」

「司会をするということですかな」

「ハイ、司会もしますし、記録係もさせていただきます。会議が効果的に進むことなら、何でもさせていただきます」

何の力みもない。まるで合気道の達人が、相手の直線的な攻撃を舞うようにかわすようだった。渡瀬が本当にファシリテーションを知りたがっているのであれば、彼の所管である製造を例に、プロセス・コントローラーとしてのファシリテーターの役割や意義を説明することもできる。化学反応を促進する触媒のようなものです、と言ってもよかった。しかしリョウはあえてしなかった。相手はわかったうえで訊いているのだ。

「そうですか。わかりました」

リョウが乗ってこなかったので、渡瀬もそれ以上は引っかかりようがなかった。

「前方に、先日社長のほうからお話のあった来年度の目標を、念のために出してみました」

塩崎が、パソコンを操作して、すばやく前方のスクリーンに映し出した。

「ご存じのように、コスト三割カット、売上げ二割アップという厳しい目標です。これを議論する前に、ちょっと皆さんと一緒に頭の体操をさせてください」

と言いながら、塩崎はプロジェクターのレンズに蓋をし、前に出て行くと、スクリーンを上に巻き上げた。スクリーンに隠れていたホワイトボードが現れる。そこには大きく、「増えるもの」「減るもの」と、左右に振り分けて書いてあり、その間を太い縦線が仕切っていた。

「先ほどの目標値を達成するにあたって、これから増えていくもの、減っていくものを思い浮かべていただけないでしょうか」

塩崎はマーカーを手にした。

「何だね、これは?」また渡瀬だった。

「ですから、頭の体操で、先ほどの目標値を達成するためには、どういうことが増えて、どういうものが減るのか、ということを想像していただきたいと思いまして……」

そう説明する塩崎を、渡瀬は刺すような眼でにらんでいた。

「渡瀬さん。蓼科まで来て、そうカリカリせんでもいいじゃないですか。それじゃ、塩崎君がかわいそうだ」

営業本部長の松本のとりなしで、ひとまず渡瀬は口をつぐんだ。

図表13　モアorレス

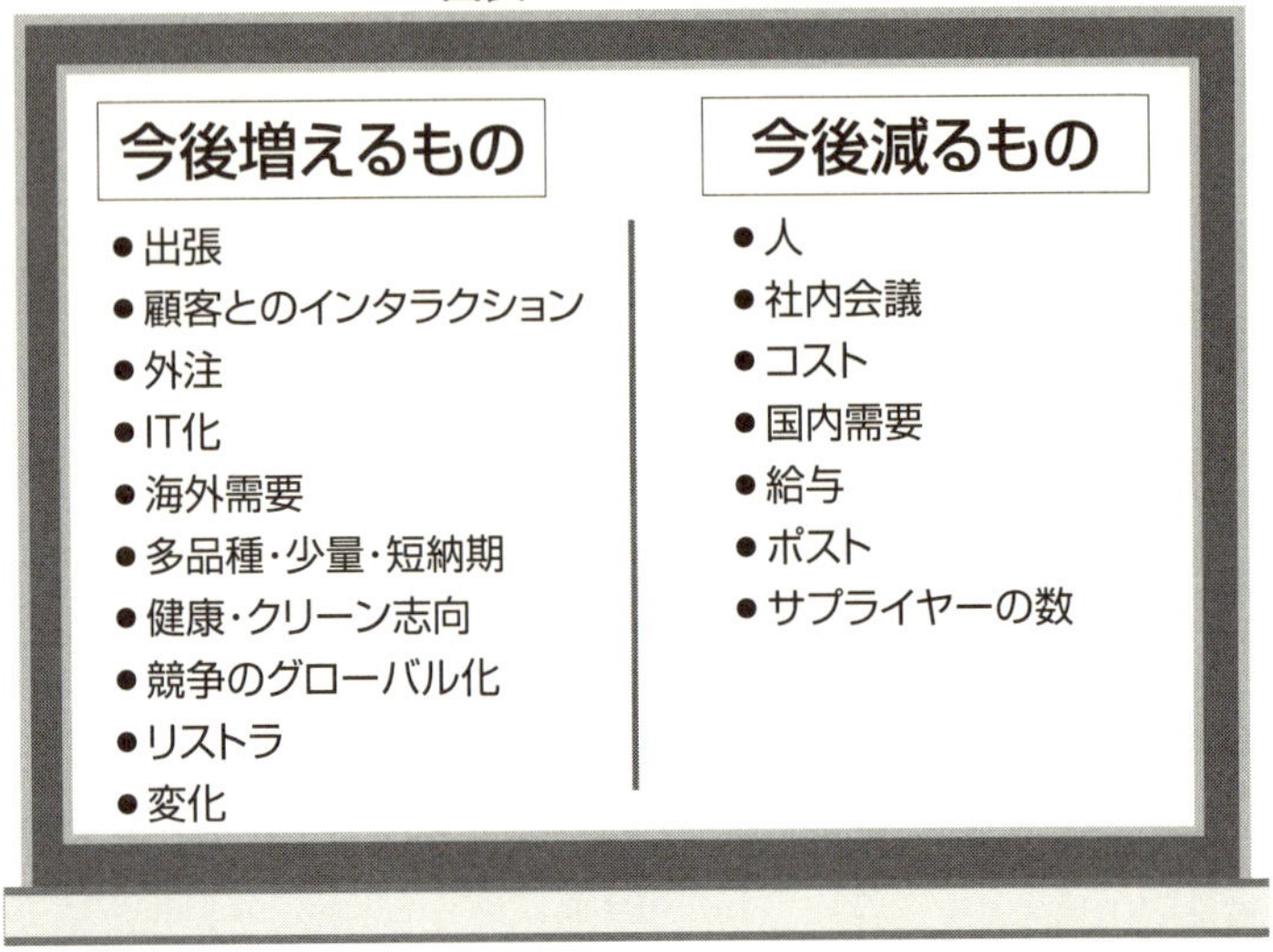

今後増えるもの	今後減るもの
● 出張 ● 顧客とのインタラクション ● 外注 ● IT化 ● 海外需要 ● 多品種・少量・短納期 ● 健康・クリーン志向 ● 競争のグローバル化 ● リストラ ● 変化	● 人 ● 社内会議 ● コスト ● 国内需要 ● 給与 ● ポスト ● サプライヤーの数

「減るものはね、人だね」

すかさずマーケティングの桜井本部長が、軽い口調で言い出した。

「顧客とのインタラクションが増すと思います」

続いて小西が勇気を奮って声を上げた。

「会議が減る」

「出張が増える」

次々と声が上がり、塩崎は忙しくホワイトボードに書いていった（**図表13**）。

「ありがとうございます」

ホワイトボードがいっぱいになったところで、リョウが立ち上がった。

「いまやっていただいたのは、“More or Less” というエクササイズで、将来の姿をイメージしてビジョンづくりなどをするときに使われるファシリテーション手法の一つです。今日は、ビジョンをつくるわけではないのですが、アイスブレーク代わりにさせていただきました。細かい話はともかく、二年後に会社がどうなっているか、というイメージは皆さんそれほど違わないようです」

リョウは、渡瀬の方にチラッと目をやった。また何か言い出すのではないかと無意識に思ったのだ。渡瀬は持ってきた自分のパソコンを覗き込んで、しきりにマウスを動かしていた。リョウが続けようとしたとき、パソコンを覗き込んだ姿勢のまま、渡瀬が声を上げた。

「子供だましみたいなことはやめて、さっさと本題に入ってほしいな。なんなら、私のほうから製造本部の考えを説明させてもらおうか？」

「わかりました」

リョウは、事前に考えていたアジェンダをひとまずおいて、渡瀬に話をさせることにした。まずはストーミングからだ、と自分自身に言い聞かせた。

「それでは渡瀬本部長、お願いします」

さんづけで通してきたリョウにしては珍しく、役職をつけて、改まった口調で促した。渡瀬は自分のパソコンを持って前に出る。プロジェクターにつなぐと、製品単価に占めるコスト分析表、過去一〇年間の原油単価とコストの推移など、何枚かの図表を見せながら説明を始めた。

「製品コストの内訳は、建屋や設備の償却などの固定費が一五パーセント。このように固定費が低いのは長期にわたって設備投資を低く抑えてきているためです。設備の老朽化が進んでいるが、万難を排して安全は確保しています。人件費が約三〇パーセント、原材料費とパッケージングが二二パーセント、電気代などユーティリティが一五パーセント、残りが輸送費を含む諸経費です。営業の売上げ予想が下ぶれすると、原料在庫、仕掛り在庫などが増えコストアップにつながります。この中で三割コストカットということになると、当然、相当数の人を辞めさせないといけない。それじゃ製造自体が回らなくなる。安全の確保も難しくなります。ましてや売上げを二割上げるなんて不可能。単価を二割上げる製品でも開発されるのなら別だが……」

開発センター長のリョウにあてつけるように、渡瀬はチラリと見やった。

「過去一〇年間のコスト低減は、このように続いており……。結論としては、コストダウンは限界にきている。我々としては、日々の改善活動を積み上げていって、せいぜい三パーセントが精一杯でしょう」

渡瀬の説明は三〇分以上続いた。

「さすが製造本部、いいデータがたくさんありますね。ご質問はありませんか」

リョウは、渡瀬が話し尽くすまで辛抱強く待ったうえで口を開いた。反論したかったが、ファシリテーターとして、ここでそれを口にするわけにはいかなかった。

「製造外注は、どの程度ですか?」

松本営業本部長が訊いた。

「フルイ化学を中心に一〇パーセント程度でしょう」

「海外には?」

「とても怖くて出せんな。営業が問題をかぶるというのなら重慶あたりの化学会社に委託してもいいが、納期も品質もまったく当てにならん。挙句の果てに、気がついたら客を盗まれとるということもあるんじゃないかね」

「製造部の平均年齢はどの程度になっていますか？」

「人事部長から訊かれるとは驚いた。四二歳と八か月です」

渡瀬は皮肉たっぷりに正確な数字を挙げた。渡瀬天皇と製造本部内では呼ばれているらしい。三〇年間製造本部に勤め、すべてのことが頭に入っている。すばらしいデータベースなのだが、そのために誰も反論できない。そのために優秀な若手がくさっているという声も聞こえてくる。

「全社の平均よりかなり上ですな」

「製造本部には、新人を入れてもらえないからね。採用は営業やマーケティング、開発センターばかりだ。高齢化するのは当たり前でしょう」

「まあ、経緯はともかく、単純に計算すると、製造部の平均人件費は他部門と比べ、平均年齢の高さを反映して二割方高いですね」

「だから、どうしろと言うのかね？」

渡瀬は、二年前に外資系の薬品会社から中途入社してきた人事部長の星川を、太い眉でにらんだ。

「人件費の面からはそう見えるということです……」

他に何人かが質問したが、渡瀬の豊富な経験とデータに裏づけられた皮肉たっぷりの答えに、辟易とさせられるだけだった。三日にわたる会議は始まったばかりだが、早くも雲行きが怪しい。この調子では、日ごろの社内会議と何も変わった結論は出てきそうにない。

「製造本部のお話、ありがとうございます。それでは、引き続き開発センターのほうから、話してもらいたいと思います」

胃をつかまれるような不快感を抑えながら、雰囲気を変えようと、塩崎は小西に話題を振った。はじめての幹部会メンバーとの議論に、位負けしている自分を意識しながら、小西はやおら立ち上がった。部屋の隅に立っているリョウを一瞥すると、パソコンを持ってプロジェクターのところに歩いて行く。歩き方がどことなくぎこちない。

「開発センターとしては、大幅に要員を減らしながら、人材の入れ替えも図り、開発力を強化する案を考えてみました」

挨拶も忘れ、小西はいきなり用意していた話を始めると、つないだパソコンのファンクションキーF8を押し、スクリーンに図を映し出した。

「問題解決法の基本に則って、まず課題を定義してみました」

課題1　売れる新製品企画力の強化
課題2　製品の原価低減
課題3　開発センターの経費削減

「この三点です。第一番目の点をさらに分解すると、商品企画力という弱点が見えてきます」

と言いながら、小西は、センターのホームページを開いた。

「ご覧のように、開発センターでは、マーケティングで企画された案件のすべての開発に着手しています。必ずしも、すべて要求された仕様を満たしたとは言いませんが、かなりの達成率だと思います」

「にもかかわらず売上げが伸びないのは、マーケティングが悪いとでも言いたいのかね」

マーケティング本部長の桜井が、苦笑いしながら訊ねた。

「誰が悪いという議論ではなく、企画されたものを開発する力より、企画する力のほうが、弱いのではないかと言いたいのです」

小西は生真面目に応じた。

「営業力にも問題があるかもしれませんが、ここ三年間に開発されたものについての市場投入時期と比較すると、事務機器分野など高いシェアを誇っている市場セグメントでは、当社がリードしています。一方、医療・食品など当社のシェアの低い分野では、明らかに当社が遅れています」

「開発のスピードが遅いという解釈も成り立つね」

桜井が、センターに批判的な口ぶりで突っ込んできた。

「解釈というか、そういう側面は事実としてあると思います」

素直に認めた。

「開発期間と言いますか、マーケティングの製品企画を受け入れてから市場に投入するまでの期間を、このセンターのウェブに今月から載せはじめましたが、早いものは三か月、長いものは三年以上かかっており、平均すると一年程度の時間がかかっています。これらについて、いま、開発のボトルネックがどこにあるのか、検討しているところです。

結論的な話ですが、商品企画→製品開発→製造→販売という単純な直列モデルを考えた場合、売れる新製品が出にくい理由、特に医療・食品分野でそれが難しいのは、商品企画のところにボトルネックがあると考えています。これはマーケティング本部が悪いということではなく、会社としていまそうなっているということです。産業資材を提供している我々のお客様は、多くが技術者です。特に画期的な新製品を狙う以上は、そういう企画をしている顧客の技術者・製品設計者と一体となったような開発、いわゆるデザイン・インが必要です。これは開発センターの成功例を振り返ってみるとわかります」

「回りくどいね。何が言いたいのかね」

自分の本部を批判されているように感じていた桜井が苛立った。

「すみません。結論から言いますと、センターにいる木下君や押田君のような優秀な人材を、マーケティングに移籍し、重点分野の商品企画に充ててはどうかと思っています」

小西は、ほとんど桜井ひとりに説明するように話していた。

「本気かね？」

一呼吸飲み込んでから、桜井は聞き返した。木下、押田という名前を聞いて、桜井は耳を疑ったのだ。山口センター長時代に転籍を持ちかけて断られたことがある優秀な二人だった。思わず壁にもたれて立っているリョウに視線を送る。

「彼らのようなスターを失うと、正直言って開発センターとしての開発力は、低下すると思います。しかし先ほどの新製品開発のプロセスで、ボトルネックとなっている商品企画力が、それによって高まるのであれば、全社としての開発力はアップすると考えています」

センターという部分最適化を廃し、全体最適のために優秀な人材をセンターから出してもいいという小西の発言には、説得力があった。

「二点目として、製品の原価低減ですが、これについてはプリンター用インクの添加剤で成功したように、新しいサプライヤーを積極的に評価していきたいと思っています。いまのところ中国が多いのですが、インドや東欧などにも低コストのサプライヤーがいるようです。これを積極的に評価し、指導して、低コストで品質のいい原料へのシフトを強化したいと考えています」

「評価にあたっては、納期も忘れないでほしいね」

平野調達部長がはじめて声を上げた。

「その点は、開発センターは見落としがちですので、ぜひ調達部のご協力をお願いします」

メモをとりながら、小西が答えた。

「ここで詳細はご説明しませんが、使用量の多い原料、つまり効果の大きなものから順に、具体的なプランを立てているところです。また最近、品質管理、製造技術面で問題が多発しているのは、ご存じのとおりです」

渡瀬はいやな顔をしたが、品質管理の小寺部長は、深いしわをさらに深くしてニコニコ微笑みながら、他人事のように聞いている。

「先ほどの新製品開発と同じような考え方で、その方面に強いベテランの技術者をセンターから関連部署に移籍し、問題解決だけでなく、再発防止にあたらせてはどうかと考えています」

「ロートルは要らんぞ」

渡瀬が野次った。

「いや、わしよりロートルはおらんだろうから、こっちは歓迎するよ」

小寺がユーモアたっぷりに重ねた。

「第三点目のセンターのコスト低減ですが、人の移籍で人件費は下がるのですが、それ以外に、いくつか物費の削減策を実施しはじめています。今日、一つご紹介したいのは、西村試作・評価室長のリードで五月以降、機器分析の国内外注を上海の大学に順次移しているケースです。なんとコストが三分の一に下がり、データも速く得られるようになりました。もちろん分析品質も下がってはいません。上海までサンプルを送るので、ＤＨＬのコストは上がっているのですが、分析費の低減がそれを補って余りあるのです。地理的にはサプライチェーンが長くなっているので、国内でもバックアップ態勢を維持して万一の場合に備えていきます。まだ始まったばかりですが、今後適用範囲を広げていこうと計画しており、これは非常に大きなコストダウンになります。さらにそれだけではなく、製品開発速度のアップにもなると期待しています」

「すごいね」

スクリーンの数字を見ながら、川本財務部長が感嘆の声を上げた。

「マーケティングや品質管理、製造本部などに、誰が移るかという固有名詞の問題は、今後の議論次第ですが、以上の施策で、センターとしては三〇パーセント程度の要員減を見ています。しかし、これではいくら何でも新製品開発に支障をきたしますので、いったん減らした後で一〇パーセント程度の増員をお願いしたいと思います。今後の中国やインドとの関係を考えると、同地域の技術者を中心に採用を考えたいと思っています。最終的に二〇パーセント減を目指す考えです」

「人事が忙しくなりそうだ」

星川人事部長が嬉しそうに感想を漏らした。

「私には、開発センターのクズを我々に押しつけて、その分、我々受け入れ先で余分に人を減らせという案のように聞こえるがね」

渡瀬だった。

「繰り返し言っておくが、我々のところには、開発センターの人間は要らんよ」

マーケティング本部長の桜井が手を挙げた。

「小西室長の話は非常に面白いが、実際に実施するとなると、実務面でいろいろ難しいものがあるね」

「私もそう思います」

答えたのは、部屋の端に立っていたリョウだった。もたれていた壁から背を離し、ゆっくりと前に歩きだした。

「おっしゃるように個別の問題は多々あると思うのですが、小西さんのアイディアのいちばん面白いところは、個々の人事異動やコストの移転にあるのではなく、開発センターという組織の役割をいったんバラバラに分解し、組み立て直しているところではないでしょうか。開発センターの立場からではなく、会社全体の最適化を考えようとしている点で魅力を感じます。組織にではなく、その役割に着目して、組織横断的にいちばん弱い機能、つまりボトルネックを見直してみると、コストを下げてもアウトプットを上げられる、人材の有効活用ができる、そういう可能性があることを示唆していると思うのです」

リョウは、ゆっくりと一言一言噛むように話した。

「そこで、この後の進め方に関する提案ですが、ここでいったん二〇分ほど休憩をとった後、全員で、ハイレベルのプロセスマッピングをしたいと思うのですが、どうでしょう？」

八時から、すでに三時間が経過していた。

「何ですか、そのプロセスマッピングというのは？」

「物や情報の流れをブロック図に表していくのです」

「それなら、うちに帰れば工程表がある」

「はい、標準というか決まり事は各部門にあると思います。しかし、ここで重要なのは、ちょっと時間はかかりますが、皆さんの『頭の中にあるプロセス』をマッピングすることです。それも、いま課題になっている案件で組織横断的なものについてです。あまり細かいことや手続き論にはとらわれず、ハイレベルで現状を確認し、無駄なプロセス、ボトルネックがどこにあるかなどを議論し、全体最適のために、あるべきプロセスを検討したいのです」

「そうすると、いかに我々がプロセスを知らないかがわかるというわけですな」

最年長の小寺品質管理部長が枯れた冗談を言った。皮肉だったのかもしれないが、人柄のせいか、そうは聞こえなかった。

プロセスマッピング

「渡瀬本部長が、〝More or Less〟の後で、『子供だましのようなことはやめろ』と言い出したときには、どうなるかと思ったよ」

休憩時間にプロセスマッピングの準備をしながら、塩崎がリョウに話しかけた。

「私も驚いたわ。予想はしてたけど、あれほどあからさまにくるとは思わなかった。おかげで、せっかくの〝More or Less〟が形だけになってしまった感じはあるはね。会社の二年後のイメージをかなり具体的にシェアできると思ったのに……。ま、いつもうまくいくわけでもないし、どこかで取り戻しましょう」

「しかし、小西さんの話の後、流れが変わってよかった。おかげでプロセスマッピングにも反対しなかったし」

「塩崎君がタイミングよく振ったのがよかったのね。渡瀬さんも賢い人だから無闇には反対しないと思うけど。これ以上製造部門をいじられたくないという彼の気持ちが、相当強いということが、これでよくわかったわ。全体最適化の議論に、簡単には乗ってこないと覚悟しておくべきね」

と言いながら、リョウは、マーカーで壁に貼ったフリップチャートに大きくテーマを二つ書いた。

＊商品企画から、製品開発・試作・上市まで

＊製品のコストダウン

休憩を終えて全員が集まったところで、塩崎が、Ａ５サイズのカードと粘着テープを配り、リョウは、テーマの意味を説明しはじめた。

「要するに、コストを下げながら売上げを伸ばす、そのための骨格になる二つのプロセスに絞ってみました。カードには、一件一葉で書いて、テープで壁に貼っていってください。思いつくものをどんどん書いていって、後から並べ方を考えたり、追加したりするほうが速いと思います。『商品企画から、製品開発・試作・上市まで』は、松本さん、桜井さん、星川さんと小西さんでお願いします。

『製品のコストダウン』は渡瀬さん、平野さん、小寺さんと、川本さんで……」

二つのグループに分け、昼食を挟んで四時までに仕上げてくれと説明し、スタートした。

リョウと塩崎は、部屋の両端に陣取った二つのグループを見て回った。小西の属するグループでは、商品企画から新製品の開発・上市に至るバリューチェーンを大くくりにブロックで示し、ブロックの中をブレークダウンするような議論の進め方をしていた。渡瀬が中心のグループでは、KJ法の要領で、原料切り替えのプロセスを思いつくままに書き出し、それを壁に貼り付けはじめていた。


プロセスマッピングは、客観的に自分たちのプロセスを見直すのに役立つファシリテーション・ツールだ。一時流行ったBPR（ビジネス・プロセス・リエンジニアリング）などでもよく使われる。これをはじめて実施する人からは、「どの程度詳細なプロセスまで描くのか」「描いたものをどう使うのか」という質問がよく出るが、答えは、「何のためのプロセスマッピングかという目的意識をしっかり持っていれば、自ずとわかる」というところだろう。出来の悪いスタッフが、資料の重みを増すために作成するものではない。マッピングのためのマッピングになってはならない。あくまで思考を触発するためのグループウェアだから、ファシリテーターは、メンバーが常に目的を念頭に置いて作業するように心配りしなければならない。そういう明快な目的意識を持ってマッピングしていくと、「何のためにこんなプロセスで仕事をしているのだろう」という反応性の高い問題意識が生まれる。それを新しいプロセスを生む創造的な思考につないでいくのだ。メンバーの中から、自発的にそういう展開が出てくることもある。そうでなければ、ファシリテーターはその方向に意識が向くような問いかけをすべきだろう。

ここでプロセスマッピングを提案したリョウの意図は、商品企画にボトルネックがあるという小西の洞察を皆で確認することと、同じようにコストダウン側のボトルネックを洗い出すことにあった。リョウと塩崎は、この目的に沿った議論ができるように、二つのチームがあまり細かいプロセスに陥らないようにファシリテートしていった。

見えないプロセスを見る

「やはり、客のニーズを引き出せないマーケティングの担当者の能力不足ですかね」

「商品企画から、製品開発・試作・上市まで」を担当するチームで、壁に貼り付けたプロセスを見ながら人事部長の星川が首をひねった。

「医療・食品分野のマーケティングができるような能力開発が必要でしょうかね？」

「いや、そういう問題じゃない。どう言えばいいのかわからないが……」

マーケティング本部長の桜井が、苦しそうに返答しようとしていた。

「私もマーケに最近までいましたので、ちょっとファシリテーターの立場を離れてお話しすると、お客さんと我々との間には、このような見えないプロセスが動いていると思うのです」

図表14 信頼のプロセス

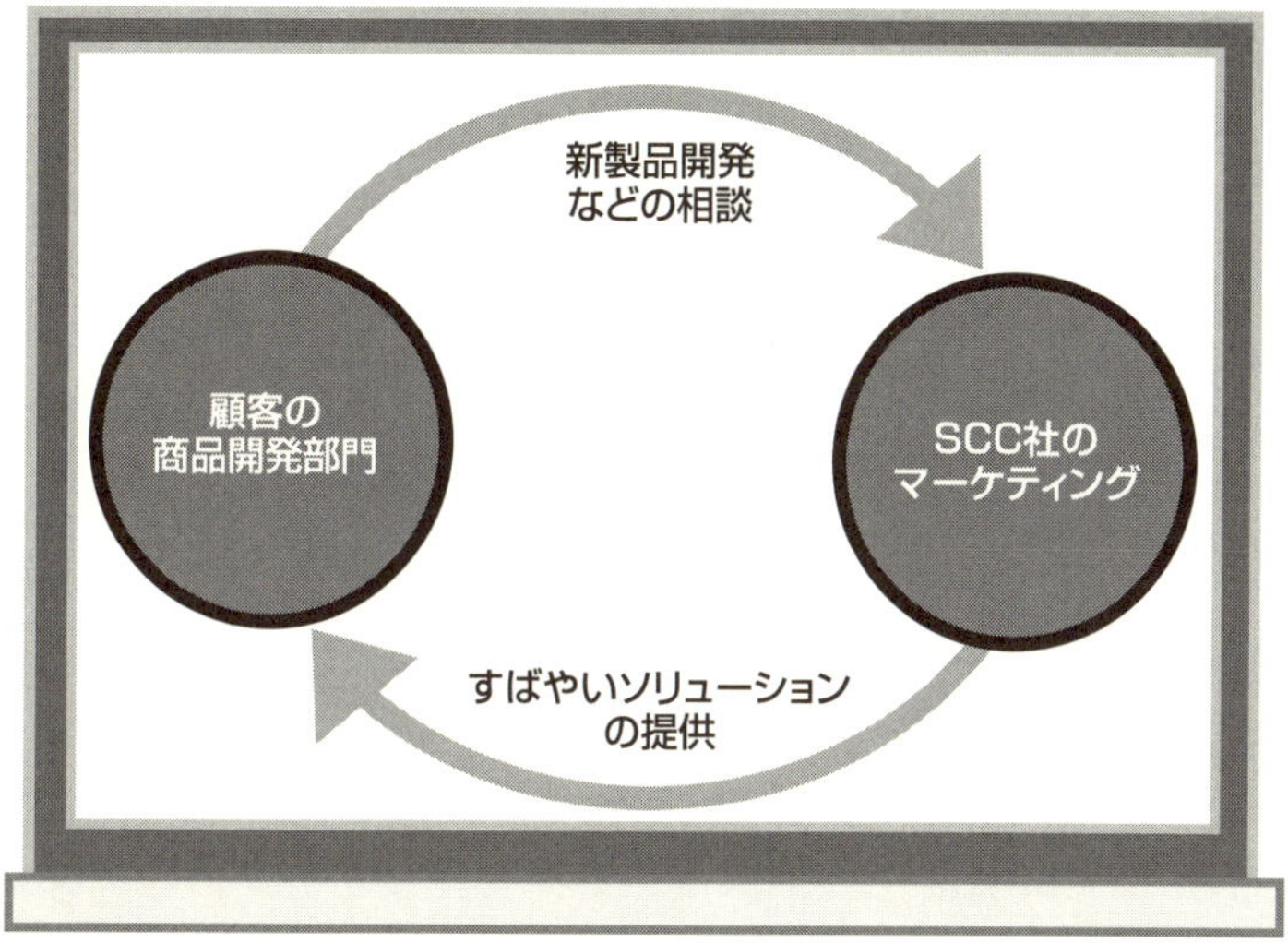

とリョウが割り込みながら、ホワイトボードに丸を二つ描くと、その間を二本の矢印でつないだ（図表14）。

「このように、我々SCC社の強い分野では、お客さんが我々にまず相談を持ちかけてくれる信頼のプロセスができています。もちろん競合他社にも話はしているのでしょうが、我々のところにまず相談される。それにすばやく応えることによって、その信頼関係が強化される。これは、長い時間かけて積み上げられたものですが、医療・食品セグメントでは、まだこのプロセスが確立していないのではないでしょうか」

確立していないのに、確立している既存分野と同じような取り組みをしても、ダメなのではないか。それはマーケティング本部やマーケター個人の能力の問題ではなく、SCC社と顧客の間にあるプロセスの問題ではないか、とリョウは問いかけた。

「形式的な社内プロセスは同じだが、実際にヒット商品を生むための本質的なプロセスは異なると言いたいんだね」

「そうです」

「じゃあ、どうすれば、その見えない顧客とのプロセスをつくれるのかね？」

「それを皆さんで考えていただきたいのです。お客さんのところに行って、『何が必要ですか？』と訊いてみても、『別に』と言われるのが落ちですよね。桜井さん、うちのマーケにどんな依頼が客からあるか、ご存じでしょうか？」

マーケティング時代の上司の桜井にリョウは訊いてみた。

「君がやっていた事務機器分野のA社からは、『こういう製品を開発していて、ここで困っている、こういうことはできないか』といった相談が結構事前にあるが、確かに医療・食品分野では、あまりそういう突っ込んだ依頼とか相談は聞かないな」

「そういった客からの依頼や相談は、社内でどのようなプロセスで処理されて、顧客に返っていくのでしょうか？　そのプロセスを描いてみていただけないでしょうか。そうすると見えないプロセスが見えてきて、医療・食品分野への手がかりがつかめると思います」

リョウのこの指摘に、メンバーはプロセスマッピングの本質を理解したようだった。桜井は何か閃いたように少し体を振るわせ、すぐにフェルトペンを取ると、A5カードに書きはじめた。小西も営業の松本も何か書いては、壁に貼り付けはじめた。リョウは、それを見届けながら部屋の反対側に移動していった。

ゴール・ツリー

ＳＣＣ社はこれまで、国内の化学メーカーからの原料調達にほぼ頼りきっていた。平野が部長を務める調達部の仕事は、したがって納期と価格の管理だけだったと言っていい。戦略的に新しい原料サプライヤーを探すということはしていなかった。「原料を変えると品質に影響を与える可能性がある、そんなことをしてお客様に迷惑をかけるわけにはいかない」という雰囲気が社内に浸透していたのだ。それを打ち破ったのが、昨年のプリンター用インクの添加剤だった。たまたま、開発センターにいた上海出身の姚が知っていた中国の化学会社に依頼してみたことがきっかけだ。日本では考えられない低価格で受け入れ可能な品質の原料が提供され、昨年の六月からパイロット生産した結果を踏まえて、この第１四半期から本格切り替えを進めていた。

「姚さんに調達部門に異動してもらうといいんじゃないかな」

平野が呑気そうな声を上げた。

「誰が、というのもいいですが、ここはプロセスを考えていただけないでしょうか」

このチームのファシリテーションをしている塩崎が、柔らかく促した。

「いま決まっているプロセスというのは、三ロット以上のパイロットを実施して、品質が確認されたものについては、原料切り替えを承認するというもので……」

渡瀬は、頭に入っている規定集から、条文でも読むようにルールを説明した。

「それでは、『三ロットのパイロット』とカードに書いて、壁に貼ってください」

このレベルのプロセスマッピングには、不必要な詳細だと塩崎は思ったが、出てきたものはどんどん書き留めていく。後の整理する過程で無用なものは自然に省かれていく。

「その三ロットのパイロットが始まる前の工程は何でしょうか？」

「開発センターでの性能確認試験だ。いわゆる実験室レベルでの評価」

小寺が説明しながらカードに書いていた。

「その前は、サプライヤーからの売込みですか？」

財務の川本が訊く。

「まあそういうこともあるが、ほとんどは、原料メーカーのほうで仕様を変えたいとか、あるグレードを製造中止にするとかいったことがきっかけだな」

と調達の平野が説明した。

「プリンター用インクの添加剤のように、こちらから積極的に低コストの代替原料を探したというケースはあまりないよ」

「そういうことを積極的に進めるには、どういうプロセスにすればいいでしょうか？」

「あまりやらないほうがいいんじゃないか。いまのサプライヤーとの関係が悪くなると困るよ」

素人がちょっと考えるほど単純じゃない、と言わんばかりの恫喝的ともとれる口ぶりで、平野が答えた。

「平野さんには、原料購入額の大きいものトップテンの資料をご用意いただくようにお願いしていましたよね」

その平野に、部屋の反対方向から大きな声でリョウが声をかけ、近づいてきた。

「ああ、あれね。ちょっと忙しくて、準備できなかったよ。悪いね」

平野は平然を装ったが、明らかに動揺していた。経験を背景に自由な意見を威圧する姿勢は影を潜めた。

「そうですか。ところでこのチームは、製品のコストダウンのプロセスマッピングが課題ですが、原料の切り替えだけに絞っているのですか？」

「いや、先ほどの話の続きで、たまたまその作業をしているだけです」

塩崎は、少しバツが悪そうに言い訳をした。

「製品のコストダウンといっても、いろいろありますよね」

製造部に話が及ばないように、原料の話に渡瀬が誘導したのではないかとリョウは疑ったが、そのことはおくびにも出さずに、新しいフリップチャートに向かうと、その左端から右に展開するツリーをサッサと描いた。

「このように『製品のコストダウン』を先頭にして手段を考えてみると、①原料コスト、②製造コスト、③在庫・流通コストと三つぐらいに分けられますよね？　もっとあるかもしれません」

「ＴＱＭで使うゴール・ツリーかね」

さすがに渡瀬は、こういう手法には詳しい。

「そうです。このグループは、プロセスマッピングの前に、まずゴール・ツリーをつくっていただけないでしょうか。そのほうが全体を見失わない議論ができると思うので、渡瀬さん、よろしくお願いしますね」


ゴール・ツリーは、大目標を起点に、それを達成するための手段としての中・小目標を枝分かれさせながらツリー状に描いていく手法だ。最後はアクションに落とし込んでいく。ＴＱＭなどでよく使われる手法だ。

ゴール・ツリーという名称はともかく、ツリー構造は、目的と手段、原因と結果を明快に可視化するパワフルな道具だ。このツリー構造を使って、企画の方法論を展開した優れた著作に、中村信夫著『こうすれば問題は解決できる』（開発社、一九七七年）、同『企画の手順』（日本能率協会、一九九一年）がある。参考にされたい。

このようなツリー構造は、目標達成に向けて、独立したいくつかのパスが考えられる場合や、隠れたパスを発見するために有効だ。一方、プロセスマッピングは、現在のプロセスを明らかにして、その問題点を発見したり、新しいプロセスを生み出すのに効果的だ。
問題の性質やチームの反応に応じて、柔軟にツールを使い分ける力が、ファシリテーターには要求される。参加者の自由な発想を促し、グループ思考を助けるような生きた使い方を促したいものだ。

今回の場合、いきなり原料コストに絞り込んだプロセスマッピングにのめり込んでいるチームに、いろいろな選択肢を忘れないようにと、ゴール・ツリーをつくるように勧めた。その結果を見ると（**図表15**）、「製造コストダウン」の枝には、渡瀬が避けたがっていた「川崎工場のプロセス改善」と「製造外注」が挙げられている。川崎工場でのコストダウンがこれ以上難しいなら、「製造外注」というパスを、真剣に検討しなければならない。

「原料コストダウン」の枝の下には、「低コスト国からの原料調達」と「既存製品の組成見直し」が出ている。要求仕様に対して、オーバースペックの原料を使っていないか、同じ品質でもっと安い原料はないかといった見直しである。「在庫・流通コストダウン」では、在庫回転率の向上を目指し、ワーキングキャピタルの圧縮を図ること。一〇年以上続いている運送業者との関係をいったん清算し、ゼロから運送コスト、物流拠点を洗い直すことが出てきた。

リョウがはじめに書かなかった「赤字製品からの撤退」という枝も、このチームの議論の中から出てきた。川本が事前に準備していた製品別の利益率と売上げの関係を示すデータが、この枝が生まれるきっかけになっていた（**図表16**）。この図を見ると、売上げの大小にかかわらず、営業利益はおろ

図表15　コストダウンのゴール・ツリー

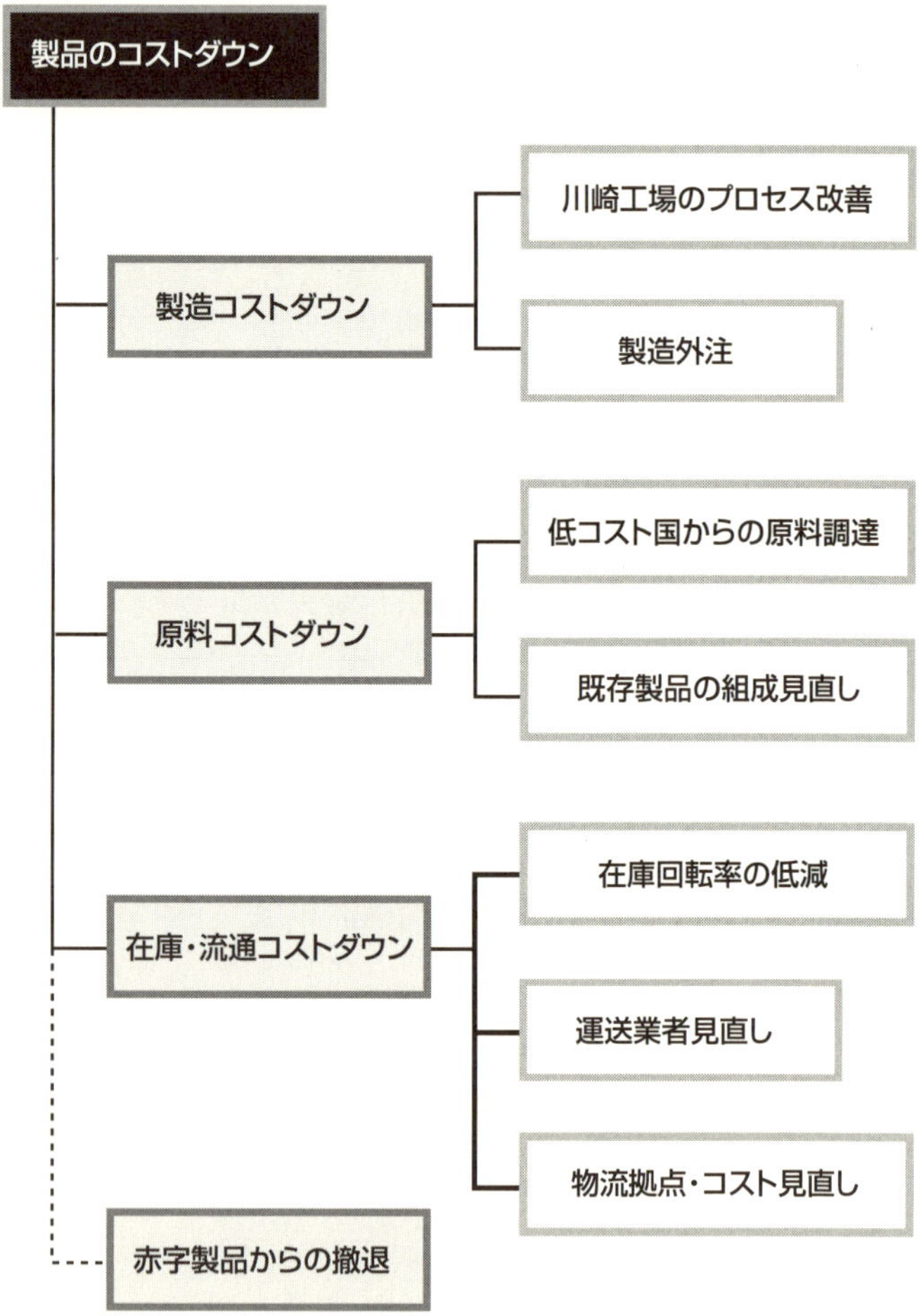

図表16 製品別利益率と売上げ

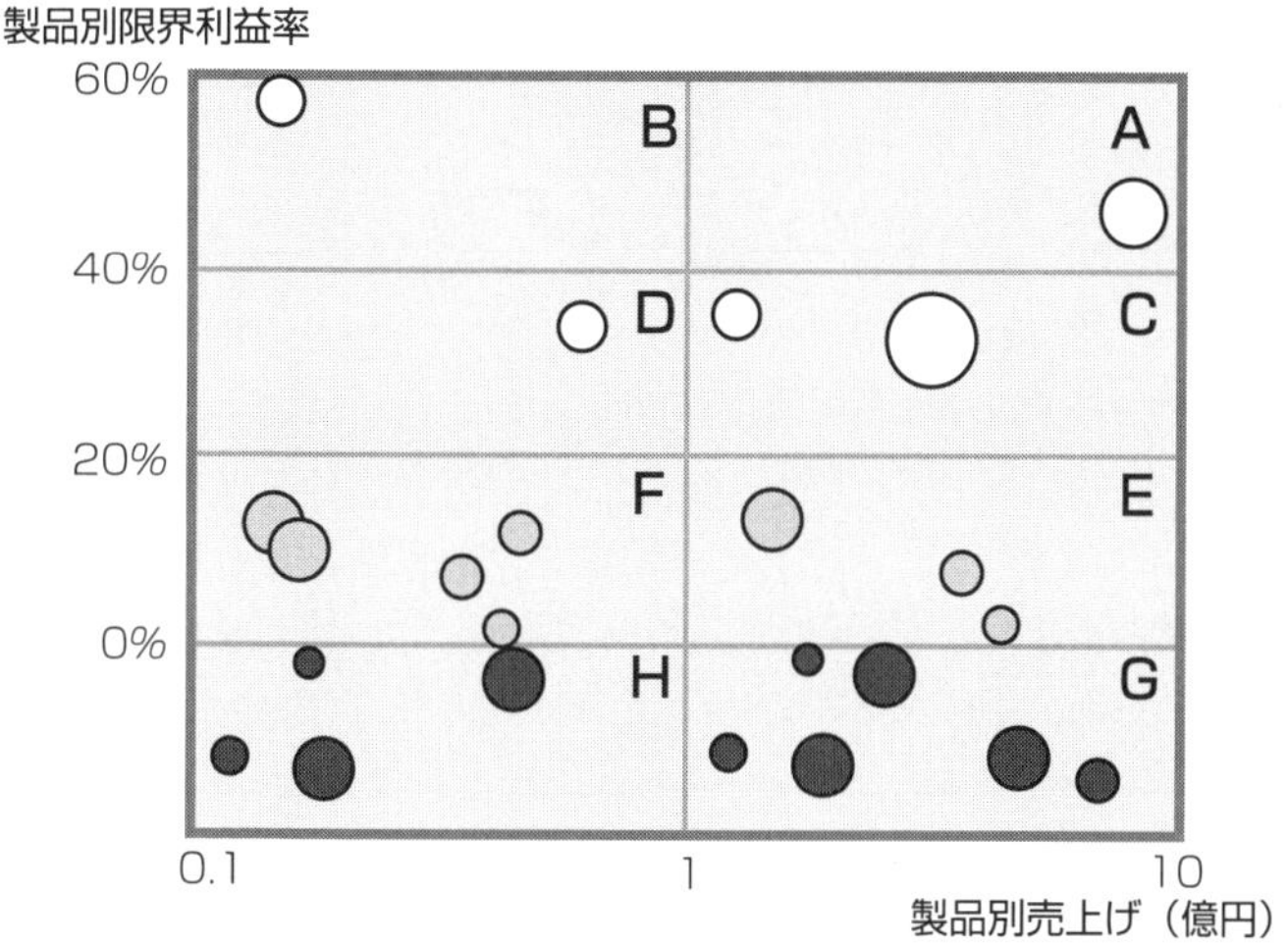

か、限界利益（売上げから変動費を差し引いた額）さえ出ない製品がたくさんある（図のG・H領域）。

顧客に直面する営業サイドから見ると、製品の種類が多いことはありがたいことだが、収益性から見れば、赤字を垂れ流している製品の存在は許されない。

問題は、これら赤字製品にも顧客がいるという事実だ。往々にして、彼らは高収益製品も買っている重要な顧客である場合が少なくない。そのために、赤字製品であっても生き残ってきているのだ。このジレンマを解決しながら、どう赤字商品から撤退するか。顧客との長期的関係を重視する日本企業がいちばん苦手とするプロダクトマネジメント問題に違いない。

このような問題が、データをもとに全社レベルで議論されるのは、この会社にとってはじめてのことだった。

初日は終わった。翌金曜日は、川本財務部長が、第3四半期の予想を踏まえながら、この年の収益性について見通しを発表した。営業本部、マーケティング本部から需要動向についてのインプットを受け、翌年度の収益状況についても展望したが、亀井の示した三割コストダウン、二割売上げ向上という来年度の目標にはほど遠いものだった。

このギャップを埋める回答を出すことがこの合宿の狙いだが、川本が示したギャップの大きさを前にしても、幹部たちの間には密かな無気力感が漂っていた。

「社長の気持ちはわかるけど、やっぱり無理だよな」

休憩時間中に小耳に挟んだ誰かの言葉が、リョウの心に残った。危機感は共有されていない。何とかしようという情熱もない。そういう幹部にリードされている会社の業績が回復するはずはない。リョウは歯噛みする気持ちを抑えかねた。

土曜日は、今後どういうアクションをとるのかを議論しはじめたが、早々に切り上げ、あわただしく社長への報告資料をパワーポイントに整理する作業に入った。

開発センターの小西が提案した、大きな人事異動を含む改組の案は、採用されなかった。そこまでやらなくても、という慎重論が大勢を占めたのだ。せっかくやったプロセスマッピングも、「いい勉強になった」というレベルで留まった。組織やプロセスを変えようという話にはつながらなかった。

「ここまで出ているのに！」リョウは、コストを下げながら収益を改善する具体的な案がそこまで見えているのに、それを提案に盛り込めない幹部の集まりに苛立ちを隠しきれないでいた。危機感が共有されていない。これでは、変革へのエネルギーは生まれてこない。ゴール・ツリーなどから出てきた課題は、別途プロジェクトをつくって検討ということで、資料は無難にまとめられてしまった。

亀井の一喝

「ご苦労さん、ご苦労さん」

いつものように陽気に、亀井は入ってきた。コストカットの範を示すために、運転手を廃し、自らベンツSLを運転して目黒の自宅からやって来たのだ。

定刻の六時より少し早めだが、全員会議室に集まっていた。資料のほとんどは、ファシリテーションをやった塩崎とリョウがまとめたものだが、ファシリテーターが報告をするわけにはいかない。グループを代表して、マーケティング本部長の桜井と製造の渡瀬がプレゼンテーションを始めた。

三〇分ほどの説明の後、桜井がまとめに入った。

「ということで、結論としては、ここにあるゴール・ツリーに従って、若手による組織横断型のプロジェクトを起こし、具体策を検討してもらいます。期間は三か月で、年末までに答えを出してもらうことにしたいと思います。ここに示しているのが、そのプロジェクトとそのリーダー候補者です。九月中旬までにメンバーを確定してスタートさせます」

「若手に検討させるだけで、君たちのアクションはないのかね？」

じっと聴いていた亀井が、報告を聞き終わると、はらわたに響く鋭い質問を発した。

誰からも声は出ない。何か言えば、亀井のカウンターブローが待っていることは、誰の目にも明らかだ。

「来年末までに、三割のコストダウンと二割の売上げ増を達成するための具体的なアクションを聞かせてほしい。その場で決裁できるようなものを、と言っといたはずだ。黒澤クン、君がファシリテーションをやってもこの程度の答えしか出せないのかね」

亀井は、射るような眼でリョウをにらんだ。

「『若手のクロスファンクショナルチームで検討します』なんていうのは、何も高い給料をもらっている君たちが、三日間も泊まり込まなくても出せる答えだ」

「お言葉ですが、社長……」

リョウは半ば反射的に口を開いたが、次の言葉は出てこなかった。

「ここで君たちとにらみあっていても、埒は明かないだろう。月曜日の朝会で、もう一回話を聞かせてくれ。私はこれから東京に帰る。星川君、一緒に来たまえ」

亀井の怒りには、これまでにリョウが見たことのないような迫力があった。誰もが震え上がった。

つい一時間ほど前まで歓談していた明日のゴルフのことなど、誰も考えることができないでいた。

社員の行動を変えるリーダー

「明日のゴルフ、ダメにして申し訳なかったね」

ハンドルを握って発進するとまもなく、亀井は助手席の人事部長の星川に話しかけた。別人のようにやさしいテノールだ。

「いや、驚きました」

小さくなっていた星川が、穴から顔を出す小動物のようにかろうじて答えた。

「あの、愚問ですが、それほど悪かったでしょうか？　黒澤クンはよくやったと思いますし、中で見ていると、いままでにない、いい議論ができていたと思うのですが」

「黒澤クンには悪かったが、あれぐらいやっておかないと、この後の変革にはつながらないと思ってね。少しは迫力があったかね？　これでも練習したんだよ」

いつもの穏やかな横顔になっている亀井を不思議そうに星川は見ていた。

「本当はシンバルでも持っていって、ガチャーンとやりたかったぐらいだよ。目覚ましにね」

「……」

「三年前に社長に就任してから、君も知ってのとおり、いろいろやってみたがどうもうまくいかない。面従腹背。笛吹けど踊らず。企業変革というのは難しいものだ」

社員から見れば全能のはずの社長でも、会社を変えることは簡単じゃない。

「戦略をどうしろとか、医療業界のプロだとか、あのコンサルたちの物識り顔を見ると虫唾が走るところまできたよ。何も変わらなかった。ところがだ。ふと見ると、小さいが本物の変革が社内で起こっているじゃないか。そのことに気づいたんだよ。これを利用しない手はないってね」

「黒澤クンの開発センターのことですね」

「彼女は、マーケティングですでに変革を起こしていた。それに気づいたんだよ。それで彼女を開発センターに投入してみた。ちょっと無謀だったかもしれんが、彼女がやっていることが他の部署、それも大きな部署でも通用するのか見てみたかった。本物だった」

「そうですか。それであんなに強引に開発センター長に推されたわけですね」

星川は、半年前の開発センター長の後任を決める打合せで、強行にリョウを動かすように主張した亀井のことを思い出した。

「確かに、今回のファシリテーターぶりを見ていても、堂々としているし、彼女の企画力や行動力は抜群ですね」

「そのとおり。しかし、私が大きな変革の可能性を感じているのはだ……」

亀井は、赤信号でクルマを停めると、サイドブレーキを引き、助手席の星川に向き直って訊いた。

「まだ半年にもならないのに、開発センターにいる社員に変化が起こっていると思わないかね？」

「よく見ていらっしゃいますね。確かに社員の目の色が変わってきたと思います」

「行動が変化している。そう、思わんかね？　彼女のリーダーシップには、人の行動を変えてしまうところがある。それまで言われたことだけをしていた社員が、自分で全社のことを考え、言われなくても自らドンドン知恵を出して行動している。その変化は、彼女がいなくなった後のマーケティングでも続いている。山本君がいい例だ」

「確かに、黒澤クンの後任になった山本君は、見事にA1プレーヤーに成長しましたね」

「いくらいい戦略やプランを立てても、私が叱咤しても、社員がその気になって、日々の行動を変えていかなければ組織は変わらない。我が社には、コンサルたちのおかげでいい戦略もある。ITの利用も進んできた。業績を詳細に分析する能力も高くなってきた。風通しのいい企業風土も維持していると思う。しかし、今回のオフサイトの幹部会がいい例だ。いい議論はできるのだが、アクションが伴わない。こんなことをいつまで続けていても、業績はよくならない。皆評論家なんだよ。ここで、大きく成長分野に食い込み、収益性を増して財務体質を改善していかなければ、ますます激しくなる国際競争には勝ち残れない。そのためには何かが必要だった。それが、黒澤クンが起こしている『社員の行動の変化』なのだよ」

エバンジェリスト

「あの、一つ伺ってもいいでしょうか。先ほど、『この後の大変革につなげるため、迫力があるように練習した』というようなことを言われましたよね。我々の報告を聞かれる前から一喝しようと考えていらしたわけですか？」

話を聞いているうちに、星川も冷静さを取り戻してきたようだ。

「そういうことになるね」

いたずらを見つけられた子供のように、亀井は苦笑した。

「あのメンバーじゃ、いくら黒澤クンがスーパーファシリテーターでも、私が期待する答えなんか出るわけない。さっきも言ったとおり、我々は社員の行動を変えていかなければいけない。そのために、これから大きく組織を変え、プロセスを変えていく。しかし、社員の行動を変えられないのなら、組織やプロセスをいじっても混乱するだけ無駄というものだ」

月曜の早朝幹部会でも、たいした答えは出ないだろう。それでいい、と亀井は思っていた。もう一度一喝し、危機感の中から、若手によるクロスファンクショナルなプロジェクトをスタートさせる。リョウはその中のキーのプロジェクトに入って、変革のファシリテーターとなるのだ。この過程で、リョウに感化された小西や山本のような新たなリーダーが、何人か生まれるだろう。このエバンジェリストたちが出してくる提案に基づき、大胆な改組、プロセスの一新、そして人事の刷新を断行する。来年一月一日付だ。

エバンジェリストたちは、その新しい組織やプロセスの中核となって、リョウに始まった「行動レベルでの変革」を広げていくのだ。自分の役割は、このプロセスがつぶされずに進むようにしてやることだ。それは、「見守る」などというような甘いものではない。組織の中にいるノンポリ、反対勢力との目に見えない戦いだ。その一発目が、先ほどの「一喝」だった。いまごろ、蓼科の研修所では明日のゴルフをキャンセルして、対策会議にしようとしているだろう。この会社の幹部たちにとっては、楽しいキャンプで大嵐に見舞われたような気分に違いない。それでいい。これで、少しは大胆な提案を受け入れる気分にもなるというものだ。

亀井が描いているシナリオだった。偶然出てきた改革の小さな芽。それを目ざとく見つけ、すばやく全社に展開する。この三年間、社長の亀井が押しても引いても、さして動かなかった既存の秩序から、新しい活力のある秩序に移行する、その「カオスの縁」をすばやくすり抜けるのだ。この瞬間を見逃してはいけない。ディフェンダーを紙一重でかわした目の前に、まだボールが生きて転がっているる。それをシュートしようとするストライカーのように、亀井は体内に興奮が漲るのを感じていた。自分の経営者としての力量の見せどころだ。

土曜の夜遅く、亀井の運転するベンツが、中央高速を都心に向かって走っているころ、蓼科の研修所では、はじめて見た亀井の剣幕に、善後策を話し合っていた。しかし、基本的には、うろたえているだけで何も進展はなかった。とりあえず明日、日曜日のコンペは中止し、月曜日の朝会に向けて再度打合せをすることで流れ解散した。

「何を考えているのか知らんが、社長は、近ごろおかしいんじゃないか」

はき捨てるように渡瀬が言った。先ほどからあおっているウィスキーのせいか目が据わっている。近くにいた品質管理部長の小寺と営業の松本部長が解散後も残って、三人でロビーの隅で話し込んでいた。

リョウは自室に戻り、持ってきたMPEGプレーヤーを取り出すと、耳をすっぽり覆うボーズのヘッドセットを着け、ベッドカバーの上から仰向けに寝転んだ。うまくやれなかった自分を責める感情、自分を弁護しようとする理性。錯綜する思いを振り払うようにスイッチを入れると、ボリュームをいっぱいに上げた。プッチーニの「ネッスン・ドルマ（誰も寝てはならぬ）」の感動的な旋律が、耳に飛び込んできた。何も考えずにそれに身をゆだねる。MPEGは、やがてカタラーニの歌劇『ワリー』第一幕の「さようなら、ふるさとの家よ」に移り、リョウの好きな、軽快な古澤巌のバイオリン曲へと変わっていった。もう頭の中にあった重い気分は消え、心地よい音に身をゆだねながら、リョウは眠りに落ちていった。

THE FACILITATOR

第4章

SWAT

SWAT誕生

月曜日の早朝幹部会は、いつになく緊張の面持ちに包まれていた。

「亀井さん」

その緊張感を破るように、いつもどおり、さんづけで亀井を呼ぶと、リョウは説明を始めた。

「土曜日に、せっかく蓼科まで来ていただいたのに失礼しました。我々は反省して、日曜日も打合せを続け、提案をまとめてみましたのでお聞きください。製造、開発センター、営業、マーケティングから二人ずつ元気のいい若手を出し、これに財務から一人加えて、九人一組のチームを編成します」

リョウは、これをSWATチームと呼んだ。Special Weapon Attack Teamの略称で知られる米国警察の特殊攻撃隊と同じ名称だ。この命名で、リョウは既成概念にとらわれない発想で、短期間に画期的な答えを出すダイナミックなチームであることを表そうとしていた。

「このSWATを三組つくります」

A：開発センターとマーケティング
B：サプライチェーンと営業
C：製造

図表17　ＳＷＡＴスケジュール

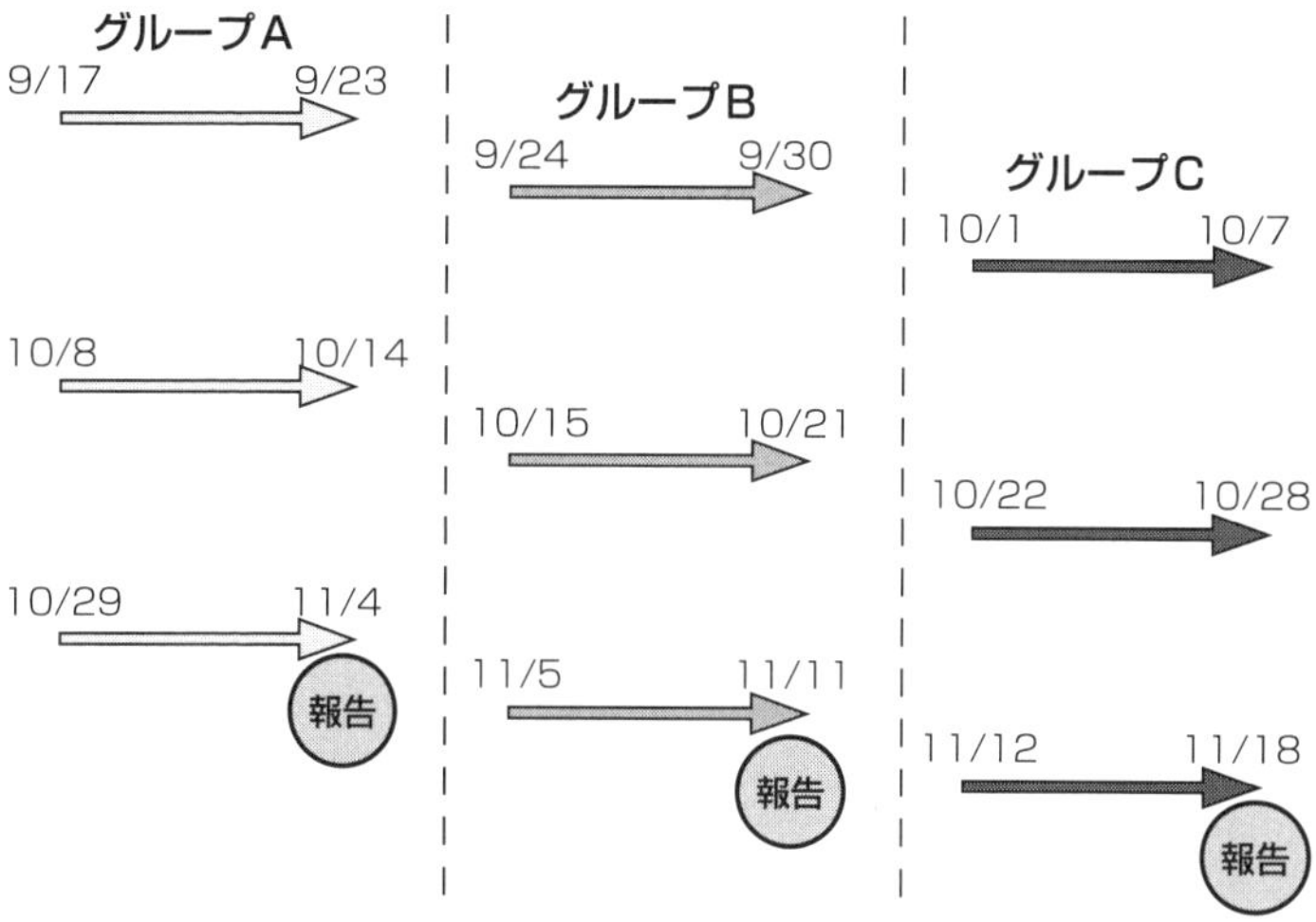

この三つのＳＷＡＴが、亀井の掲げた目標に向けて一週間ずつ缶詰になって議論しては、二週間自分の部署に戻る。そしてまた一週間缶詰になるというプロセスを三回繰り返す（**図表17**）。

そのＳＷＡＴに求めるアウトプットは、

- 新しい組織と要員数（来年末時点）
- 新しい組織のミッション
- 新しい運営プロセス
- リーダーの条件（固有名詞は挙げない）

だ、とリョウは説明した。

「開発センターに設けたアウト・オブ・ボックス室を拠点として使います」

「全体のファシリテーションは君がやるのかね」

有無を言わせぬ亀井の声だった。

「もちろん私がやります。ただ、一つだけ聞いていただきたいお願いがあります」

リョウはきっぱりと言い切った。

「外部のファシリテーターを二人、三か月間雇わせてください」

「君が信頼できる人物がいるのか？」

「はい」

リョウは説明を続けようとしたが、亀井はそれをさえぎるように了解した。

「わかった。いいだろう。しっかりやってくれ。スタートは九月一七日だな。そのキックオフには私が行くとしよう」

亀井の後ろに座っていた秘書の木村恵子がすばやく手を動かすと、亀井のスケジュールを押さえた。

「直接、私の期待をSWATの皆に伝えたい」

「それじゃ、SWATは承認されたと思っていいでしょうか？」

「いま、そう言わなかったかな？　やってくれ。それが蓼科で缶詰になって議論した君たち幹部の総意なんだろう？」

亀井は幹部会メンバーに向き直りながら話した。顔に笑みが戻っていた。

「この三つのSWATの最終日には、幹部会の皆さんと彼らの提案を聞きに行きましょう。SWATのメンバーの目の前で、皆さんに審議してもらい、その場で決裁したい。そのほうが士気が上がる。いつまで議論していても始まらない。全員必ず出席するようにお願いしますよ」

丁寧な言葉遣いをしながらも、亀井は行動を強調した。誰からも反対はなかった。人事の星川は、このセリフも、蓼科のときのように練習してきたのだろうかと密かに思い、笑いをかみ殺していた。

社長のパフォーマンス

二週間後、九月一七日の月曜日の朝、SWATに選ばれた三組二七人全員が、川崎の開発センターの大会議室に集っていた。日本ファシリテーション協会を通じて紹介された二人のファシリテーター、塩崎、そしてリョウがいた。

リョウはこの二人のファシリテーターとは事前に会い、打合せをしていた。一人は、外資系企業で長年ビジネスリーダーを務めてきた五五歳の鳩村という人物だった。ビジネスプロセス全般に幅広い経験を持っていた。もう一人は、今夏商社を辞め、プロのファシリテーターとして独立しようとしている三四歳の神社《かみやしろ》という青年だった。

定刻の八時半。亀井は、汗を拭きながらセンターの大会議室に入ってきた。SWATのメンバーが座っている中を縫うようにして会議室の前に進み出ると、ホワイトボードを背にして立ち、両腕を左右に開いて言った。

「もっと前に来てくれ」

この意外な第一声に、全員が反応できないでいた。もじもじしているのを見て、亀井はもう一度促した。

「私の体温が感じられるところまで来てくれ」

顔はにこやかに見えたが、よく見ると目は笑ってはいなかった。亀井の意表をつく言葉に驚きながら、SWATのメンバーは憑かれたような動きで前の席に移動しはじめた。亀井は数歩後ろに下がると、自分の前に空間をつくって言った。

「座っていないで。さぁ、立ち上がって、前に出てきなさい」

この言葉に、メンバーはハッとした。暗示的なものを感じた。会議室にいた三一人全員が立ち上がると、ホワイトボードを背にして立つ亀井を取り囲むように半円陣をつくった。

「今日は、よく集まってくれたね」

亀井は、先ほどとは打って変わって、静かに、ほとんど恥じ入るような小さな声で語りはじめた。

「私は、この会社の社長になってから三年間、何とか立て直そうといろいろなことをやってきたが、どれもうまくいかなかった。正直言って失敗だったと思っている」

これまでやってきた組織改革を振り返りながら、

「それでも業績はむしろ悪くなっているのだ」

と、数字を上げ、一人ひとりに説くように話した。そして蓼科での幹部の合宿、そこから出てきたSWAT提案、SWATに対する期待を語りはじめた。

「残念ながら、もはや我々にあまり時間は残されていない。君たちには、無謀に見えるかもしれないが、来年末までに三割コストを下げ、二割売上げを伸ばすという目標を掲げた。それぐらいのことをやらないと、この激しい国際競争とデフレの中で生き延びることはできない。その具体的な計画を君たちに考えてもらいたい。君たちのこれからの九週間の活動にすべてがかかっている。最終日には、幹部全員と君たちの提案を聞きにくる。その場で幹部の諸君の意見も聞き、その場で答えを出したい。何か、質問はあるかね?」

聞いていた三一人にとっては一時間も話があったように感じられたが、実際には一五分ほどの短いものだった。それほど、亀井の話には中身があり、聞く者を惹きつけた。

「社長が変えようとしても、なぜ、会社は変わらなかったのでしょうか?」

かすれた声が円陣の中から聞こえてきた。声に多少のためらいがあった。

「いい質問だね。コンサルタントを雇って戦略を打ち出しても、組織を変えても、詳細な財務分析ができるシステムを構築して問題点を洗い出し、毎週レビューしても、私が命令しても、組織のどこかで行動が止まってしまうのだよ。『組織の慣性力』とでも言うのかな、いままでのやり方から抜け出てくれない。社長の私が言ったからといって、なかなか変わらない」

亀井の頭を「面従腹背」という言葉がよぎったが、その言葉を口にはしなかった。

SWATのメンバーから見れば雲の上の存在である社長の言葉とは思えない、不思議な話だった。

しかし、会社を下から見ると、確かに上のほうで新しい戦略や行動指針が打ち出され、その都度いろいろな資料をつくらされてはきたものの、日常生活が変わるような変化があったわけではなかった。資料をつくれば終わりだった。

さらに数人から業績見通しを訊ねる質問が出た。細かい数字を挙げながら、亀井は丁寧に答えていった。質疑のほうが長かった。それは三〇分も続いただろうか。質問が途切れたところで、亀井は、もう一度一人ひとりの目を見ながら静かに言った。

「君たちに、期待している」

小さな声だった。しかし、ピアニシモで終わる交響曲のように、全員の心に余韻を残した。

話し終えると、亀井は速やかにその場から歩き去った。

風変わりな自己紹介

その後すぐ、塩崎が指示し、全員でテーブルと椅子を動かすと、一〇人ずつ座れる「島」を大会議室の中に三つつくった。グループに分かれて着席する。代わって、神社が三つの「島」の中央にある空間に立つと、画用紙大の紙を胸の前に掲げた。そこには、

●ボブ・サップと練習

●弟は、ハーバードの教授

●関西笑い学会会員
●文学博士

と箇条書きされていた。

「神社と書いて、カミヤシロと読みます。このSWATのファシリテーターをさせていただきます。まず、簡単に自己紹介させてください。ここに、そのポイントを四点書いておきました。しかし、実はこの中の一つは、真っ赤なウソなんです。それを見破ってください。いいでしょうか」

と変な切り出し方をして、神社は自己紹介を始めた。

「私は中学時代から空手をやっていまして、実はデビュー前のボブ・サップと練習をしたことがあります」

会場から「ウォー」という驚きの声が上がった。確かに、身長一九〇センチ以上はあるし、ずば抜けた体格をしている。

「父が商社マンで、ニューヨーク生活が長かったものですから、英語が得意です。特に弟のほうは、そのままアメリカで大学に進み、いまハーバード大学の教授になっています」

と言いながら、神社は鼻の頭を右手の人差し指でなでた。本当のことを話していないしぐさのように見える。

「最近は、『笑い』の魅力に取りつかれていまして、関西笑い学会に入りました。よく、吉本と間違われるのですが、『お笑い』ではなく、『笑い』学会ですので、お間違いなく」

クソ真面目に、『笑い』と『お笑い』の違いを説明するところが、いかにもウソ臭さを感じさせる。

「大学では心理学を勉強し、大学院に進んで博士号を持っています。その関係で、今日はこれから皆さんの会議のファシリテーターを務めさせていただきます」

神社の不思議な自己紹介に、いきなり注意を惹きつけられ、皆が聞き耳を立てていた。

「さて、ウソはどれでしょう?」

三分ほどで自己紹介を終えると、神社は、各グループを回りながら訊いた。ホワイトボードの方に進むと、

「それでは、左のグループAの方、どなたか代表で、どれがウソだと思うか、簡単な理由を添えて答えてください」

「関西笑い学会会員というのが、ウソ臭いと思います。『吉本ではありません』という件が、特に引っかかりました」

左のグループにいた開発センターの木下が、チームと相談した後答えた。そうですかと言うと、神社は、グループ名をホワイトボードに書き、関西笑い学会会員と記した。

「次のグループはどうですか?」

「やっぱりボブ・サップでしょう。神社さんは、いい体格をされているけど、やっぱ、それはないと思うな」

営業の松原が答えた。耳がつぶれている。

「松原さんも強そうですね。レスリングですか?」

「いえ、柔道を少し」

「なるほど。グループCはどうですか?」

神社は、簡単なやり取りをしながら、テンポよく運んだ。

「ハーバードの教授も文学博士もウソ臭いけど、文学博士にしときます。神社さんは、どう見ても体育会系に見えますからね」

製造の大塚だった。

「そうですか。はい、これで出揃いましたね。実は、正解はハーバードです。私には弟はいません。妹がいて、いまハーバードのビジネススクールに通っていますが、教授ではありません。というわけで、皆さん不正解でした」

と神社が説明すると、「ウソーッ」という驚きの喚声が上がった。この神社という人物は、帰国子弟で、ボブ・サップと練習したことがあるほどの空手家、笑い学会の会員で、文学博士ということになる。

「さて、これは、ウソつき自己紹介というアイスブレークの一つです。私がいまやったように、皆さんにもこれからやっていただきたいと思います。それをグループでどの程度当てられるか競ってみましょう。最も正解したグループにはこのビール券を差し上げます」

と神社は、ビール券を高々と上げた。

このSWATに選ばれたメンバーは、ある程度はお互いに見知ってはいるが、気心が知れているというほどではない。神社は、まず短時間に打ち解けられるように、この自己紹介をアイスブレークとして用意していた。

各テーブルに、画用紙大の紙が一〇枚ずつ配られると、各自うなりながら、自己紹介のポイントを書きはじめた。数分後、神社のかけ声で一人ずつ立ち上がっては、神社がやったように胸の前に紙を掲げて自己紹介していった。時々爆笑を誘いながらメンバーの意外な経験が披露されていった。全員が、他人の自己紹介を真剣にメモっている。

神社は、皆がこのゲームに集中していることを見届けると、後ろにさがり、どのグループが誰のウソを見破ったかを書く星取表をホワイトボードに書いた。

「さあ、どうですか。全員の自己紹介が終わりましたね。でも、この中にウソがいっぱいあるわけです」

と言うと、どっと笑いが起こった。チームの雰囲気がかなり和らいでいるようだ。

「ここに書いていきますから、左のグループから順番に、誰のどれがウソと言っていってください」

左のグループの一〇名が簡単に協議すると、代表して先ほどの木下が、その他のグループのウソを順番に挙げていった。

こうして、自己紹介のウソを当てるアイスブレークに興じているうちに、会社を変える重要プロジェクトのために集まっているのだという気持ちを忘れていた。メンバー同士、意外な側面を知り、部屋の中はその驚きと笑いで満たされていた。

一通り、この自己紹介が終わると、神社はビール券を優勝した真ん中のグループに手渡しし、皆で拍手をして祝った。

「いや、楽しかったですね。このアイスブレークというのは同僚をよく理解し、皆さんの気持ちをほぐすのに大変役に立ちます」

神社は、アイスブレークの効能を、以前リョウがしたように説明しはじめた。

ファシリテーション・トレーニング

一〇分ほど休憩をとった後、神社はファシリテーションの説明に入った。はじめに説明したのは、グループダイナミックスと呼ばれる小集団の心理学についてだった。これは米国で、一九四〇年代後半から発達したもので、その中でも、特にラボラトリーメソッドという手法を詳しく紹介した。

一言で言えば、それは、グループの活動に参加しながらも、グループの議論や行動の中身にこだわるのではなく、その行動そのものを観察し、その背景を分析する。その結果をメンバー相互にフィードバックし、お互いに次の行動に反映し、それをまた観察・フィードバックする。この繰り返しを通じて、人間相互の理解を深めようというものである。

日本では南山大学が長年研究・実践してきている。同大学の津村俊充・山口真人教授らの手になる『人間関係トレーニング』(ナカニシヤ出版、一九九二年)は、好著である。

「この原理を応用して、例えば、営業マンが集まって営業のロールプレーをする。それを見ながら、メンバーがその営業行動について、相互にフィードバックするというトレーニングがあります。また、リーダーが自分のリーダーシップについて、関係者から率直なフィードバックを受けるセッションを設けるのも効果的です。リーダーシップ・インテグレーションとかリーダーズ・アシミレーションとして実践されているものです。この他、コミュニケーション力やリーダーシップの開発など、幅広い分野の教育・研修に応用されています。さて、この背景を理解する非常にいいモデルがありますので、ご紹介しましょう」

と言うと、神社は、スクリーンに二×二のマトリックスを映し出した。以前リョウが飲み屋の紙ナプキンの上に描いたジョハリの窓だ(**図表7**。60ページ参照)。その図を使いながら、フィードバックと自己開示の意味を説明し、その繰り返しが個人の成長を促すものであると神社は解説した。

「へぇ。いやぁ、営業として、非常によくわかります」

神社が空手家と知って親近感を覚えたのか、営業の松原が、気軽に話しはじめた。

「このモデルを頭の中に入れて営業トレーニングすると、確かに営業マンの腕が上がるような気がしますね」

「そのとおりです」

しかし、今日これを紹介した意図は、これから始まるSWATを効果的に進めるためだ、と神社は説明した。お互いに相手の意見を率直に聞き、また自分の意見も忌憚なく述べ、新しい創造的な解決策を探る。もし議論が感情的になってきたら、お互いに相手の話し方を観察し、それについて話し合ってみる。それによって相互理解を進め、活性化された人間関係を短期間に構築してほしい。それは、このプロジェクトを通じて会社に貢献するためだけでなく、自己開示とフィードバックを通じて、人間として大きく成長する機会でもある。

「皆さんは、その貴重な機会を目の前にしているのです。どうかこの貴重な機会を、二重に活かしてください」

と言うと、神社は「発散」「収束」と、大きくホワイトボードに書いた。

「もう一つ、プロジェクトを進めるうえで、覚えておくと精神衛生上、非常にいい概念があります。物事がまとまる、つまり「収束」する前に、必ずいったん「発散」という過程を通ります。いろいろな考えを出し、試行錯誤を繰り返し、検証する。その後「収束」に向かうのです。いきなり「収束」させてしまうと、いいアイディアを逃してしまったり、不完全燃焼して不満が残ったりするものです。どうかしっかり「発散」させてください。テーブルを叩いて喧喧諤諤の議論をしてください。それで足らなかったら、ごみ箱でも蹴飛ばしてください。特別製のを用意しておきますから」

堅い話が続いた後で、神社は少し笑いを誘った。

組織は、形成（フォーミング）された後、すぐに機能（パーフォーミング）しはじめるのではなく、その前に、ストーミング（混乱・対立）があり、ノーミング（統一）が進んではじめて機能しはじめるというタックマンのモデルも紹介した。

「恐らく、このSWATもそういうプロセスを経ると思います。『あっ、ストーミングが始まったな』とか『いよいよパーフォーミングを始めた』とか、グループダイナミックスを楽しんでください」

情熱を持って遠慮なく会社を変えるための議論をしよう、しかし我を失わず、自分やグループの状況を注意深く観察しよう。神社のポイントは明快だった。「収束」と「発散」、タックマンモデルを説明することで、自分たちの議論の段階を客観的に観察する目を持たせようとしたのだ。

これから何が始まるのかという期待と不安を胸に、SWATの全員が神社の説明を興味深く聴いた。

ファシリテーションの道具箱

「お昼休みに入る前に、もう一つ。議論をうまく進める『ファシリテーションの道具箱』をご紹介しておきましょう」

「すみません。朝方から伺っていて、いまごろ聞くのもなんなんですが、そのファシリテーションというのは、何でしょうか？」

神社が、スライドを映そうとパソコンを操作していると、質問の手が挙がった。神社は、はじめに自分のことをファシリテーターとして紹介しているし、その後も何度か出てきた言葉だが、そのときには、遠慮して出てこなかった質問だ。その硬い気持ちがほぐれてきた証拠だ。神社は、好感を持って、この質問を受け止めたことを態度で表した。

「ファシリテーションというのは、辞書を引くと、『易しくする』とか『促進する』とかという意味が書いてあります。私と鳩村さんは、ファシリテーターとして、皆さんのSWATがうまく進むように、お手伝いする介添え役です。実は、ファシリテーションにはいくつか種類があります。例えば、会議を要領よく進めるための、いわゆる『会議ファシリテーション』ですね。それと今回やっているような組織変革を進めるためのファシリテーション。その他、教育効果を高めるためのものなど、いろいろあります。今日、自己紹介のアイスブレークから入って、ジョハリの窓、タックマンなどのお話をしましたね。あれは、皆さんの心理的な障害をできるだけ早く取り除いて、活発な議論ができるようになることを目的としています。SWATのようなプロジェクトは短期勝負です。何か月もかけて人間関係を築いている時間はありませんからね」

このように心理的な障害をすばやく取り除き、グループが議論しやすい状況をつくるという役割がファシリテーターにはある。

図表18 ファシリテーションの道具箱

目的＼機能	アイデア出し（発散）	優先順位づけ・合意形成（収束）	トレーニング・エグゼキューション
1 ビジョン・ミッションの策定	タイムマシン（リアビューミラー）法 More or Less キーワード法 チェックリスト法 マインドマッピング ウィッシュリスト	投票法 加重投票法 ペイオフ・マトリックス ダブル・ペイオフ・マトリックス 目的・手段ツリー	
2 戦略・事業計画の策定（ビジョン・ミッションは所与）	SWOT 分析 期待と課題のマトリックス フォース・フィールド・ダイアグラム ステークホールダー・アナリシス プロセスマッピング ボトルネック解析	投票法 加重投票法 ペイオフ・マトリックス ダブル・ペイオフ・マトリックス パレート分析 目的・手段ツリー ディシジョンツリー 階層化	フェーズ管理 スコア・カード ダッシュボード
3 プロセス改善	プロセスマッピング ボトルネック解析 管理図 システム・ダイナミックス	投票法 加重投票法 ペイオフ・マトリックス ダブル・ペイオフ・マトリックス パレート分析 目的・手段ツリー ディシジョンツリー 階層化	フェーズ管理 スコア・カード ダッシュボード
4 チームビルディング	リーダーズ・インテグレーション 他己紹介 ジョハリの窓エクササイズ ラボラトリートレーニング（T セッション） 各種アイスブレーク		
5 セールス・エフェクティブネス			ジョハリの窓エクササイズ
6 製品開発・技術開発	ニーズ・マッピング 品質機能展開 要素（技術）分析 フィッシュボーン	投票法 加重投票法 ペイオフ・マトリックス ダブル・ペイオフ・マトリックス パレート分析 ディシジョンツリー 階層化	フェーズ管理
7 原因解析	プロセスマッピング フィッシュボーン 管理図 ヒストグラム	パレート分析 ボトルネック解析 階層化	
8 リスク分析・管理	リスク・アセスメント・テーブル ペイオフ・マトリックス	投票法 加重投票法 ペイオフ・マトリックス ダブル・ペイオフ・マトリックス パレート分析 ニュースペーパーテスト	スコア・カード ダッシュボード
9 人事評価		フォースドランキング ペア・コンパリズン	

基本ツール：ブレーンストーミング、KJ 法

ファシリテーションのもう一つの側面は、議論の堂々巡りや、出口のない議論を避け、事実に基づいた論理的・現実的な議論を促すことだ。

神社は一枚の表を映し出した（図表18）。

「これは、いろいろな場面で、皆さんの意見を引き出し発散させるための道具と、収束させるための道具の一覧表です。いま、この一つひとつの「道具」については説明しませんが、このようにグループで考えるためのたくさんの手法があります。このようなツールを使いながら、明日から、ＳＷＡＴ活動を開始していきたいと思います」

それでは昼食にしましょう、と言って、神社は人事の塩崎にバトンタッチした。

「ドロドロ血」の流れる損益計算書

遅い昼食を終え、大会議室に戻ってくると、ＳＷＡＴメンバーを待っていたのは、財務部長の川本だった。彼はパソコンを立ち上げ、スクリーンに、モデルＰ＆Ｌと書かれた大きなスプレッドシートを映し出していた。ＳＣＣ社の損益計算書を単純にし、モデル化したものだった。

「こんにちは。皆さんのほとんどが、財務諸表について、ほとんど勉強されたことがないと思います。しかし、これから九週間、ＳＷＡＴで目指すものは、この損益計算書の数字を改善するものでなければなりません。皆さんの活動の結果は、この表の上に表れないといけないのです」

この説明に、開発センターの木下は少し顔をしかめた。

「木下さん、『こんなもの勉強させられるのか！』という顔ですね」

横で見ていた神社が、木下の表情を見逃さなかった。

「川本部長、ちょっと割り込ませてもらってもいいでしょうか？」

「……」

川本がうなずくのを見ながら、神社はもう一台のパソコンにつながっているプロジェクターのスイッチを入れた。前面の壁の左側にあるもう一枚のスクリーンに、男性の写真が映し出された。テレビのバラエティ番組によく出てくる太ったコメディアンだ。その写真だけで、メンバーの一部から笑いを誘った。

「テレビでおなじみの石塚さんですね。この大きな体がトレードマークで、見るからに愉快ですが、筋肉の弛み、全身にたっぷりとついた脂肪の厚さが、Tシャツの上からもよくわかりますよね。人気者ですが、こういう体型にはなりたくないですよね」

と言いながら全員を見渡す。誰もがニコニコしながらうなずいている。

「実は、ＳＣＣ社はこの体型なのです。人間の場合は、見ればだいたいわかります。誰も、この人がサッカーの選手だとは思わないし、相撲の力士だと言ってもほとんどの人が信じないでしょう。しかし、会社の体型や健康状態は見ただけではわかりません。これから川本部長が説明されるＰ＆Ｌ、損益計算書がそれをハッキリ見せてくれます。しっかり聴いて、どんどん質問してみてください」

財務的な話にアレルギーを持っている社員は少なくない。その心理的な壁を越えるために、神社はこの写真を用意していたのだ。マウスをクリックすると、もう一枚の人物の写真が、コメディアン氏と並ぶように映し出された。テレビの「筋肉番付」でおなじみの、ケイン・コスギのようにシェイプアップされた男性だった。

「解説の必要はないと思います。我々が目指しているのは、こういう体型の会社ですね。無駄な脂肪がなく、柔軟でスタミナ溢れるパワフルな体」

全員の顔から笑みがこぼれていた。

「それでは、川本部長、説明をお願いします」

「神社さん、わかりやすい解説、どうもありがとうございます。まあ、先ほどのコメディアン氏ほどSCCの体型は悪くないと思いますが、体内には老廃物が溜まり、ドロドロ血も結構流れています。そのあたりの説明をしましょう」

川本も、神社に刺激されて、軽妙な語り口に変わっていた。

「昨年の売上げが、この数字です。この下にあるのが原材料費です。売上げから原材料費を引くと、粗利と言われるものが出ます。商店主さんなどがよく気にされる値です。聞かれたことがあるでしょう? しかし、会社の場合、この利益だけを見ていると危ないのです」

川本は、前年の損益計算書を見せながら各項目を説明していった。

「この表には、はっきりとは出ていないのですが、隠れた重要な数字もいくつかあります。その中のいちばん大切なものは、キャッシュフローと呼ばれるものです。言葉のとおり、現金の流れ。人間の体でいうと血液のようなものです。これが途切れると会社は死にます。倒産ですね。実は、この損益計算書上の利益が黒字でも、キャッシュフローが途切れることがあります。帳簿上は黒字なんですが、使えるお金がなくなるという状態ですね。黒字でも会社は倒産するのです。したがって、キャッシュフローがどうなっているかというのは非常に重要で、私や亀井社長は常に気にしています」

川本は一通りの説明を終えると、もう一つのプロジェクターを使って、別の損益計算書を映し出した。

「さて、これは皆さんよくご存じのT社の損益計算書です。当社と比較しやすいように、数字を標準化してあります」

T社は、SCC社と同じ業界にありながら、抜群の収益性を持つリーダー企業だ。米国のコングロマリットの傘下にある。川本は、この二つの損益計算書を比較し、SCC社のどこに問題があるかを財務的な観点から解説していった。

「それでは、この在庫回転率をT社並みにしてみましょう」

川本は、損益計算書以外に、キャッシュフローを計算する別のスプレッドシートを示しながら、感度分析（センシティヴィティアナリシス）を始めた。皆の目の前で、価格や売上量、在庫などの数字を動かし、それがいかに収益やキャッシュフローに影響を与えるかを示しながら説明した。

「収益がずいぶん改善されますね。今度は、販売管理費を売上げで割った値で、T社と同じレベルにしてみましょう」

川本は、次々といろいろな感度分析を見せていった。

「さて、営業一人当たりの利益を比較して見ましょう」

「すっげ！」T社との差に、営業の松原が思わず声を上げた。

「研究員一人当たりの利益を比べるとこうなります」

センターの木下は、松原のように声こそ上げなかったが、目は食い入るようにスクリーンをにらんでいた。

「川崎工場の損益計算書というのはあるのでしょうか？」

製造本部の足立が訊いた。

「ありませんが、皆さんが必要ということであれば模擬的なものをご用意しましょう」

「私はグループC、製造本部担当なので、ぜひその感度分析ができる別のテーブルをお願いします」

「わかりました。本格的なものをつくるのは無理ですが、モデル的なものを、再来週皆さんのSWAT活動が始まる前に用意させましょう」

このグループCにいる財務部の柿原の仕事になる。

「開発センターはどうなんでしょうか？」

たまりかねたように木下が訊いた。

「センターを、新製品開発やコストダウンを受注している一つの会社と考えて、損益計算書をつくることはできます。必要ですか?」

「どうなるのか、見てみたい気はしますが、どう使ったらいいのかは、もう一つ……」

「必要になったら言ってください。チームに財務の人間がいると思います」

木下と同じグループAにいる財務の優谷が、首をすくめた。

「遠慮なく、いろいろなことを訊いてください。はじめにお話ししたように、皆さんの活動で売上げを伸ばし、会社のコスト構造を抜本的に変えることが期待されています。この三年間で、製品単位で利益がわかるようにシステムを整備してきましたし、その他にも、かなり分析ができるようになってきました。人事以外のすべての情報に、皆さんはアクセスできます」

「製品ごとの利益も見ることができますか?」

SWATメンバーが、具体的に問題を考えはじめていることを示す質問が出てきた。

「収益額の大きい順に製品を並べたパレート図を、まずお見せしましょう」

はじめて見る収益性から見た製品構成にメンバーは驚いた。なんと利益を出しているのは、全製品の三〇パーセント程度しかない。残りの製品は収益ゼロの水平線の下に棒グラフが伸びている。しかも三〇パーセントの黒字品目も、収益性の高いものは数品目に限られているではないか。

「ゲーッ、俺の売っているやつは、ほとんど赤字製品だ」

またも松原が驚きの声を上げた。

「この赤字は、皆さんの給与で賄われています」

川本が、ショッキングな表現で松原の驚きに応えると、次のスライドを見せた。

「これが、T社と我が社の給与比較です。この差を縮めるのか広げるのか。それは、皆さん次第です」

「どの客で儲かっていて、どこの客では儲かっていないとかもわかりますか?」

また誰かが訊いた。

「売上げトップ二〇社のお客様について、当社の利益がどうなっているかを分析した図があります。当社の顧客数は五〇〇社を超えるのですが、売上げの八〇パーセント、利益の九五パーセントがこの二〇社から出ています」

「川崎工場の製造ラインごとの収益性はどうでしょう?」

「それも出ます」

「マーケット・セグメントごとの収益性も見られますか?」

「はい」


川本との質疑は予定を大幅に超過して夕刻まで続いた。従来の企業会計に関する退屈な一方通行の講義とは異なり、神社と組んだ川本のインタラクティブな解説は、参加者の頭を強く刺激し、SWATメンバーの問題意識をいやが上にも高めていた。各グループにいる財務担当者は相当忙しくなることを覚悟した。

グランドルール

「以上で、今日の集合研修は終わりです。明日から早速、開発センターとマーケティングを担当する、グループAのSWATがスタートします。部屋は、このフロアの奥にある第三会議室、アウト・オブ・ボックスという名前のついた専用会議室です。二四時間、いつでも使えます」

人事の塩崎は、明日からのスケジュール、期待されているアウトプットなどを改めて復習した。

「さて最後に、SWATで議論を進める際のグランドルールを明らかにして、今日は終わりたいと思います」

「……」

「あの、グランドルールってなんですか？」

誰かが質問した。会議のグランドルールなど、訊かれたこともないのだ。

「今日、神社《かみやしろ》さんから、創造的な議論をするためのファシリテーションや心の持ち方などの説明がありましたね。それとは別に、会議の運営方法やマナーについて確認しておきたいのです。例えば、ごみ箱は蹴ってもいいけれど机はダメだとか、議論が決着しないときは、腕相撲で決めるとかですね」

塩崎は冗談を交えて説明した。

「それじゃ、九〇分に一回は一〇分以上休憩をとらしてください。今日は疲れました」

誰かが言った。

「そうだ、タバコを吸えるようにしてほしいな」

「センター内は禁煙ですから、タバコを吸いたい人は、休憩時間中に屋外に行って吸ってください」

と言いながら、グランドルールと題したフリップチャートをつくると、そこに塩崎はポイントを書き留めはじめた。

「SWATで話されたことは、他言しない」

「一五分に一回は笑う。いや、笑わせよう」

「議論の決着は、腕相撲ではなく、投票で決める。いったん決着したら文句を言わない」

「アウト・オブ・ボックス内の議題はいつも一つ。一つの話題に全員が参加すること」

「はじめと終わりの時間を厳守してほしい」

「ケイタイは切っておくこと」

「行動につながる結論を出すこと」

「全社的な観点から議論すること」

「徹底的にファクトベースの議論をすること」

「個人攻撃をしない、個人攻撃と思わない」

はじめこそ出にくかったが、いったん意味がわかるとどんどん意見が出てきた。塩崎は、それを一行一行色を変えながら、太字でフリップチャートに書き留め、終わると、皆のよく見えるところに貼

図表19

グランドルール

- 90分に1回は、10分以上バイオブレーク
- センター内は禁煙
- ＳＷＡＴで話されたことは、他言しない
- 30分に1回は笑う、笑わせる
- 議論の決着は投票で決める。いったん決着したら文句を言わない
- アウト・オブ・ボックス内の議論は、いつも１つのテーマで全員がそれに参加すること
- 時間厳守
- ケイタイ厳禁
- 行動につながる結論を！
- 全社的な観点から議論
- 徹底的にファクトベースの議論を！
- 個人攻撃をしない、個人攻撃と思わない！

り出した（図表19）。

誰が言うともなく、その紙に、誓いの意味を込めてサインしはじめた。

「それでは、今日はこれで終わります。グループAの方、さっそく明日からです。よろしく」

時刻は、すでに八時を過ぎていた。

ミッションづくり

「昨日は、長時間ご苦労様でした。さて、いよいよ本番です。昨日やった『発散』と『収束』の原則や、『タックマンのモデル』『ジョハリの窓』に『アイスブレークの心』など、忘れずに、しっかり議論していきましょう。まずは、ビジョンづくりから入りたいと思います」

アウト・オブ・ボックス室に集まった全員を見て、神社が切り出した。マーケティングと開発センターを担当するグループAだ。

部屋には、スクリーンが二面用意され、イントラネットにつながった二台のパソコンがスタンバイしていた。イーゼルのようなフリップチャートの台が三脚、部屋の三隅に置かれてあり、その上に真新しいフリップチャートが載っていた。もう一方の部屋の隅には、小型のテーブルがあり、一二色のフェルトペンが三セットとA5サイズのカード、ガムテープなどが積み上げられていた。

「それでは、皆さん目をつぶってください」

そう言うと、神社は少し間をとった。

「はい、ゆっくり呼吸して。そうです。それでは、いまから一年半後の世界を思い浮かべてみてください」

まるで催眠術でもかけるような話し方だ。

「これは、タイムマシンと言われる手法です。皆さんはいま、一年半後の世界にいます。そうです。皆さんの提案が受け入れられ、改革は大きく進んだのです。マーケティングはお客様のニーズをしっかり把握し、センターは、それに従ってどんどん新しい製品を開発しています。どうです？　新製品は売れていますか？」

「ガンガン売れてます」

営業の鵜飼が嬉しそうに言った。

「いいですね。それでは、これから何が変わっているか、教えてください。その世界では、どういうことが起こっているでしょうか？」

「マーケティングとセンターが一体になっています。抜群のチームワークを発揮しています」

「お客さんの製品開発部隊と一緒になって、うちの開発センターが動いています」
二、三の人から声が上がる。
「なぜ、お客さんは当社の技術者と一体になって製品開発をしているのですか？」

神社が訊いた。

「我々のほうが他社よりも対応が速いし、いいアイディアを持っていくからです」

「マーケティングとセンターのチームワークはどうなっていますか？」

「マーケティングが客の奥深く入り込んで、どこに誰がいるのか、何を求めているか、しっかり探ってきています。そこにセンターがいろいろと技術提案を持っていっています」

「そうですね」

「センターの技術者がお客さんのところに直接提案しているのですか？」

「それは、すぐに採用されていますか？」

「います！」

「採用されないときには、すぐに次の提案を考えて持っていっています。その辺のつなぎもマーケティングがいい役割を果たしています」

「そうやってお客さんと一体となってやっていると、小さな案件に引っかかって、抜けられなくなるということはありませんか？」

「えーっと、そこもマーケティングのリードがよくて、よく市場全体を見て、伸びそうなセグメントで競争力のある顧客にしっかり入り込んでいます」

彼らが描く夢のような状況が次から次と語られていった。神社は出てくる話を、塩崎と一緒に次々とフリップチャートに書き取っていった。

「新製品開発のほうは、すばらしい状態になっていますね。それでは、今度はコストダウンです。センターは製品のコストダウンもリードしていますね。どうなっているでしょうか？」

今度は、鳩村が質問をした。

「コストダウンもどんどん進んでいます。調達部と一体になって、どんどんと新しいサプライヤーの製品を評価しています。品質を下げず、コストが下がっています」

「原料を変えたために、お客様との間に問題が発生していませんか？」

「多少……、あるようです」

誰かが自信なげに答える。

「しかし、それを利用して、直接お客様と話をする機会を増やしています。どこに本当の価値があるのか、クレームからもわかりはじめています。それが開発の助けになっています」

こうして三〇分ほどの間に、数枚のフリップチャートがいっぱいになっていった。

「では、目を開けてください」

神社の指示で全員が目を開けた。眩しげだが、顔は輝いていた。

「いま、皆さんに話していただいたことを書いて、壁に貼ってあります。今度は、これを見ながら、マーケティングとセンターのミッションをつくってみましょう。ミッションと言っても難しく考える必要はありません。いま、話されたことをまとめればいいのです。もちろん新しく思いついたことも、遠慮せずに付け加えてください。いま一〇時ですから、お昼前に一度まとめて中間発表会をやりましょう」

そう言うと、神社は、マーケティングとセンターのミッションをつくる二つのサブグループに九人を分けた。四人と五人のサブグループは、部屋の反対側に集まり、ミッションをつくりはじめた。

「マーケティングは、各市場セグメントの魅力度をよく把握し、SCCの製品開発を方向づけ、成長のリーダー役を果たす」

「開発センターは、顧客の製品開発のパートナーとなり、顧客の技術課題を解決するソリューションの提案を、すばやく積極的に繰り返す。コストダウンにおいても、積極的に新しいサプライヤーの発掘に努め、原料コストの低減目標を達成する」

一時間ほどして、出てきた二つのミッションがスクリーンに大きく映し出されていた。

「皆さんの思いがこもっていて、大変いいですね。もうほとんど完成しているように思いますが、どうでしょう、一年半経って、達成されたとか、まだだとか、判断できるでしょうか？　もっと言えば、変革の活動を始めて三か月経ったとき、自分たちはこのミッションを達成しつつあるとか、もっと頑張らないとダメだとか、進捗がわかるでしょうか？」

「……」

「わかりませんね。内容的にはいいミッションになっていると思いますが、これを計測できるものにすると、指標《メトリック》として使えるミッションになります」

神社は、一人ひとりと目を合わせるように、全員を見渡した。

中には自信なげに目を伏せる者もいる。

「しかし、非常に短時間の間にすばらしいミッションができました。これで、この後の作業には十分使えますから、これを仕掛りのミッションとして先に進むことにしましょう」

ファシリテーターたちは、作業が進むにつれて、新たな考えが出てくることを知っている。ここでミッションづくりに時間をかけすぎるよりは、仕掛り程度のものをベースに先に進んでから戻ればいいのだ。

フォース・フィールド・アナリシス

昼食後、全員が揃ったところで、神社は、先ほどチームがつくった仕掛りの二つのミッションをスクリーンに映し出した。

「短時間で、なかなかいいミッションができたと思います。しかし逆に考えると、いまは、こうなっていないわけですよね？」

冗談ぽい、軽めのトーンが、笑いを誘った。

「それではこれから、何が妨げになってこうなっていないのか、その『力』を一件一枚ずつカードに書いて、左の壁のフリップチャートの上に貼っていってもらえますか。マーケティングも開発センターも一緒でいいでしょう。一人一〇枚以上書いてください」

「『力』って、どんなことでしょう?」誰かが質問した。

「あるべき姿を妨げている『力』。例えば、マーケティングが、各市場セグメントの魅力度をよく把握していないとしましょうか。それは、マーケティングの人たちがそうしようとしていないのか、能力がないのか、やろうとしているのだが、もっと他にやるべきことがあってできないのか? どういう『力』が働いて、そうなっているのかを書いてほしいのです。『マーケティングが市場を把握していない』というのは『力』ではありません。わかりますか? 現状を述べているだけです。一歩踏み込んで、そういう現状をつくり出しているフォース、『力』、それを書き出してほしいのです。これをフォース・フィールド・アナリシスと言います。何をしようとしているかわかりますね? まず『発散』です。こういう『力』が邪魔をしていて、ミッションが達成できていないのだ、と思うことをどんどん書き出してください」

この手法は、集団の持つ規範を意識的・計画的に変えていくために、心理学者のK・レヴィンが一九五〇年代に提唱したものである。ここでは、それを望ましくない組織行動を修正するために応用している。

すぐにガタゴトと机や椅子を動かす音がし、全員がカードを取り、書いては、ガムテープで壁に貼るという作業が始まった。三〇分もすると一〇〇枚以上のカードが壁いっぱいに貼られ、誰からともなく、同じようなカードを集めて見やすく分ける作業が始まっていた。ほとんどのメンバーがKJ法にはなじみがあるようだった。

しばらくすると、乱雑に貼られていたカードが次第に形を現してきた。マーケティングについて見ると、個別の「営業の手伝い」をするという差し迫った圧力が常にあり、「市場の動きを見て成長のリーダーとなれ」という「力」がほとんど働いていない。これでは製品が売れている既存分野なら何とかなるかもしれないが、新規分野に入っていけるわけがない。

開発センターのほうでは、客から「用もないのに来てほしくないと言われる」とか「競合他社の提案力」「フィードバックの遅れ」などが挙げられていた。

一時間ほどで、いったん作業を切り、壁に貼られたカードをデジカメに落とすと、今度は、先ほどのミッションを達成するために必要な「力」を書いて壁に貼る作業に移った。「邪魔をしている『力』を裏返すようなものだ」とワイワイ言いながら作業は進んだ。

マーケティングは、その活動内容も、目的も、比較的外部からわかりやすい組織だ。何をもっとしなければいけないか、何を減らしていかないといけないかは、SWATの全員が参加した、このフォース・フィールド・アナリシスの過程で、かなり明らかになってきた。

しかし、製品開発センターの活動は、センター以外から来ている七名のＳＷＡＴメンバーにとって、よくわからない存在だった。そこで、リョウや小西室長、新規の医療・食品分野を担当する大森室長を呼んで、どのような活動をしているのか話を聞くことにした。そうやって外部の人たちも巻き込みながら、後ろ向きの力、前に進める力を順番に分析する作業をチームは進めていった。

補助線

「ウワーッ、新規分野の開発投資効率は、こんなに低いんだ！」

市場シェアと開発投資効率の関係（**図表10**。104ページ参照）を、見せられたメンバーが声を上げた。

リョウが中心となって、以前分析したものだ。

「これじゃ、マーケティングと営業のコストを入れたら、投資効率はきっと一以下になるよ。やればやるほど損をする。さっさと、やめたほうがいいんじゃないか？」

それを聞いて、センターの木下は苦しそうな顔をしていた。

「しかし、やめたんじゃ、社長のビジョンに合いませんね。ご覧なさい。現在、当社が強いのは景気動向を受けやすいセグメントばかりです。それに対して、安定成長の見込める医療・食品分野を加えたいというのが社長のビジョンでしょう。なぜ、この分野の投資効率が低いのか、まずは要因分析をしてみてはどうでしょう。『ファクトベースの議論』がグランドルールでしたね」

鳩村のこのアドバイスに従って、チームは手分けをして、開発センターとマーケティングの主だった人たちにインタビューし、新規分野で開発投資効率が悪い理由を、ツリー状に整理してみた（図表20）。

「うーん、堂々巡りだよな。他社に先駆けてニーズを教えてくれる顧客がいない。だから提案できない。提案できないから顧客の信頼が得られない。だからニーズを教えてもらえない」

図を見ながら、営業の鵜飼がつぶやいた。

「確かに、サイクルロジックになってるね。しかし、この中に、自力で変えられることはないかな？」

鳩村が促した。

「対応のスピードですね」

木下だった。彼は昨年、自動車ボディ用のコーティング剤を開発したときに、猛烈なスピードで顧客へのフィードバックを繰り返して、成功した体験を持っていた。

「なるほどスピードね。そこを変えて、他社より速く、しつこくお客さんに提案を繰り返したらどうなるかな？」

「そりゃ、こちらを向きはじめるでしょうね。はじめはダメかもしれないけど」

「そうなると、さっきの悪循環が逆転しはじめるかもしれない」

「つまり、他社より速く、何度も客に提案やフィードバックを繰り返す。そうすると客も、より核心

図表20　開発投資効率の悪い新規分野を分析する

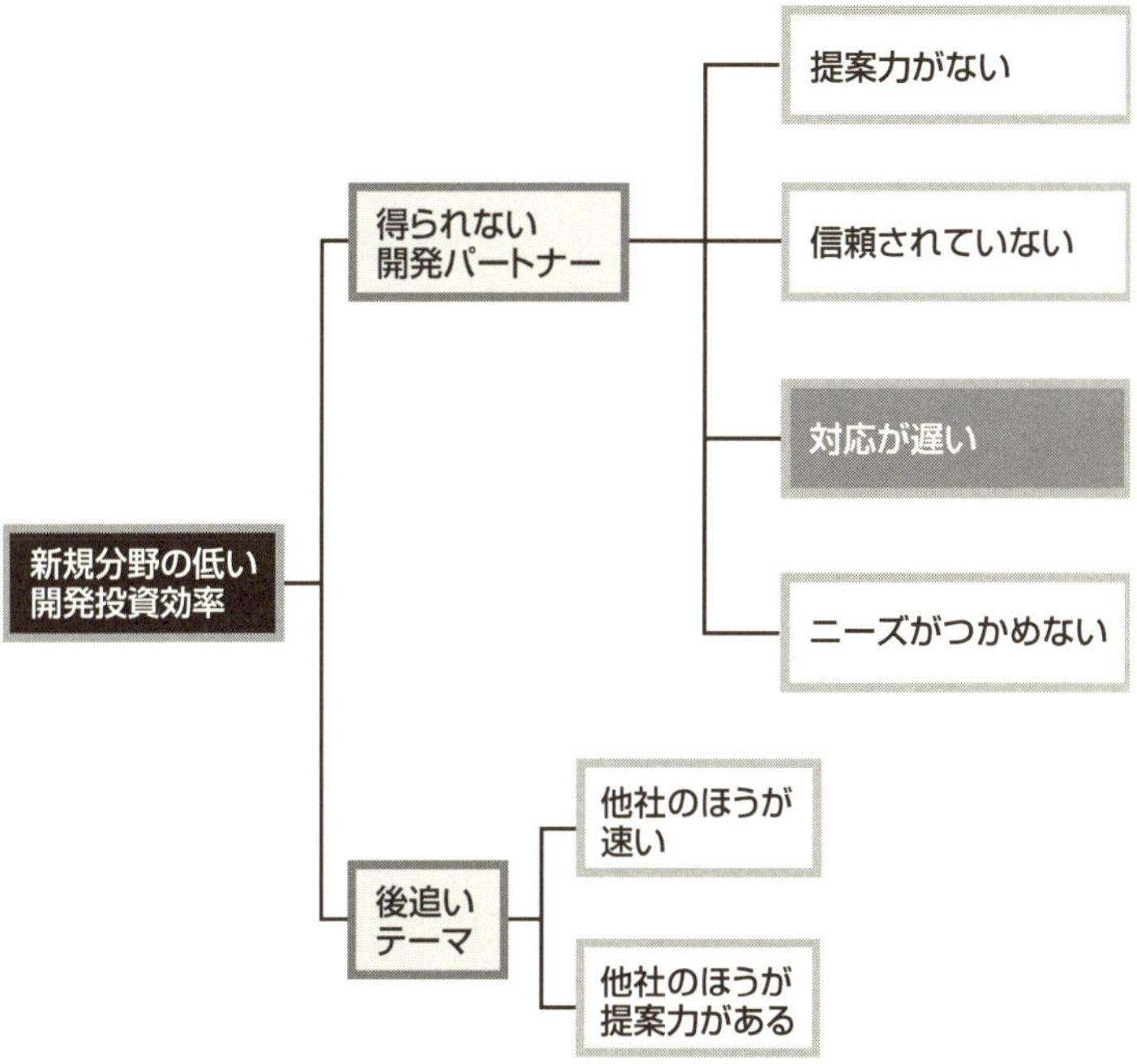

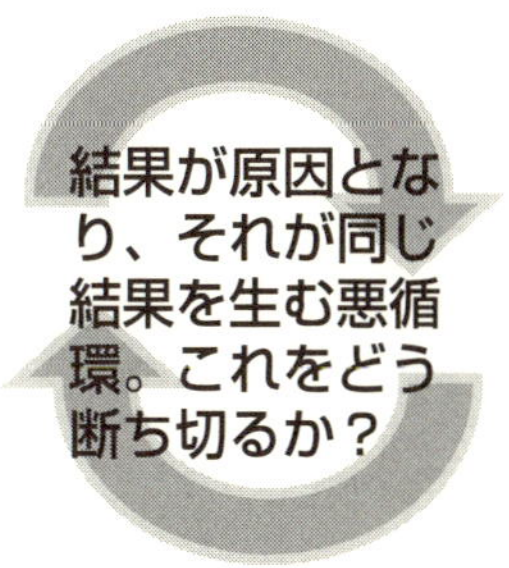

に近い情報をくれるようになる。ますますいい提案ができる。他社より先に彼らが抱えている課題を教えてもらえるようになる」

なるほど、と全員がうなずいた。

「じゃ、ここで二つ課題が出てきたね。一つは他社より速く結果を出して、フィードバックする方法だ。コストも下げないといけないしね」

鳩村は、ソクラテスが弟子たちに質問することで思索を促したと言われるように、ファシリテーションを続けた。

「もう一つの課題は、客のつまらない問題に引きずり込まれないこと。その方法論がいる。フィードバックが速いだけじゃ、客に便利使いされてしまう可能性があるだろう？」

「はじめの問題については、案件を集中するしかないでしょう。それに限って最優先で分析や試作、実験をやって答えを出す。一つか二つに絞り込めば、他社より速く対応できると思う」

木下が唇を噛みながら言った。

「二つ目の問いは、マーケティングが解決するしかないですね。大きな商売につながりそうな案件の顧客に絞り込む」

「一つか二つということになると、リスクも高いね」

「いや、いまの新規分野の低い開発投資効率から見れば、むしろ資源を集中することでリスクは低くできるんじゃないだろうか？」

メンバーの目に輝きが出てきた。

「じゃ、ここで手分けして作業をしよう」

このグループのリーダー的存在になりつつある木下が提案した。

「一つは、マーケティングや大森室長のところからヒアリングをして、その一つか二つの具体的案件を割り出す作業をする。もう一グループは、新規分野の新しい開発組織と運営プロセスを考える。多分、いまの大森室長のところより小さくて、マーケティングと開発とが一体になったような機能を持っている中核部隊があって、それが、分析や試作といったセンター機能の全面的なバックアップを受けるようなプロセスになると思うんだけど」

木下の頭の中には、すでにその骨格が浮かんでいるようだった。チームはこれに同意し、早速、サブグループに分かれて作業に入った。


分析を終えたチームは、時間のかかる医療分野を諦め、比較的早く答えの出せる食品分野に絞るという結論を導いた。しかも、機能食品大手のニッコーという顧客一社に的を絞ることにした。この会社は、新しい機能食品を次から次へと市場に投入しており、サプライヤーとの関係もこれまでの取引関係にこだわらず、いい提案には是々非々で耳をかす文化を持っていると判断したからだ。

新規分野は、大胆にもこの一社の需要に絞り込み、この会社の製品や開発傾向を調べて、いろいろな技術提案をして入り込む努力をする。グループは、データを揃えたうえで、そういう結論を出した。

そのための人数は、いまの三分の一のわずか四人。この四人が顧客と一緒になって、顧客の問題解決にあたるイメージだ。そのためには、相当クリエーティブで馬力のある技術者とマーケターがタッグを組んで、ターゲットとなる顧客の商品開発担当と膝詰めのやり取りをする必要がある。このチームから出る技術注文は、分析でも合成でも最優先で扱う。そうすれば、恐らく、ニッコーに現在しっかり食い込んでいる競合他社よりもすばやく対応できる。そうなれば、ニッコーから見れば新参でも頼りがいを感じるはずだ。それで、一つでもヒット商品が出れば、横展開を図っていけばいい。

「まずは、小さくても成功の核をつくることが重要だ」

という鳩村のアドバイスが、彼らの議論を方向づけていた。

神社のファシリテーションが、議論のプロセスやムードを効果的につくっていく役割を果たしているのに対し、鳩村は新しい視点を提供し、ちょうど幾何の補助線のように、チームに問題解決の糸口を与えていった。

こうしてグループAは、一週間の集中活動を終え、いったん部署に戻った。いろいろな宿題を抱え、一週間の間に溜まった通常業務をこなしながらも、データを集め、連絡を取り合ってアイディアを交換していった。

一週間後に、また集まり集中的に議論し、また解散して分析を続けては、アイディアをぶつけあった。財務部から出ていた優谷は、チームが要求するデータを出すのに四苦八苦した。製品ごとの利益、顧客別利益、セグメント別利益、特定製品の利益率の変遷、新製品投入後の収益性の推移など、チームの要求はとどまることを知らなかった。亀井が社長になって以来、この三年間で、かなり細かい財務分析ができるようになってきたが、このSWATチームの要求に応えるのは大変だった。とはいえ、優谷にとっては財務分析のトレーニングになった。残りのメンバーたちは、ぼんやりとしか理解していなかったコストやさまざまな利益、そして、何よりも利益をあげるためには何をしなければならないのか、その原理を少しずつ理解していった。これはこの会社の大きな財産になるに違いない。

折から進んでいた上海の大学への分析業務のシフトは、チームにとっても非常に大きなヒントになった。大学の分析センターに単に化学分析を外注するだけでなく、そこに日本から人を送り込み、製品試作までできるようにしてはどうかという案が出てきた。上海の大学に打診したところでは、短期間の間に受け入れ可能と回答された。中国の大学の反応の速さにチームは勇気づけられた。実現すれば、日本の何分の一かのコストと何倍ものスピードが実現するかもしれない。特に力を入れて分析したのは、中国のサプライヤーからの新しい原料の使用可能性を迅速に検討し、ある程度使えるという目処が立ってから、日本に持ち込むという新しいプロセスだった。このモデルでは、川崎の役割は、もっぱらスケールアップということになる。

さらに発展すれば、ここに自前の開発センターを設けるべきではないかというビジョンにまで議論は発展した。具体的なアクション提案としては、川崎に中国系の技術者を二人雇用すること、日本から研究生として中堅の技術者を派遣することを、提案に盛り込んだ。

重みつき多重投票

「サプライチェーンと営業」を担当するグループBのSWAT活動は、グループAの第一週目が終わるとすぐに始まった。

神社が、簡単なアイスブレークをやった後、タイムマシン法を使ってミッションの作成に入ろうとしたところ、メンバーの一人である営業の松原が手を挙げた。

「始める前に、このチームに名前をつけたいのですが、どうでしょう?」

「どんな名前ですか?」

「いや、皆で考えたいんですが、『ファシリテーションの道具箱』の中に、何かいい方法はないですか?」

「ありますよ。いいですね。やりましょう」

神社は、チームビルディングのちょうどいい機会になると考えた。

「わかりました。それでは、そこにあるA5のカード一枚に一件ずつ、これはという名前を書いてください。そうですね、一人五枚以上書いてください」

「五枚以上ですか! 書いて、それからどうするんですか?」

「左の壁に貼っていってください」

昨日まで、壁いっぱいに貼ってあったグループAのカードやフリップチャートは、きれいに片づけられ、新しい、真っ白のフリップチャートが何枚か貼ってあった。グループAの残したものは、神社、鳩村、塩崎の三人が、パソコンに落として整理していた。


一〇分ほどで作業は終わり、壁には四〇枚ほどのカードが貼られた。

「それでは、皆さんでこれをじっくり見て、気に入った名前のカードの上に、これからお配りすることのカラーシールを貼っていってください」

赤、青、黄、三色一セットになった直径二センチ程度の円形のシールを示しながら、神社が段取りを説明した。

「赤は五点、青は三点、黄色は一点としましょう。一人ひとりがこの三つの重みつきのカラーシールを気に入ったカードに投票し、多数決で決めます」

「同じカードに、一人が複数回投票してもいいですか?」

「いや、それはなしにしましょう。各自、三つの異なる名前に投票してください」

全員がそのシールを神社から受け取ると、壁の前に立って、すべてのカードに目を通していく。面白い名前を見つけては愉快そうに話し合っていたが、投票には五分とかからなかった。

「結果が出ましたね」

神社は、シールの多いカードを追いながら言った。

「『アイスブレーカーズ』が三五点、『ファシリテーターズ』一八点、『アウト・オブ・ボックス』が一六点、『スーパーセールスマン』が一〇点……ということで、このチームの名前は『アイスブレーカーズ』に決まりです」

この重みつき多重投票だと、差がはっきりと出るので決着しやすい。アイディアを出し十分議論したら、それ以上むやみに時間を費やさずに、この多重投票で決定してどんどん前に進む。立ち上がって、見て回って、カラーシールで投票することで気分転換にもなる。

「どうしても、投票で決した答えがダメだと思ったら、後から戻ってみればいいでしょう」

神社は、今後もどんどんこの方式で決めて前に進むことを提案した。小学校のころから、投票で決める方法は知っている。が、しかし、社会人になってからは意外と活用していないものだ。アイスブレーカーズのメンバーは、チームの名前を決めるというこの簡単なエクササイズで、面白さとスピードアップの効果を実感した。

グループBがチーム名をつけたという話は、この後、他のチームにも伝わり、彼らも自分たちのチーム名をつけはじめた。マーケティング・開発を担当するグループAは、「ザ・ファシリテーターズ」、製造のグループCは、「ジョハリの弟子たち」と。

自社製品は劣っている？

アイスブレーカーズは、タイムマシン法を使って、その後の議論の土台になるミッションを作成した。

「在庫・流通だけで、全製品コストの三パーセント分のコストダウンを実現し、バリュー・セールス戦略を通じて、二割の売上げ増を達成する」

例によって、細部にはこだわらず、あくまで作業仮説としての仕掛りミッションだ。

その後、この売上げ二割アップを達成するための議論に入った。まず、鳩村の指導で、縦軸に重要顧客トップテンを並べ、横軸に用途を書いたマトリックスを作成した。そのマトリックスの中に、当社製品がどの程度シェアを持っているかを推測しながら埋めていく。もちろん自社の用途別売上げデータはあるが、それでどの程度のシェアになっているかについては、すべてわかっているわけではない。その場で、営業から来ている松原らが、ケイタイで問い合わせたり、調査を依頼しながら作業は進められた。

そのマトリックスが概ねできた段階で、今度は、社長の掲げる二割増収という目標をどうやって達成できるかの議論に入った。どの顧客のどの用途はもっととれるはずだとか、とれていないのは、どういう『力』が働いているからなのかというフォース・フィールド・アナリシスもやってみた。

「営業の能力が低いというのが、根本原因じゃないのか」

「いや、製品に競争力がないし、F社の製品のほうが価格的にも安い」

「いや価格だけじゃない、うちの製品の品質に問題がある。クレームだらけだ。これじゃ売れない」

「クレームに対する対応も遅いし、これじゃますます売れなくなる」

「SC474なんか酷いもんだ。そもそも性能的に劣っている」

営業から来ている松原と江戸の二人は、日ごろの製品とサービスに対する不満をぶちまけはじめた。

「そんなに製品の性能や品質が悪く、クレームにも適切に対応できていないというのは問題ですね」

しばらく皆の発言をホワイトボードに記録することに徹していた鳩村が、発言が途切れたのをとらえて、笑みを浮かべながら穏やかに口を開いた。

「先ほどから、何度か槍玉に上がっているSC474という製品は相当問題児のようですね。それを例にとって、少し考えてみましょう」

鳩村は新しいフリップチャートの真ん中に縦線を一本引くと、線の左側に、「SC474の強み」と書き、右側に、「競合品Fの強み」と書いた。

「さて、順番に挙げていってもらえますか」

「強みとしては、他社品より少量で効果があります。他社品のほうが安いと営業は言いますが、実際に客が必要な量は少なくて済みますからね。実際は同等か、むしろ当社のほうが安いかもしれません」

開発センターから来ていた難波が口火を切った。

「性能が悪いと言いますが、それは特定の特性に偏った見方で、性能のバランスは他社品よりはるかに優れています」

「それに、顧客品の機械的性質や表面正常にもほとんど悪影響を与えない。SC474のユニークなところですよ」

「最近、特に強調したいのは環境にやさしい点だね。すでに二〇〇八年から施行予定の欧州の規準をクリアしている」

これに加えて、アイスブレーカーズたちは、競合品Fの強みを右に書き出していった（**図表21**）。

「いや、確かにこういう強みはありますよね」

営業の二人は、この表に同意せざるを得なかった。

「しかし、それが十分に顧客に理解されていないところもあって……、それって営業の責任ですかね、やっぱ」

江戸は、営業として自社製品の顧客に対するバリューを、自分がよく理解していないことに気づきはじめていた。世の中に欠点のない商品などない。営業は、常に客からのクレームにさらされるものだ。その客の言葉に洗脳され、「自社製品は劣っている」と思い込んでいる営業マンは意外と少なくない。

図表21　自社製品は劣るのか？

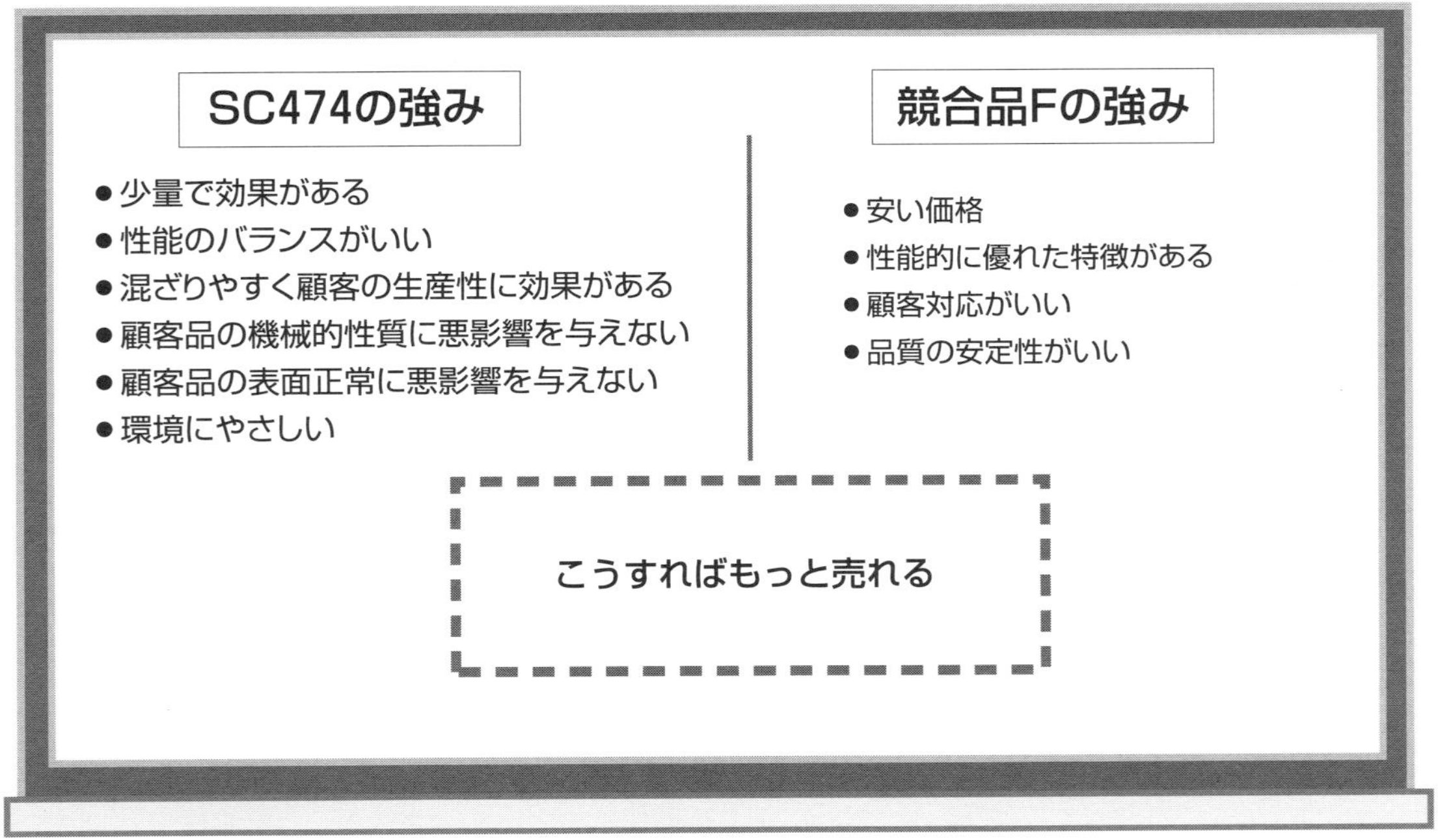
SC474の強み
●少量で効果がある
●性能のバランスがいい
●混ざりやすく顧客の生産性に効果がある
●顧客品の機械的性質に悪影響を与えない
●顧客品の表面正常に悪影響を与えない
●環境にやさしい
競合品Fの強み
●安い価格
●性能的に優れた特徴がある
●顧客対応がいい
●品質の安定性がいい
こうすればもっと売れる

「確かに、いいところはたくさんある。しかし、クレームが多いのも事実だよ。その対応はよくない」

同じく営業から参加している松原が食い下がった。

「それは、もっともな議論だ」

鳩村が、先ほどのフリップチャートの中央の下部に、緑色のフェルトペンで大きな箱を書きながら言った。

「ここにね、こうすればもっと売れるということを書き足していきませんか。そういう議論なら、製造も品質管理も開発センターも聞くんじゃないかな。SC474のこの問題を直してくれたら、これだけ多く売れると言ってね」

「鳩村さんの話を聞いていると、問題点が、宝の山のように見えてくるから不思議ですね」

神社が軽い口調で感嘆の意を表した。これを聞いた二人の営業の頑な顔が、心なしかほころんだ。日々接する顧客からかけられていた「SCC社品は悪い」という催眠術から、目覚めつつあるようだ。

「自分も含めて、もう一度、我々の製品のいいところをしっかり勉強しないといけないということですね」

「そう、それを顧客のニーズに合わせて組み立てる力が営業には必要だよ。そういう研修を企画してはどうかな」

アイスブレーカーズは、営業の再トレーニングを計画することにした。それは従来のマニュアル調のようなものではなく、今回、松原と江戸が経験した「目覚め」を営業マンに与えるようなプログラムだった。

ボール遊び

休憩の後、おもちゃのサッカーボールを四個持って、神社がアウト・オブ・ボックス室に入ってきた。エンジ色のジャージの上下を身につけている。

「これから、話をするときはこのボールを持って、相手の人に投げながら話をしていただけませんかね」

神社のこの変わった提案に、皆何を言っているのかよくわからないという顔をしている。

「今度は、何をたくらんでるんですか?」

営業の松原が神社に訊ねた。

「ちょうどいい。松原さん、前に来てください」

「しまった」と小声で言い、松原は頭を掻きながら前に出て行くと、神社と対面した。

「いい質問でしたね」

神社は、手に持ったおもちゃのサッカーボールを一つ、二メートルほど離れている松原に右手で下から投げた。その話し方のように柔らかな投げ方だった。

「しかし、営業が自社品のことをよく理解していないというのは、面白くなかったよな!」

次の瞬間、神社は、突然過激な調子に声を変えると、もう一つのボールをハンドボールのシュートのように松原に投げつけた。思わず松原が避ける。身長一九〇センチ以上ある神社の投げたボールは壁に当たって、バーンと大きな音を立て、壁に貼ってあったカードやフリップチャートが数枚バラバラと落ちた。

「どうです？　ボールに気持ちが乗っているのが見えますか？」

全員に向かって神社が訊くと、全員が、ガクガクと首を前後に揺すった。

「こういう具合に」と、松原に横を向き、座っているチームの方に向き直りながら、神社は横に立っている松原に、今度はトリックパスのようにノーモーションですばやく投げる。不意をつかれた松原は、ウッと、かろうじてお腹で受け止めた。

「前の人に話をしているようで、実は横の人を攻撃していることもありますよね。横の人は不意をつかれて、不愉快な思いをする。松原さん、すみませんね」

と言うと、今度は両手で、ゆっくりと山なりのボールを投げた。松原は、お腹で受け止めた先ほどのボールを床に落とすと、その山なりのボールを胸の前で受け止めた。

「コミュニケーションのことを『キャッチボール』と形容することがありますね。この一時間ほど、皆さんの話を横から見ていて、いろいろ面白いキャッチボールがあるのが見えました」

神社は、謎をかけるように話した。

「皆さん気づいてないかもしれませんが、結構厳しいボールを投げ合っています。途中で落ちて転がっているのに、誰にも拾われないボールもありました」

と言いながら、神社は、またハンドボールのシュートでもするように、右手にボールを持って身構えた。

「キャー」と開発センターの葛西順子が悲鳴を上げたが、もちろん神社はボールを投げたわけではない。

「『つっけんどんに投げる』『柔らかく山なりに投げる』『バスケットボールのパスのようにワンバウンドして渡す』『すばやくピッシッと、しかし、気持ちのこもったボールを投げる』『投げつける』『横を向いて投げないような振りをしながら、不意に投げる』いろいろやり方がありますね。話だと、なかなか自分で気づかないと思いますが、こうやってボールで可視化するとわかりやすいですね。投げ手だけでなく、受け取る側もそうです。私にボールを投げてみてください」

と言って、いちばん遠くに座っていた開発センターの難波にボールを二個渡した。一球目は速球が返ってきた。それを両手で受け止めると、神社はボールを拝むような動作をした。

「どうです？　厳しい意見も傾聴しているように見えませんか？　もう一球お願いします」

今度は、山なりのボールが難波からきた。神社は横を向き、知らん顔をするような素ぶりでボールをやり過ごした。ボールは受け手を失って部屋の壁に当たって音を立てる。

「無視です。難波さん、どんな気分ですか？」

「いやですね」

「そうですね。それではいまから少しの間、ボールを持って、投げながら話を続けてもらえますか」

今度は全員が、中央のテーブルの周りに立って輪になると、ボールを投げ合いながら、先ほどまでしていた話の続きを始めた。はじめはぎこちなかったボールの動きは、すぐにスムーズになった。悲観的な見通しを語っても、不思議と暗い気持ちにはならない。相手を非難するようなトーンはなくなり、厳しいポイントでも、強いボールを投げるような素ぶりをするだけで、笑顔で話が続いた。笑いながら、後ろ向きの話題は次第に前向きになり、表情にも余裕が出てきた。

このボールによる可視化効果恐るべし。アイスブレーカーズは、これも営業の研修に取り入れることにした。

平均値に惑わされるな、分散を見ろ

顧客のカバレージをいかに増やすかという議論は難航していた。営業の人数を増やせば簡単だが、コストを三割下げよ、という命題はそれを許してはくれない。

「こんなの無理だよ。絶対に営業の人数が足らないって」

長い議論の後で、松原がやけくそのように声を上げた。

「いま、手元で営業マン一人当たりの売上げを比較してみたんだが、T社、P社に比べると、君たちの会社は三割ぐらい低いようだね」

鳩村が、やんわりと問いかけた。

「つまり、三割ぐらいは改善の余地があるということじゃないかな」

「T社とは規模が違いますからね、効率がいいんですよ。P社は規模的にはうちに近いけど、顧客層が大手中心です」

松原が、すかさず反論してきた。

「なるほど」

いったん松原の議論にうなずくと、鳩村は質問を変えた。

「横軸に営業マン一人当たりの売上げ、縦軸に営業マンの人数をとって、ヒストグラムを描くことはできないだろうか?」

「……」

「ヒストグラムを描いて、もう少し、いまの松原さんの議論を深めてみてはどうかな」

数時間後、データを集めて、ヒストグラムを描くと、それをスクリーンに映し出しながら、もう一度議論を再開した（**図表22**）。

「結構、低いほうに尻尾があるね」

鳩村が、呼び水のように感想を漏らした。

図表22　営業マン１人当たりの売上げ分布

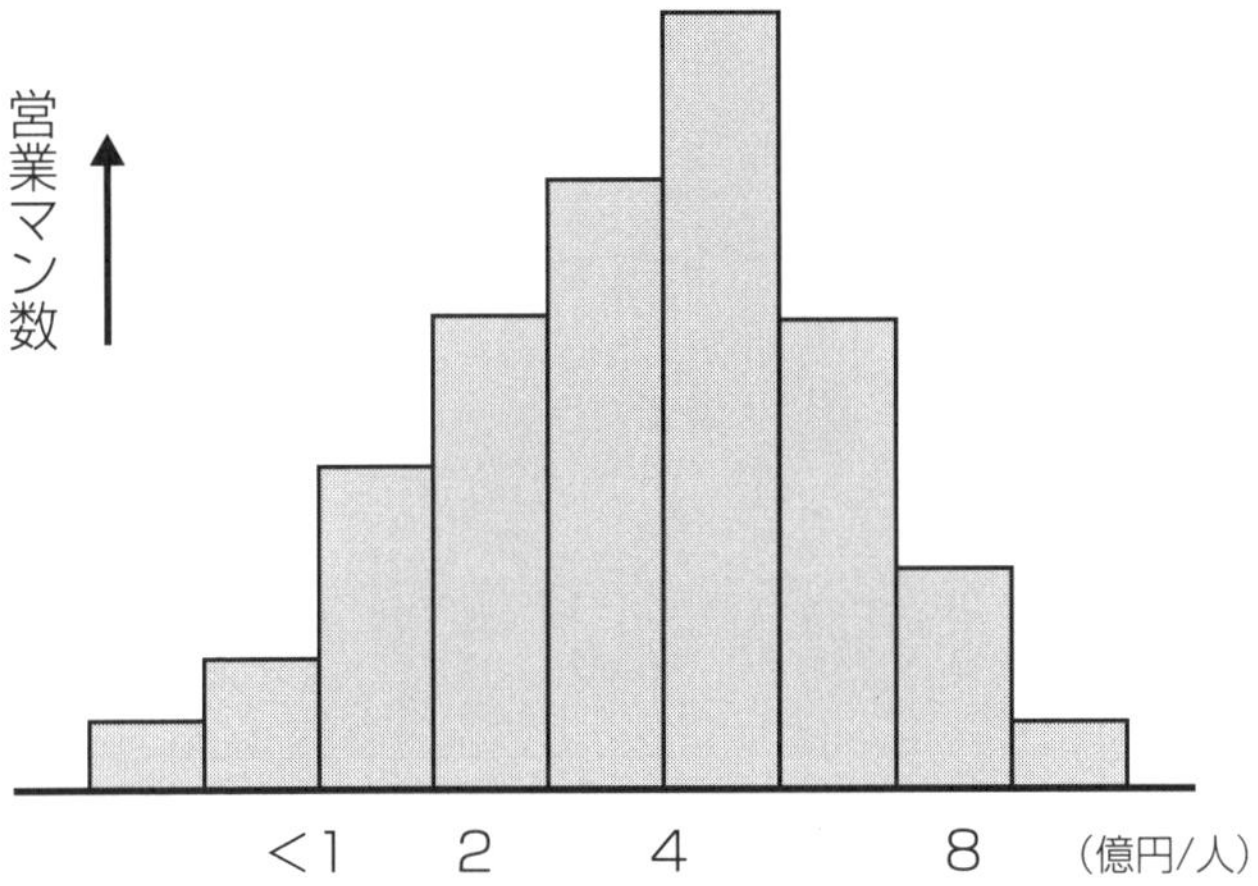

「平均は、三億円強だが、中央値は四億円台のところにある。尻尾の方にいる営業マンが平均値を引き下げているんだな。この部分をもう少し分析してみてはどうだろう?」

尻尾の方にいるのは、営業能力の低い営業マンなのか、扱う製品に問題があるのか、それともカバーしている顧客層に問題があるのか。いずれにしても、なぜ「尻尾」になっているのか。逆に売上げの高い営業は、なぜそうなのか。その理由を分析してみてはどうかと鳩村は示唆した。

アウト・オブ・ボックス室を出て、アイスブレーカーズたちは、手分けして営業のリーダーたちからヒアリングを開始した。

答えはすぐに出た。確かに、「尻尾」の営業マンたち個人の能力に問題がないわけではない。しかし、低い営業成績の大部分の理由は、付き合っている顧客の問題だった。一方、営業マンがもう少しいれば、もっと売上げが伸ばせるかもしれない分野もある。

これで、人手が足りないという議論より前に、やらなければいけないことがはっきりしてきた。営業マンの再配置・再教育だ。売上げの低い顧客から営業を引き抜き、もっと成績の上がりそうな顧客に再配分する。全員で、先につくった主要顧客と用途のマトリックスに戻って、どこにもっと人を張り付けるべきか、リソース配分の議論に集中しはじめた。

この鳩村の示唆のおかげで、見かけの数字にとらわれずに、その意味を理解する重要性に気づいた。

挑発

神社たちの腐心にもかかわらず、二回目の週でアイスブレーカーズたちは停滞していた。この週、コストダウンを中心に議論を進めようとしたが、週半ばまでほとんど進捗が見られなかった。サプライチェーンと営業を担当するアイスブレーカーズにとって、売上げ二割アップの議論は楽しかったが、コストを三割下げるという議論には、乗りにくかった。

「少しファシリテーターの立場を離れて、私の商社時代の経験からお話しすると……」

神社は、呼び水になることを期待して、自分の体験を話しはじめた。

「……ということで、営業のバックオフィスをコストの低い国や地域に移していきました。お客さんたちは、コールセンターやバックオフィスがどこにあるか関係ありませんから」

「コストの低い国に移すって、いまいる人たちをクビにするんですか？　それはできませんよ」

「そう言うのは簡単ですが、受発注業務などは、結構商品知識がいりますしね。だいたい英語と違って日本語の話せる人を雇える地域なんか、海外にあるんですか？」

「問題が起こったらどうします？」

否定的な反論が続いた。プロセスオーナーであるべき神社が、図らずも議論に巻き込まれそうになってしまった。マトリックスアナリシスや各種のマッピングを駆使し立て直しを試みたが、相変わらずムードは盛り上がらない。このままでは、何の進捗もないまま第二週目が過ぎてしまう。神社は少し焦りを感じはじめた。

そのとき部屋の奥の方で静かに聞いていた鳩村が、やおら立ち上がると、ゆっくりと部屋の前へと歩いていった。

「君たちの話を、今週はじっくり聴かせてもらったが、内向き、後ろ向きの話ばっかりで、本当にがっかりだ。前回の勢いはどうしたんだ？　君たちはSWATじゃないのかね？『営業には人手がかかる』『営業に経費はつきもの』と甘えていないかね。製造部門がどれほど知恵を絞ってコストを切り詰めていると思う？　我々ファシリテーターの言うとおり、何かカードに書いていれば終わるとでも思っているんじゃないか？　この部屋の名前は、アウト・オブ・ボックスだが、君たちは箱の中でしか考えていない。コストを下げながら、営業成績を上げなければ会社に明日はない、自分たちは仕事を失うと考えて、もっと真剣に議論したらどうかね」

全員、静まり返ってしまった。ファシリテーターから、こんな厳しい批判の声を聞くとは、誰も思っていなかった。

「甘えているわけではありません。どうしたらいいのかわからないのです。どうしたらいいんでしょう?」

営業の江戸が、口を尖らせた。

「じゃ、例えば、先ほど神社さんの出された案を、なぜ真面目に検討しない?」

「それは……」

「他にもコストダウンの可能性はいくらでもある」

「そうでしょうか?」

「例えばだ。君たちのオフィスはどこにあるのかね?」

「新宿の本社ビルです」

「あれは、自社ビルかね?」

「いえ、八階建てのビルの上四階を借りていまして、我々営業は五階と六階にいます」

「そこに全員の机があるのだね?」

「地方の営業所に勤める者を除けば、営業はあそこにすべて机があります」

「そのコストを計算してみたことはあるかね？　あそこに机を置いているコスト。それとその効果を？　それがないと営業に差し支えるのかどうか？」

この指摘に、松原たちアイスブレーカーズは、改めて自分たちが思考停止に陥っていたことに気づかされた。神社たちの展開するファシリテーションというものの目新しさを楽しみ、提供される枠組みに機械的に従って意見を言っているだけで、何かできているように錯覚していた。確かにはじめはそれでよかったのだが、そこにとどまっていては真の解決策は出てこない。アイスブレーカーズたちの議論は、鳩村のこの挑発的なファシリテーションを境に活力を取り戻しはじめた。

コンフォートゾーン

人間の弱さだろうか？　油断するとすぐに、自分の快適な領域（コンフォートゾーン）に身を置いてしまうものだ。

「そこから連れ出して、ストレッチゾーンにメンバーを引き出し、チャレンジの心を呼び覚ますのもファシリテーターの仕事だからね」

休憩中に、鳩村は神社の質問に答えていた。

「図で表すと、こんな感じですかね？」

神社は目の前にあった紙に描いた（**図表23**）。

図表23　コンフォートゾーンから連れ出せ

「それにしても、鳩村さんのは迫力がありました。皆、震え上がっていましたよ。私まで背筋に電気が走りました」

「それは失礼しました」

鳩村が軽く答えると、二人は顔を見合わせて笑った。

「実は先日、あるところで、マラソンランナーの谷川真理さんのお話を伺う機会がありましてね」

神社が、少し話題を振った。

「彼女は、自分の身体の疲労度を自分の感覚だけで判断するのではなく、定期的に血液検査を行って、ヘモグロビンや赤血球数、CPK（骨格筋、心筋、平滑筋、脳などに分布する酵素。運動により血液中に流出するので、骨格筋のダメージを表す指標にもなる）値などを測って判断しているそうです。マラソンの練習というのは単純な繰り返しが多いので、やる気の減退などからくる疲労感と、肉体的疲労を客観的に分析しているというのです。驚きました。先ほどの鳩村さんの話を聞いて、組織も同じだなと実感しました」

「自戒の意味も込めて、私もそう思いますよ。誰でもコンフォートゾーンにいたいですからね。気をつけているつもりでも、知らず知らずのうちに、安きに流れることは誰にでもある」

そう言いながら、鳩村は、神社の描いた二重円の外側にもう一つ円を描いて、デンジャラスゾーンと書いた。

「しかし注意しないと、このいちばん外側まで引っ張り出すこともある。これは危険だ。スパルタ式を売り物にしているところは、しばしばこの領域に足を踏み入れている。谷川さんの話は、そういう意味で面白いですね。根性論で練習すると、トレーニング過剰でかえって成果が出なかったり、故障につながりますからね」

「バーンアウトと言われるやつですね。コンフォートゾーンから連れ出し、納得づくで、このストレッチゾーンにメンバーを連れ出すことが、我々組織変革のファシリテーターに求められることなんでしょうね。そのためには、時には挑発的なこともしなければならない。私の力量では、まだまだです」

「積み上げでは出てこない厳しい目標設定をして、皆で前向きに工夫してチャレンジする。そういう風土をつくれると会社は強くなります。ここの黒澤さんなんかは、なかなかお上手そうだ」

「それがストレッチゴールですね。勉強になります」

ボトルネック解消

第三週目に始まった製造を担当するジョハリの弟子たちことグループCでは、棟長の足立に工場のコストダウンの現状と、今後の見通しを説明するように依頼していた。QCで使用しているいろいろなデータをパソコンに入れて持ってきていた足立は、それをスクリーンに映し出して、説明していった。

「概要はわかりましたね。それでは、もう少し詳しく理解するために、その中の代表的な生産ラインを一つ取り上げて、プロセスマッピングをしてみましょう」

工場全体のプロセスマッピングでは、大きすぎて、今回目的としている細かな点を見落としてしまうと考えた鳩村は、ラインを一つに絞ることで、コストダウンのヒントが得られるのではないかと考えた。

足立は、K3と呼ばれる生産ラインのプロセスを、カードを壁に貼りながら説明していった。メンバーは足立の説明を聞くだけでなく、現場にも足を運び、実際の生産プロセスをつぶさに観察した。

「足立さん、原料歩留まりが九一パーセントで、これ以上の向上はあまり望めないというお話でしたが、いまの説明を伺うと、実際の歩留まりはもっと低いように思いますが……」

開発センターから来ている若手技術者の熊谷が、足立がマッピングを終えようとしていると、恐る恐る質問した。

「私の計算では、八五パーセント程度ではないかと」

熊谷は、マッピングされたプロセスの前に出ると、自分の考えを説明しはじめた。

「このコンパウンドシステム全体のキャパは、一〇〇トンだと説明されましたが、それはこの配管部分のキャパであって、システム全体のキャパではありませんよね。この部分のキャパを上げれば、システム全体の生産力はもっと上がるのではないでしょうか。それを基準に考えると、いまの生産のレベルだと、歩留まりは八五パーセント程度ということにはなりませんか？」

「なるほど、そう考えると……、確かに生産力はいま考えているより大きくなりますね」

足立は、こんな指摘があるとは思ってもいなかった。

「確かに、この部分の容量を上げると、このラインのキャパは一〇パーセント近く増えそうですね」

足立も、壁に描いたプロセスマップに近づくと、別のポイントを指しながら、考え込むように話した。

「そして、そのボトルネックを解消すると、今度は、こちらのバルブがボトルネックになる。この容量も上げれば、えーっと、さらに一〇パーセント程度は余分に処理できるかもしれません。それでも装置本体のモーターのキャパには、達しなさそうですからね」

「ということは、歩留まりは七五パーセント程度かもしれない、ということですか？」

熊谷が、自分の発見が正しかったことを知って、嬉しそうに訊いた。

「いや、そうはなりません。これは、歩留まりとは違うのです。しかし、システム本来の能力から見ると、現状は七〇パーセント程度しか使っていないということになります。いや驚きだ」

歩留まりの定義は、投入原料で仕上がり品の量を除すというもので、システムの容量（キャパ）とは無関係だ。熊谷の指摘は、そこでは間違っている。しかし、足立はキャパが簡単に増やせるとは思っていなかった。それを疑ったことはなかった。

交通信号機の赤が、黄色のランプの右にあるのか左かと訊かれて、すぐに答えられるだろうか？人間、毎日見て熟知しているつもりでも意外と見落としているものがある。熟知していると思っているプロセスにも、意外な盲点がある。プロセスのボトルネックを丹念に調べていくと、宝の山が見つかるというのはこういうことだ。自分はよく知っていると面倒くさがらずに、心を開いて第三者にプロセスを説明すると発見が訪れることがあるものだ。

足立は、その場に工場の設備部門を呼び出すと、全工場のボトルネックを洗い出し、製造キャパがどの程度上がるのか、それに必要な投資額はどの程度かを、二週間以内に検討するように依頼した。

製造外注

ジョハリの弟子たちは、幹部の蓼科の合宿でつくられたゴール・ツリーを見ていた（図表24）。そ

図表24　コストダウンのゴール・ツリー

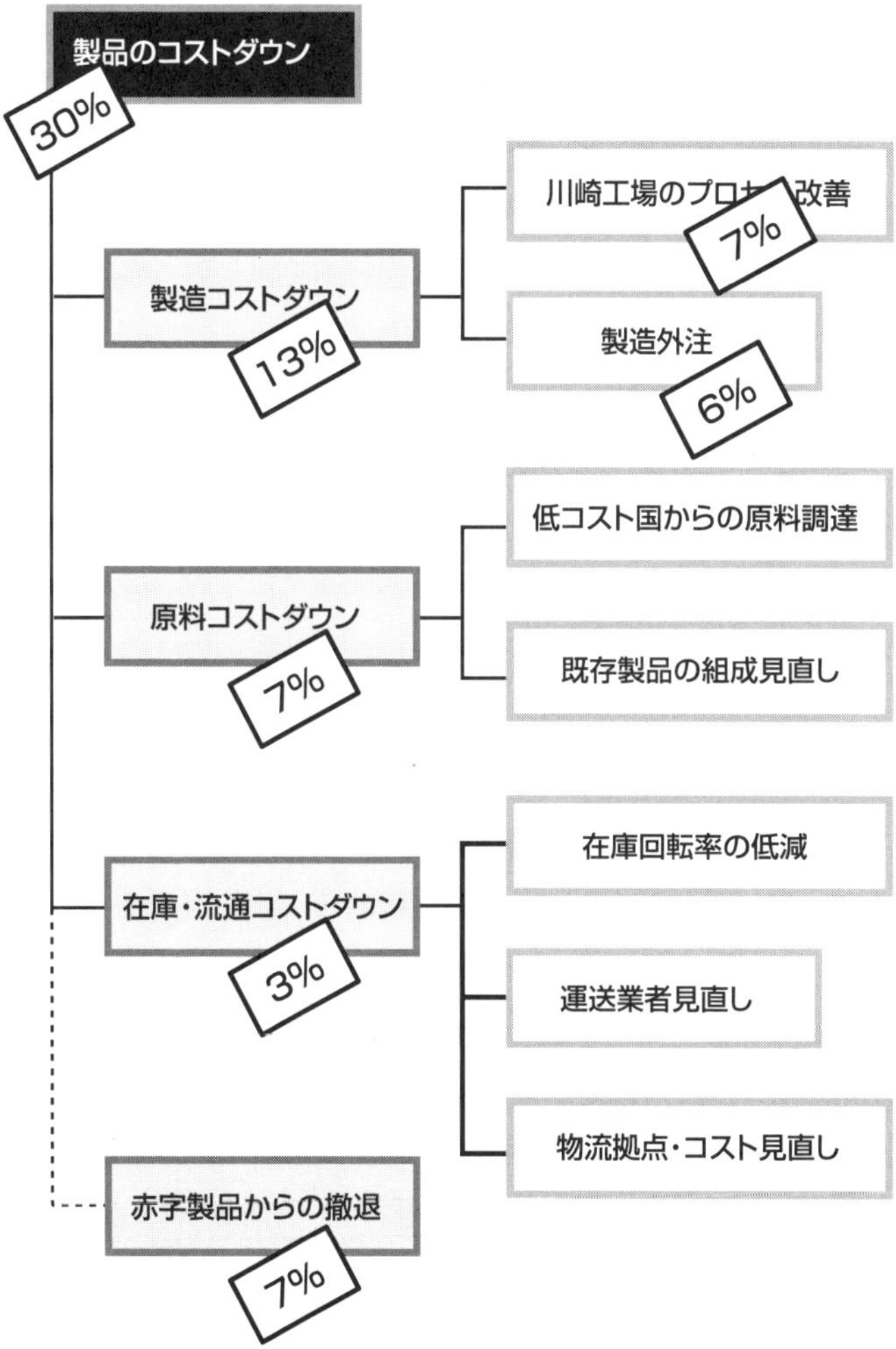

の中には、川崎工場の生産プロセスの改善以外に、製造外注がある。これを避けて通ることはできない。足立は、製造育ちであることもあって、外注には乗り気ではなかった。どうしても、自分の手でつくりこみたい。そこに差別化のポイントがあると思いたかった。

「この割合をどの程度にすると、全体のコストダウン目標が達成されるでしょうか？」外注部分を指しながら、鳩村が訊いた。

「工場でのコストダウンは、七パーセントが精一杯だと思います。そうすると、外注で六パーセント程度稼ぐ必要がありそうです」足立が苦々しそうに説明した。

現在の製造外注は、群馬県にあるフルイ化学に出しているだけだ。需給変動のバッファーとして使っており、いまは全体の一〇パーセントほどの量を出している程度だ。同社からの買入価格は、ＳＣ社の製造コストとそれほど違わない。これでは、すべてをフルイ化学に外注しても、外注分で達成したいコストダウンを実現することはできない。

そうなると、やるべきことは限られてくる。もっとコストの安い外注先を探して、そこに大量に外注するしかない。

「もっと低コストの外注先の心当たりはありますか？」

「私の知っている中国の業者にはあります」

鳩村の質問に答えたのは、開発センターの姚同山だった。

「品質・納期の面では、まだまだ日本の客の要求には応えられないが、非常に熱心だから、指導すればできるようになる」

上海の大学を出た後、日本の大学院に留学していた姚は流暢に日本語を操る。日本に来る前には、中国の化学会社に勤めていた経験もある。


ジョハリの弟子たちは、その後、姚とともに調査を開始し、重慶と上海近辺にある三つの化学会社を外注先の候補として特定した。メンバーは、比較的頻繁にオーダーがあり、注文がなくともある程度生産・在庫している汎用品から数品目選び、この三社に試作依頼する検討を始めた。品質管理部、開発センターだけではなく、法務部の力を借りて、九三項目に及ぶ評価基準と契約書をつくり、何度も電話と電子メールで、この三社と打ち合わせた。評価には、製品の品質だけでなく、もちろんパッケージや納期に関するものも盛り込んだ。品質がよかった場合のインセンティブ、悪かった場合のペナルティを明確にし、繰り返し先方に確認をとった。姚同山は、このSWATが終わるまでの七週間の間に二回中国に飛んだ。チームは、綿密なタイムテーブルをつくって、SWAT終了時に提案が受け入れられれば、すぐにスタートできるように段取りを進めた。成功すれば、六〇パーセントコストを下げることができる。

それだけではない。ザ・ファシリテーターズ・チームが検討している中国での原料調達がこれに合わされば、ロジスティックスのコストも下げられる。さらに、中国に進出している顧客への供給を、そこから直接行うようになれば、輸出入の無駄な時間やコストも下げることができる。フレキシビリティも高まる。大きな複合効果がありそうで、予想以上の成果（アップサイド）が見込めそうだった。

ラジオ体操

設備部門の協力で、二億円程度の投資で、川崎工場のキャパを三〇パーセント程度上げることができることがハッキリしてきた。

しかし、キャパを上げてどうするのか？　チームの議論は過熱した。

「投資しなくても中国に外注すれば、投資リスクなしでキャパは増やせる」

「これだから、モノをつくったことのない人は困る。それは、中国品の品質や納期に問題がないという前提に立っての話だ。何もリスクを考えていない。コストなら、川崎の中のいくつかのラインのキャパを増やして、生産を集約すれば下げられる」

「いや、川崎は、多品種少量に対応できるようにすべきだ。キャパを増やすぐらいなら、その金で、フレキシブル生産ができるようにしたほうがいい」

「川崎は、高付加価値品に特化すべきだ」

「高付加価値というと聞こえはいいが、それでは量が少なくて、とても投資を回収することはできない。技術の維持さえ難しくなるだろう」

議論が百出するだけで、膠着状態になってきた。その息詰まった雰囲気の部屋に、しばらく席を外していた神社が、明石家さんまのブラックデビルのような格好をして入ってきた。その格好に皆唖然としていると、神社は、つかつかと皆の横をすり抜け、スクリーンの前に立つと、つくり声で言い放った。

「おまえたち、何をもたもたしている。少々くたびれているようだな。皆立て！」

何事かと思いながらも、座っていた椅子を引き、クスクス笑いながら立ち上がろうとしていると、またブラックデビルの檄が飛んだ。

「何をグズグズしているんだ。早く立て！」

全員の動きが急に鋭くなった。

ブラックデビルは、首を前に突き出し、全員を射すくめるように見渡すと、突然小学生のような動きで姿勢を正した。少しアゴを上げるようにして、体に不自然なほど力を入れ、気をつけの姿勢をとったのだ。ちょうどその動きを合図にしたように、「それでは、皆さん、ラジオ体操第一で～す」と部屋の反対側から、NHKのおなじみの声と音楽が聞こえてきた。

「ハイ、皆さん気分転換に、少し体を動かしましょう！」

神社は、いつもの声に戻って全員に声をかけた。塩崎が部屋の窓を開け放った。

ラジオ体操が終わると、神社は、またつくり声で、「みなのもの、ご苦労。さらばじゃ」と時代がかって言うと、小さなマントを翻して、小走りで部屋を出て行った。

「何あれ？」

全員の顔に笑顔が戻っていた。神社のこの芝居じみた演出のおかげで、肩に力が入り、激論し、視野狭窄に陥っていた自分たちに気がついた。ラジオ体操で、気分も少し晴れた。

QC七つ道具

「はじめに紹介してもらった『ファシリテーションの道具箱』の中には、QCで使う七つ道具のようなものがありますね」

第三週目に始まった「製造」に関するSWATグループにいる製造本部の足立が、休憩時間に神社に質問しにきた。足立は、大学を出て、すぐにSCC社に入り、以来二〇年間製造部勤務だ。いまはK棟と呼ばれる工場の一棟を任されている。QC七つ道具は、彼が新入社員のときから使っているなじみの道具だ（**図表25**）。

「そのとおりです。『ファシリテーションの道具箱』にあるものは、特に珍しいものではありません。それにQCは、日本生まれの優れたファシリテーション手法だと言ってもいいと思います。QCのおかげで日本のブルーカラーというか、工場の生産性は、いまでも世界で一、二を争うレベルにあるのではないでしょうか。それはこういう道具を『知のグループウェア』としてうまく使いこなし、組織を活性化して、グループの力を活かしてきたからでしょう」

図表25　ＱＣ七つ道具

QC七つ道具	QC新七つ道具
1. 管理図	1. 系統図
2. ヒストグラム	2. 連関図
3. 散布図	3. 親和図
4. 特性要因図(フィッシュボーン、石川ダイヤグラム)	4. マトリックス図
5. パレート図	5. マトリックス・データ解析
6. グラフ	6. アロー・ダイヤグラム法
7. チェックシート（層別分類をチェックシートの代わりにするものもある)	7. PDPC法

「ＱＣ活動はファシリテーションの一つということですか？」

「そう、ＱＣは、日本発の優れたファシリテーション・スキルの一つだと思いますね。あの活動によって、世界中のブルカラーワーカーのモラルが上がり、生産性が高まりました。ＱＣリーダーは優れたファシリテーターである必要があると思います」

「なるほど。ただ、最近は、ＱＣは下火ですね。むしろシックスシグマとか、他の品質改善運動が人気になっている」

「まあ、経営者も新しい手法で、目先を変えたいというところはあるでしょうね。しかし、ＱＣのほうも少し形骸化してきたというところがあるかもしれません」

「形骸化ですか？」

「そう。道具を形式的に使って、そもそもの目的というか、精神を忘れている。いかに優れた手法も時間とともに空洞化し、形骸化するものなのです。そこに息吹を吹き込む必要があるのです」

「……？」

「『ファシリテーションの道具箱』にあるものや、『QC七つ道具』と言われるものは、料理のレシピではないのです」

「どういうことでしょう？」

「料理のレシピは、機械的にそのとおりにやれば、ある程度の料理ができるようになっていますね。塩、何グラム、お酢、何カップを、お鍋いっぱいの水に溶かしてという具合です。『ファシリテーションの道具箱』や『QC七つ道具』はそういうものではない。あそこにある道具を使って必要なことを書き込めば答えが出るというものではないのです。あくまでモノを考えるための枠組みであって、マスを埋めると自動的に答えが出るシンキングマシーンではありません。機械的に使うだけで考えようとしなければ何も出てこない。そこを勘違いすると形骸化が起こります」

「確かに、QCなどがうまくいっていない会社では、せっかくの道具が、発表のツール程度にしか使われていないという感じはありますね。はじめに答えが出ていて、それをいかにもQCでやりましたというふうに見せかけるために使っている。しかし、なぜそうなるのでしょう？」

「考える、ということは結構エネルギーがいります。誰しもしんどいことはやりたくない。参加者がそのツールに意味を感じ、現実に即して知恵を絞り、考え抜かなければ何の意味もないのです。まあ、プレゼンをかっこよく見せることぐらいはできるかもしれませんが」

「そのしんどい作業をさせるのが、ファシリテーターの役割ということですね」

「プロスポーツでも、監督やコーチの重要性が指摘されていますね。二〇〇四年のアメリカのスーパーボウルでは、ニューイングランド・ペイトリオッツというNFLのチームが二度目の優勝を遂げました」

「あっ、よく知ってます。自分は昔アメフトやってたもんで」足立の口から思わず、地の言葉が出た。

「そうですか。じゃ、私よりよくご存じでしょうが、このチームは弱小でね。お金もなく、スタープレーヤーを集めることもできなかった。ちょうど日本の阪神タイガースのようなものでした。そこへビル・ベリチックというヘッドコーチが来て、チームプレーに徹する意識改革をやった。もちろん、それに合わせた新しい練習方法を取り入れ、いろいろ工夫した。そしてついに二〇〇一年のスーパーボウルでは、優勝してしまったのです。もちろんはじめてのことです。これだけでもすごい話だけれど、二〇〇四年の二度目の優勝は一度目より価値がある。優勝チームのスター選手は、高額で引き抜かれますからね。ベリチック・ヘッドコーチ率いるペイトリオッツは、その逆境の中で再度優勝を果たした。プロスポーツのように才能がものをいう世界でも、意識改革がこれだけ大きな力を生むことをベリチックは、もう一度、教えてくれたわけです。

単に機械的に練習するだけでは、すぐに限界がくる。選手に考えさせ、動機づけることが重要だということです。ファシリテーターや優れたQCリーダーというのはそういうことをしているはずです。

単にツールを当てはめるだけではなく、視野を広げる、考えさせる、動機づけるということを」

「初日の説明を伺ったところでは、ファシリテーションには、QCにないものも含まれていますね」

「そうですね。QCは意図的に対象範囲もツールも限定して成果をあげてきたのです。すばらしいやり方だったと思います。しかし、ファシリテーションには、以前お話ししたように、会議ファシリテーションとか、組織変革を促進するファシリテーション、あるいはグループや個人の学習を促進するものなど、いろいろなものがあります。もともと日本人は集団作業が得意です。もっとファシリテーションを学んで活用するべきですね」

「それで神社さんは、会社を辞めてファシリテーターになられたわけですね」

このミッションは感性に訴えるか？

一一月三日、土曜日の夕刻。ザ・ファシリテーターズことグループAは、明日の亀井社長への報告準備に追われていた。いよいよ、あと二〇時間ほどで九月一七日に始まったSWAT活動が終結するのだ。

「ちょっと、これを見直してみましょう」

七週間前に、チームが作成したミッションをスクリーンに映し出しながら、ファシリテーターの鳩村が言った。

「どうです？　このミッションを読み直してみて、皆さんの感性に訴えるものはありますか？」

全員が、その「感性に訴える」という言葉に鋭く反応した。

「マーケティングは、各市場セグメントの魅力度をよく把握し、SCCの製品開発を方向づけ、成長のリーダー役を果たす」

「開発センターは、顧客の製品開発のパートナーとなり、顧客の技術課題を解決するソリューションの提案を、すばやく積極的に繰り返す。コストダウンにおいても、積極的に新しいサプライヤーの発掘に努め、原料コストの低減目標を達成する」

「感性どころか、マーケティングと開発センターの統合を提案する以上は、二つのミッションが分かれているのはよくないよね」

すぐに誰かが声を上げた。

「行動レベルでは、我々のやりたいことが書けていると思うけど、感性に訴えるかと言われるとね……？」

「それに、このままだと、達成されたのかどうかわからないよ」

「それもそうだけど、やっぱりもっと夢というか、こうなりたいと、心から思えるものが欲しいな」

「それはビジョンでしょ。これはミッションだからね」

いろいろな意見が出はじめた。

「そう、これはミッションですから、達成したのかどうか計測できるように書くことが重要ですね。しかし、これを達成したいと思わせる、感性に訴える要素もいると思いませんか？」

鳩村がゆっくりと意見をまとめながら話した。

「どうでしょう、はじめに感性に訴える簡潔な文章を書いて、その後に箇条書きで、来年末に達成する計測可能な目標を並べるというのは？」

鳩村の提案で、どんな言葉を盛り込みたいか、各自三件ずつ言葉を選んで、壁に貼っていった。計三〇枚近くのカードが壁に並ぶ。重複したものを除くと、一五枚程度になった。例によって、多重投票で、盛り込みたい言葉を絞り込む。こうして選ばれた言葉を使いながら、マーケティングの山本が、スクリーンにミッションをドラフトしはじめた。皆から意見が出る。それを受けて改訂を繰り返していく。七週間の協働作業のおかげで、ザ・ファシリテーターズは抜群のチームワークを発揮し、全員がきびきびと動いた。愉快に作業は進み、一時間ほどで新しいミッションができた。


マーケティング&テクノロジー（ＭＴ）センターは、すばやくソリューションを提供し、その粘り強い問題解決力によって、ＳＣＣ社に持続的成長をもたらす。
●食品分野での売上げ　五億円

●既存分野での新製品売上げ　一五億円
●製品のコストダウン　五パーセント

「これなら、センターにプライドが持てるよ」

誰かの明るい声に、全員が無言でうなずいた。

即決の力

一一月四日、日曜日、午後三時。

亀井以下、SCC社の幹部会のメンバー九人全員が、アウト・オブ・ボックス室に入ってきた。壁中に貼られたフリップチャートやカードはそのままになっており、部屋の真ん中だけが片づけられ、彼らの座る席が用意されていた。

「なかなかのもんですな」

品質管理の小寺が、壁のフリップチャートに描かれた図や無数のカードを見ながらうなった。

神社の簡単な挨拶の後、ザ・ファシリテーターズ・チームの全員が、順番に前に立っては、マーケティングと開発センターを合併する改革案の骨子と、それに至る経緯を説明していった。

「さて、以上で報告を終わりますが、最後に決裁いただきたい点をまとめておきます」

はじめに説明に立ったマーケティングの山本が、チームを代表して、最後にもう一度出てきた。

●ＭＴセンターの発足

●新規分野の範囲の絞込みとそれに合わせた要員削減

●新規分野の集中スピード戦略

●要員の一五パーセント削減（ただし、個人の希望を尊重し、次の職が見つかるまで、手厚くサポートすること）

●新センター長の要件――マーケティングに強く、リーダーシップのあること

大胆な提案だった。

「君は、この報告の中身を事前に知っていたのかね？」

マーケティング本部長の桜井は、横に座っていたリョウをヒジでつっついた。

「一度だけ、開発センターの概要を説明してほしいと言われて、二時間ほど説明したことがありますが、それだけです。このグループの活動には、一切タッチしていません」

「幹部の皆さん、何かご意見は？」

山本が話を終わると、亀井がゆっくりと首を回して発言を促した。

「本当に一五パーセントも要員を削減して、大丈夫かね？　それで、本当にヒット商品を出せるのかね？」

社員中心のSWATチームから要員削減提案が出てきたことに内心驚きながら、人事の星川が、まず口を開いた。

「いまご説明したように、まずマーケティングとセンターの合併ならびに、それに伴う内部の組織・運営プロセスの改善で効率化が進みます。また、今後は分析などでアウト・ソースが進みます。さらに、新規分野も絞り込みます。ウェブの活用で効率もよくなると思います。以上の効果で、来年末までにいったん一五パーセント要員を削減し、そのうえで、今後必要になる外国人技術者などの採用をお願いしたいと思っています」

開発センターの木下が、山本に代わって答えた。

「『誰を』という人選の議論もしたのかね？」

「それは、このプロジェクトの範囲外ですのでやっていません。我々は、はじめにお話ししたミッションを達成するための組織や運営プロセス、絞り込むべきテーマなどを検討し、必要な要員数を割り出し、各部署のリーダーの要件について考えました。それだけです」

いくつか質問は続いたが、ほとんどが説明済みの事柄の確認だった。

「もう、質問はないかね？」

亀井の何度目かの催促にも、沈黙が続き、誰かの咳払いがこれ以上質問がないことを告げた。

「一つ聞かせてほしい」

亀井が口を開いた。

「医療・食品分野の絞込みは結構だ。しかし、この提案で、先行する競合他社よりも速く提案を繰り返すことによって、ニッコー社に食い込めると、君たちは本当に確信しているのかね？　もしそうだとしたら、その根拠は何かね？」

「ニッコーの主要サプライヤーはT社とS社です。この二社は、どんな場合でも対応には一、二週間はかかっているようです。我々ならその半分以下のスピードでやれます。ターゲットを絞り込む代わりに、そのように運営するのです。ここまで集中することは、すでに多くのことを幅広くニッコーとやっている他社には真似できないことだと考えます。スピードで勝てると確信しています」

木下が、力強く答えた。

亀井は胸の前で両手を合わせ、身体を前傾して両ヒジをテーブルの上に置くと、上半身をテーブルの上に乗り出した。

「なるほど。わかった。採用だ、この提案を採用しよう」

部屋にいる誰もが、亀井の即決に息を飲んだ。これまでになかったことだった。

「君たちの努力に感謝する。今日の話は、提案の中身もさることながら、君たちから熱い思いが伝わってきた。どうか、その熱意を忘れないで成果に結びつけてほしい。具体的な人事を検討し、一二月二五日までに発令する。発足は、来年一月一日だ。なお本件は、発令まで一切口外無用。いいね」

亀井のテノールが部屋中に響いた。

ここで決めると聞いてはいたが、全員がこの決定の速さに改めて驚いた。しかも、いつ発令するかまで、亀井は言及した。

報告が終わって、亀井たち幹部が、SWATメンバーの労をねぎらいながら部屋を出て行くと、ようやく全員の表情が緩んだ。長かった。とても九月一七日から始まった七週間とは思えなかった。


ザ・ファシリテーターズこと、グループAの日曜日の報告が、即決されたという情報は、リョウを通じて、月曜日に集まったアイスブレーカーズに伝えられた。その内容をある程度反映させながら、今週いっぱいでこのグループの提案をつくり上げなければならないからだ。そしてこのニュースに、全員が奮い立った。


一週間後の一一月一一日。日曜日、午後三時。

前夜からの小雨が降り続いていた。サプライチェーンと営業を担当したアイスブレーカーズが、アウト・オブ・ボックス室で、報告を始めた。

アイスブレーカーズは、五〇〇社もある顧客ベースを、セグメントごとにパレート分析し、今後どの顧客で成長が期待できるか、丹念に説明していった。客先の地理的な広がりや代理店との関係、代金回収など解決しないといけない営業上の課題、それに要するマンパワーの試算を示した。

さらに、グループダイナミックスを応用した営業力強化プログラムやバリュー・セールス戦略という新しい営業戦略を解説した。これは、要するに顧客の中の意思決定者を見極め、その価値基準に照らしたＳＣＣ製品の価値をシミュレーションし、説得的な営業を展開するというものだ。

説明はすべて、このグループにいる営業の松原が一人で行っていた。

「松原君」

亀井が痺れを切らして口を開いた。

「で、どうするのかね？」

「はい。こういう状況ですから、ＭＴセンターの発足で出てくるマーケティング関係者を営業で吸収したいと考えています」

「増員提案かね？」

「アカウントカバレージを強化するため、営業マンのほうはそうなります。しかし、営業本部全体としてはフラットにしたいという提案です」

「フラット？　コスト三割ダウンといっておいたはずだが」

「これをご覧ください」

松原は、スライドを何枚か送って、スクリーンに映し出した。上半分には、契約書の一部らしいパラグラフがあり、下には簡単な数式が書かれている。

「新宿のオフィスは、来年の六月に賃貸契約の更新があります。このスライドの上半分は、その規約を示しています。ご覧のように半年前に連絡すれば、フロアの賃貸条件を変えられます。我々営業はオフィスの五階六階を占めていますが、このうち五階を返却し、六階をフリーアクセスのフロアに切り替えたいと思います」

松原はこれによって、七月から一二月の半年で、約二四〇〇万円の経費節約につながると説明した。

「なるほど、今年中に大家に連絡すればできるわけだな」

「ハイッ」

松原は、社長が増員を了解したことに笑顔で応えた。

「それだけかね?」

「……」

「確かに思い切った案であるとは思うが、それだけじゃ、足りんだろう?」

「あの……、時間切れで、ま、まだ十分調査ができていないのですが、営業の『バックオフィス』をアウト・ソースできないか検討を始めています」

「受発注業務などかね?」

「まずはコールセンターから始めて、将来的には受発注業務もと考えています」

「それで、コストはどの程度下がると考えている?」

「そっ、その部分はまだ調査中で答えが出ていません。実は中国の大連にある業者と、もう一社、沖縄にある日本の会社と交渉中でして……」

「そうか。で、いつごろ答えが出る？」

「あと、二週間程度お時間をいただけないでしょうか」

松原は、とりあえず二週間という期間を口にしたが、当てがあるわけではなかった。うろたえていた。

「わかった。二週間後に話を聞こう」

大胆に舵をきろうとしている亀井の期待に十分応えることができなかった提案。亀井はそっけなく、それをつき返した。

「皆さん、それでいいですかな？」

幹部会メンバーの方を向き直ると、亀井は決定の持越しを宣言した。


一一月一八日、日曜日、午後三時。

すでに、マーケティング・開発センター、サプライチェーン・営業の報告は終わり、ＭＴセンター案は承認、サプライチェーンと営業の案は、再来週に持ち越しと決まっていた。宣言どおり、即断即決が実行されていた。社長の提示したコストダウンと成長のターゲットを達成するため、旧弊にとらわれない、大胆かつアクショナブル（具体的）な提案が求められている。メッセージははっきり伝わっていた。

ジョハリの弟子たちチームは、中国への外注化の計画をまとめる一方、ラインへの投資でキャパを上げることができるというアイディアを詳細に検討していた。S棟のキャパを上げて、足立が担当するK棟を廃止するというアイディアだった。投資金額は約二億円。K棟廃止による経済効果を計算すると投資回収期間は二年と出た。これなら中国への外注は不要になる。

川崎のセンターの中にあるアウト・オブ・ボックス室に集まった幹部に対して、足立は、チームを代表して、両案を幹部に説明した。

「で、どちらを君たちは推すのかね？」

資料から目を離すと、やや大きめの老眼鏡をはずしながら、亀井が訊いた。足立は、ジョハリの弟子たちで作成したSWOT図（**図表8**。76ページ参照）をスクリーンに映し出した。

「今後の事業環境で我々が注目したのは、主要顧客の中国シフトです。顧客も量産品・汎用品から中国に移す傾向がありますから、国内は、高付加価値品か多品種少量品、短納期のものが中心になると考えられます。つまり、量的には需要は伸びず、小ロットでフレキシブル、短納期のものが重要性を増すようになるでしょう。その中で、S棟のキャパを増やす投資は、たとえ二年後に投資回収できるとしても、時代に合わないと判断します」

「つまり、中国への生産外注を増やす案を推すわけだね」

亀井の質問を受けながら、足立は渡瀬製造本部長をチラッと見やった。

「はい。先ほど説明したような計画で外注先を決め、軌道に乗った時点でK棟を止めます。これがうまくいくと、この外注先が調節弁になって、景気変動による影響を受けにくくなります」

「その外注先が、日本の厳しい納期に応えられるとは考えにくいな。納期遅れや品質不良に対応するために在庫を積むつもりかね？」

渡瀬が、苛立ちを抑えながら質問した。

「法務部で準備いただいている契約で、その場合のペナルティ条項を入れています」

「中国でそんなものが通用すると考えているのかね」

渡瀬は鼻で笑った。

「は、はい」

「甘いな。それに当社の製造ノウハウを教えるわけだから、顧客を盗まれる可能性もある。中国に進出している顧客も、原料や部品は日本から調達しているだろう。皆、そういうリスクをよく知っているんだよ。私は、S棟のキャパを上げる一方で、少量多品種にも対応できるようなラインの改造を進めるべきだと思う」

「渡瀬さんの心配は、もっともだと思うね」

亀井が、渡瀬の方に向き直りながら口を挟んだ。

「しかし、どうなるだろうね、渡瀬さん。中国に進出している我々の顧客が中国で原料調達を始めたら？　そして、その中国のサプライヤーが、日本にも輸出攻勢をかけてきたら？」

「いや、そんなことにはならないでしょう……」

語気こそ強かったが、渡瀬は語尾を濁した。

「渡瀬本部長が言われるように、私も、この計画を実施するリスクは決して低くないと思う」

今度はスクリーンの前に立つ足立に向き直ると、亀井は少し間をとって、一言ずつ噛み締めるようにゆっくりと話した。

「しかしだ。私の考えでは、これをやらないリスクのほうが大きいのではないかと思うのだ」

「社長！」渡瀬は驚いた。

「渡瀬さん、少し旧聞だが、ユニクロが流行るまで、誰があれだけ成功すると思っていましたか？中国の品質は上がっていますよ。特に、ＷＴＯに加盟して以来どんどん変わっている。それにだ。差別化されていない、どう考えても利益の出ない製品を、この川崎でつくり続けるべきじゃないでしょう。それをやらされている若い人たちがかわいそうだ。付加価値の低い製品は、もっとコストの安い製造業者にアウト・ソースして、我々は付加価値の高い製品に注力する。それによってスケーラビリティというか、需要の大幅な上下動にも柔軟に対応できるようになる。それこそが、当社のあるべき製造の姿ではありませんか」

「……」

「渡瀬さん、心配だったら、こちらで中国の生産ラインを借り上げて、日本からマネージャーを送り込んでやってもいい。リスクを下げる方法はいろいろあるんじゃないですかね。我々が中国で高品質・低コストの応用化学品サプライヤーになりましょう。中国の国内需要も、これからは日本を上回るようになるでしょうからな」

THE FACILITATOR

第5章

エグゼキューション

人事

ＳＷＡＴの最後の報告が終わった一一月一八日の夜、人事部長の星川とリョウは、亀井の夕食に呼ばれた。代官山にあるキアッキレというリストランテだった。キアッキレというのは、イタリア語で「ぺちゃくちゃしゃべる」という意味らしい。山手通りから階段を降りて、ドアをくぐり、亀井の名を告げると、二人は個室に案内された。

巨大な大理石の円柱を思わせるオレンジ色の太い柱が店の中央部をし切り、個性的な空間をつくり出している。

その横を通り、奥の個室に入ると、壁を背にして亀井がこちらを向いて座っていた。ドアの影になってすぐには気づかなかったが、もう一人、入り口右手横に座っている人物がいた。ファシリテーターとしてリョウが雇った鳩村だった。

「鳩村さん、なぜ、ここにいらっしゃるんですか？」

リョウは、思わず素っ頓狂な声を出した。

「まあ、座りたまえ」

亀井が勧めた。

「改めて紹介しよう。三〇年近く前になるかな、私のビジネススクールの同級生でね、鳩村大輔さんだ」

「黒澤さん、騙したわけじゃないんだ。偶然でね。私もこちらの組織変革のファシリテーション話があって、どんな会社かなとウェブを覗いて、はじめて気づいたという具合でね。まあ、その後それを明かさなかったのは悪かったと思いますが……」

「いや、私が皆に言わないように口止めをしたんだよ」

亀井が補足した。

「今日は、その罪滅ぼしに、東京でいちばんうまいイタリア料理をたっぷり食べていってもらおう」

「あら、日本一じゃなかったかしら?」

このしゃれた店のオーナーの浮川洋子がいつのまにか、入ってきていた。

「おー、ママか。いや、アジア一だ」

亀井は洋子の顔を見ると、調子よく軽口をたたいた。なじみの店らしい。洋子の指示で前菜が出され、イタリア人のウェイターが個室を出ると、亀井は少し身体を前に傾け、鳩村、星川、リョウの顔を一人ずつ覗き込むようにして言った。

「ご苦労さん。いい動きが出てきたと思うよ。SWATに参加したメンバーは見違えるようになった。今度は、こちらが、彼らの期待に応える番になったようだ」

そう言うと、亀井はイタリア産のメローを取って前に出した。

乾杯。

「さて、今夜は君たちの人事に関する意見を聞かせてほしい」

ワインを一口、口に含むと、早速亀井は本題に入った。

「簡単なところからいきましょう。MTセンター長は、ここにいる黒澤クンで決まりでしょう。誰からも異論はないと思います。問題は、マーケティングと開発センターの組織統合の結果、ポストのなくなる桜井さんです。優秀な方ですし、黒澤クンの元上司でもある」

人事部長の星川が口火を切った。

「実は、松本営業本部長が以前から体調を崩しておられて、私のところに相談に来られています。今後さらに厳しくなる営業本部を率いていくのは無理だと思います。どうでしょう、この機会に松本取締役にはご退任いただいて、桜井さんに、新しい営業本部長になってもらっては」

「松本取締役は私のところにも相談に来られたよ。MTセンター案がSWATチームから出された次の週にね。『桜井君を後任にどうか』と言ってこられた。それで渡瀬本部長のほうはどうするかね」

「そちらは難しいですね。役員でもあるし、長年の業績もある。下手なことはできません」

「御社には、上海営業所がありますね」

じっと聴いていた鳩村が、亀井と星川の話に割り込んできた。

「いや、私が口出しする場面じゃないんだが、そこの所長さんにどうでしょう?」

「あそこは、所長といっても全部で四人の小さな事務所です。いまは、成川という部長が所長をやっています。松本営業本部長の部下です。とても渡瀬さんが納得されるポストではありません」

「いや、そのポストの地位も役割も変えないといけません。今回の提案で、今後は中国のサプライヤーを積極的に探していくわけでしょ。しっかりした外注先を探すことにもなった。場合によっては、製造面での技術指導も必要かもしれない。渡瀬さんのようにたたき上げで、調達も製造技術も熟知した重鎮が、赴任するようなポストにすべきですよ」

「さすが鳩さんだ。私もそれを考えていたところだよ」

亀井が鳩村の案に賛成した。

「なるほど、それはいいですね。そうすると、後任の製造本部長は少し若いが足立君ということですね」

星川が確認するように訊ねた。

「彼は人望もあるようだし、なかなかいいね。黒澤クンはどう思うかね？」

「私は、足立さんのいたSWATを時々覗きましたが、足立さんなら十分やれると思います。若いといっても、四〇代半ばじゃないですか。心配ないと思います。ところで、話は少し変わりますが、私のほうから少しいいでしょうか？」

リョウは、マーケティングと開発センターを合併させるにあたって、人事案を持ってきていた。

「マーケティングには、結構営業力のある人がいます。今回のSWATで出されたアカウントマネジメント強化の方針に沿って、いまのマーケティングの約三分の一を新営業本部に異動してはどうかと思います。この人たちです」

と言いながら、一三名の名前を書いた紙を広げた。

「さすがに手回しがいいね。確かにこの連中なら営業としても戦力になりそうだ」

リストに目を通しながら、星川がつぶやいた。

「桜井君とは話をしているのかね？」

亀井が訊いた。

「まだです。まったくの私の試案です。さらに、品質管理を強化する必要があるという提案がありましたね。こちらにも、よろしければ開発センターから、この人たちを出したいと思います」

「武田室長を出すのかね？」

リストに名前を見つけて、星川が訊いた。

「品質管理の小寺部長の後任として、うってつけだと思います」

「小寺部長は、退職すると決まったわけではないよ」

「はい。しかし、牛肉偽装事件や自動車の安全対策などで起こったような品質問題を未然に防ぐには、そうしていただくべきだと思いまして、僭越ですが、提案させていただきました」

「そういうことが、起こっているとでも言うのかね？」

「SWATでも議論になったようですが、その可能性があるということです。また、調達の平野部長がお辞めになるようでしたら、ぜひ開発センターの佐藤室長を後任にお願いしたいと思います。佐藤さんは、センターの中でも原料に非常に詳しい人ですから、今後、攻めのサプライヤー探しをするのにうってつけだと思います。それにあの関西のノリが、結構調達でも生きるのではと思います」

「これは驚いた。新MTセンター長さんは、さっそく人の売り込みにしきりだ」

亀井は愉快そうに笑った。

小寺も平野もベテランの部長であり、それなりの実績がある。ただ、スタイルが古く、変化を望んでいない。

品質管理では、すでにコストダウンを隠れ蓑に、不良品を見逃して出荷している気配がある。ここにメスを入れなければ、事業が根底からひっくり返る可能性がある。この体制にどっぷり漬かってきた小寺に、この変革をリードさせることは確かに難しいに違いない。

調達分野では、従来のあり方を抜本的に見直し、多少のリスクを冒しながらも、果敢に新しい調達モデルに挑戦する意欲とリーダーシップが必要だ。そうしなければ、グローバルなコスト競争、顧客のグローバル展開についていくことさえ難しくなるに違いない。せっかくSWATで盛り上がった機運を結果に結びつけていくには、これらの人事は要になる。SWATの提案でもそういうリーダー像が求められている。

「小寺さんや平野さんたちは、そろそろ会社社会から卒業して、『社会復帰』するのにいい年齢かもしれん」

亀井は促すような目を星川に向けながら、独り言を口にした。

九〇日以内に成功を！

「ところで、亀さん。どういう時間軸で、ＳＷＡＴの提案を実行に移していくつもりかね？」

鳩村がテーブルの反対側の亀井に訊いた。

「とりあえず、一月一日付で、関連する人事異動と同時にＭＴセンターを発足するつもりだ。その次は、製造関連だろう。サプライチェーンと営業については、今回の提案を受け入れるわけにはいかない。もう一段の検討が必要だ。それが出てきてからだな」

「なるほど」

鳩村は目を伏せながらうなずいた。

「何だい？　鳩さんには、何か考えがありそうだな」

「まぁ、釈迦に説法だがね。ここからが、経営者の腕の見せどころだ。ＳＷＡＴのメンバーはもちろん、社員全員が、これから何が起こるのかに注目しているだろう。その気持ちが乗っている間に変化を起こさなければいけない。具体的に言えば、人の気持ちが続くのは九〇日だ。その間に改革を軌道に乗せられるかどうか。それが失敗と成功の分かれ道だと思う」

「九〇日か、四半期ということだな。日数で言われるとやけに生々しくなるな。で、どうしたらいい？」

「できるだけ短期間に成功できることに集中することだ。成果の大小は関係ない」

「気持ちの続く九〇日の間に成果をあげて、勢いをつけるというわけか」

「そう、簡単なものでいい。来年の一月一日にMTセンターが発足するね。三月末までに、皆で祝える成功例をつくることに集中するんだよ。先ほどの人事案どおりになれば、ここにいる黒澤涼子さんが、そのカギを握っていることになる」

鳩村は、亀井の横に座っているリョウと目を合わせた。リョウは不敵な笑みを浮かべた。

「その成功が、変革の弾みになるだろう。第二の人事異動は、その直後に発表できるといいな」

「なるほど」

「SWATに出てきたお宅の連中は、皆さん優秀だよ。しかもこの九週間でずいぶん逞しくなった。それでもね、『本当にこの会社は、我々の提案を受け容れてくれるのか?』『これで成功するのか?』って、まだ心のどこかで疑問に思っている。ましてそれ以外の連中は、『また、何かやってる』という懐疑的な目で、SWATを見ているだろう。それを払拭できるのは『成功の実績』しかない。それも早いほどいい。俺の経験では、最初の九〇日だな。それ以上かけると、モーメンタムというか、勢いが殺がれる。反対派や守旧派も動きはじめる。『ほら、大騒ぎしたけど、またいつものように何も変わらないだろう』という声が出てくる。そうなると、せっかく誕生した変革のエバンジェリストたちにも迷いが生じるだろう。演出というと聞こえが悪いが、三月末までに何か成功させることだ」

「リョウ」

亀井がリョウのことをこう呼んだのは、このときがはじめてだったかもしれない。

「何かアイディアはあるか？」

「そうですね。三月末までに『成功だ！』って騒げそうなものは、いくつかあります」

じっとうつむいて鳩村の話を聞いていたリョウは、ゆっくりと顔を上げ、髪を両手で耳の後ろに掻き分けながら亀井の質問に答えた。

「一つは、例のインクの添加剤で成果をあげた中国の原料メーカーと共同で進めている案件です。あれと同じ手で土木・建築分野の売れ筋製品群の低コスト化を狙っています。これが一月末にも目処が立つと思いますから、ちょっと苦しいですが、二か月で量産試作して三月中に第一ロットを出荷することができるかもしれません。建築関係で量が出ますから、億円単位のコストダウンにつながります。二つ目は、ニッコーに絞り込んだ食品添加剤です。いま、かなりいいところまできています。頑張れば採用を決められるかもしれません。こちらは金額的には小さくて、売上げで数千万円程度でしょう。ただ、医療・食品分野の全売上げが今年二億円程度ですから、この新規分野としては、大きいと言えます。その他にも一つ、二つ……」

「う〜む、どれも三月末までというのは難しそうだな」

亀井は冷静だ。新製品開発は遅れるものだ。そんなにうまくいくことは少ない。

「言い訳のようで言いたくないのですが、今年の九月からＳＷＡＴに、優秀な人たちをとられていましたのであまり進捗がないのです。三月末までと言われると、正直、少し厳しいものがあります」

変革ファシリテーターの秘伝

「典型的な事業変革のジレンマですな」

ラビオリを口に運びながら口にした鳩村の言葉に、全員が視線を集めた。

「いや失礼。評論家的な口をきくつもりで言ったんじゃないんだ。事業変革に力をかけすぎると、肝心の基幹事業に遅れが出る。そこで、事業の遅れを甘受して変革を進めるか、事業変革をいい加減にやるか、というジレンマに陥る。おおかたのトップは、『両方やれ』と叱咤するが、現実にはそうはならない。たいていは、いまの事業を優先し、事業変革のほうはお茶を濁すことになる。典型的な変革失敗パターンだよ。裏返して言えば、本物の危機感が共有されていることが、このジレンマを超える重要な要素ということでもある。この悪いパターンに慣れきってしまっている会社では、事業改革計画が承認されたら、それで終わり。『これでやっと本業に戻れる』と言って、計画書は棚上げにしてしまう」

「企業の中長期計画でよく聞くパターンですよね」

「そう。こういう繰り返しは本当に無駄だ。トップもうすうす気づいているが、じゃあどうすればいいのかがわからないというのが実態だろう。そうならないためにも、はじめの九〇日で成果をあげることが大切なんだよ」

「鳩さん、そのジレンマを破る何かいい解決策でもあるかね？」

「成功を定義することだろうな。計測可能な形で」

「成功を定義？」

「いま黒澤さんが言われたケースは、従来どおりのオーソドックスな成功だ。幸運にも短期間にそういう成果が出ればいいが、往々にして先ほどのジレンマにとらわれて、失敗する。そういう幸運に期待するのではなく、変革の過渡期には、マイルストーンをつくって、それを達成したら本当の成果が現れる前でも祝う。変革の推進は孤独な作業だ。陰口も聞こえてくる。露骨に足を引っ張るヤツも出てくるかもしれん。今回、ＳＷＡＴにかかわった人たちには勢いがあるから、その勢いを活かすことだ。それには、最後に結果が出るまで待たずに、進捗を計測して変革が進んでいることを声高に認めるんだ。喧伝する。努力している人たちを誉め、表彰する。それが当事者たちを勇気づけ、周りの関心も高め、変革を成功に導くことになる。マネジメントの仕事だよ」

「なるほど、会議のファシリテーションではなく、変革をファシリテートするための秘伝ってわけだ。それで鳩さん、具体的にはどうすればいいんだい？」

「おいおい、亀さん、そこまで訊くのかい？　それにしてはちょっと料金が安すぎるな」

「例えば今回、新規分野の開発を絞り込みニッコー社一本にしましたが、その戦略は、集中することで客への対応速度を圧倒的に速くすることでした。例えば、その対応速度が従来よりどの程度速くなっているかを測って、行動上の大きな変化が見られれば評価するということでしょうか？」

「さすがにリョウさんは鋭いね。キーは行動の変化。それをいかに目ざとく見つけ、認めることで強化することだろうね」

「いまの鳩村さんのお話で思い出したのですが、うちの子が、まだ小学生なんですが、水泳教室に喜んで通っていましてね」

人事の星川が割り込んできた。

「先日、不思議に思って訊いてみたら、行くとシールを貼ってもらえると言うんですよ。嬉しそうにね。水泳教室はそれほど好きではない様子なんですが、シール目当てで通っている間に、しっかり泳げるようになっていました。いまの鳩村さんのお話は、簡単に言うと、そういうことなんでしょうかね？」

「そのとおりだと思いますよ」

内発的な動機づけ

「SWAT自体はトップダウンで始まったけれど、そこからの提案はボトムアップ。つまり外部から言われたものではなく、メンバーには内発的な動機づけがある。それをうまく捉え、自信を与えられると最高ですね。それは、トップの仕事、ということですね」

「多分、星川さんのお子さんは、管理されているとは思っていなかったと思いますよ。シートにシールを貼ってもらいたいというのは、内発的な動機づけですね。だから嬉々として教室に通っていた。エグゼキューションにおけるファシリテーションのポイントは、目標をノルマと感じさせず、チャレンジの対象と思わせ続けることではないでしょうか。目標を達成し、さらにそれを超えることに燃える雰囲気をつくり続けること」

「金メダルを狙うスポーツチームのようですね」

「理想はそういうチームづくりだね。優秀なプレーヤーほど、練習をノルマだとは思っていないでしょ。栄光への道だと信じている。繰り返し同じ動作を練習しても、取り組むプレーヤー一人ひとりの気持ちによって、結果には大きな違いが出る。この会社も、これから実施する組織変更だけでは何も変わらない。新しいリーダー、そしてSWATの卒業生たちが、気持ちや行動のうえで要にならなければ改革は成功しない。せっかく生まれた目標に対する内発的な動機づけを、どうやって維持するか。そこが勝負だと思います」

「その猶予が九〇日ということか」

「少なくとも私の経験では、そういうことです。そこをクリアすれば、転がりだしたボールのように自ら進みはじめる」

ダッシュボード・メトリックス

「今回の私の役割としては、ここで話を終わるべきかもしれんが……。実は生身の事業は、それほどきれい事じゃ経営できない」

ふっふっと自嘲するような笑みをかみ殺しながら、鳩村は続けた。

「いや、そこまで内発的な動機づけのできない人たちが、実際にはたくさんいるという現実をしっかり見据えて経営しないといけないということだよ。SWATに参加し、変革への情熱を高めた諸君も、何週間か経てば気持ちが薄れてくる。九〇日以内に成功を！と言ったのはそのためだが、それ以外に、やはり変革を強制する継続的な外圧が必要だ」

「鳩さん、それは私の仕事だよ」

亀井が答えた。

「亀さんのことだから、現場を回って変革の進捗を自分の目で見て、叱咤激励すると思うが、それに加えて、進捗を客観的に計測するダッシュボード・メトリックスをつくることをお勧めするよ」

「ダッシュボードというと、あの自動車のダッシュボードかね。速度計とかナビのついた？」

「そう。欧米の企業では、スコアカードだとか、ダッシュボードというのをつくって、事業の進捗を管理するケースが多い。単に、売上げや利益、在庫などを計画と比較するだけのものが多いが、ここに先ほどの変革の進捗を示す指標、メトリックスを取り込んで毎週チェックするんだ」

「リベラル派の鳩さんから、そういうハードなマネジメント手法を聞くとは思わなかったな」

「経営にリベラルもヘチマもないよ。外資系企業で、四半期ごとに答えを出さなければならない環境に長年いれば、いやでも身につくさ」

「いや、言われなくても外圧はしっかりかけるよ。ポイントは、内発的な動機づけとのバランスだな」

もう一つの組織を動かせ

一九二〇年代、シカゴにあるウエスタン・エレクトリック社のホーソン工場で行われた実験は、後年「ホーソン実験」として有名になった。もともとは、一世紀前のテーラー流マネジメントの考え方に基づき、労働者の作業効率を上げる最適な物理的条件を調べる研究だった。照明、温度・湿度、休憩の回数・時間、インセンティブ給などいろいろな物理的条件を変えてみたが、どれも作業効率との間に明確な相関性を見出せなかった。

皮肉なことに、作業効率にいちばん影響があったのは、物理的条件ではなく、テーラー流では軽視していた心理的な要因だった。例えば、人の集団の中に必ず生まれるインフォーマルなグループ。その社員の士気や行動に与える影響は、想像以上に大きい。

「この『ホーソン実験』の教訓を守ることだ」

鳩村は語った。

「この大がかりな調査・研究では、従業員に質問形式の面接も試みたが、それもあまり役に立たないことが明らかになっている。結局労働者に自由に語らせてみた結果、次の三つのことがわかった」

①労働者の行動は、感情から切り離しては理解できない。

②感情は偽装されることが多く、面接では把握しにくい。

③感情は、その人の全体的情況と合わせてはじめて理解できる。

この問題への処方箋は、オープンでインタラクティブであることを重視するファシリタティブなマネジメントスタイルではないだろうか。

「正規の組織も重要だが、それ以上にインフォーマルなグループの影響が大きい。今回のＳＷＡＴで育った二七名の優秀な社員が、そのインフォーマルなグループの核になっていくはずだ。これを忘れちゃいけない。彼らを大事にして、しっかり援護することが重要だ」

発令

亀井が予告したとおり、その年の一二月二五日にＳＷＡＴの提案を受けて、新しい組織と人事発令が行われた。

新組織
一月一日付　マーケティング本部と製品開発センターを統合し、ＭＴセンターを発足する。

退社
一二月三一日付　営業本部長　松本雅之
一二月三一日付　調達部長　平野敦夫
一二月三一日付　品質管理部長　小寺幸雄

異動
一月一日付　黒澤涼子　旧）製品開発センター長
新）ＭＴセンター長

一月一日付　桜井健二　旧）マーケティング本部長
新）営業本部長
一月一日付　佐藤誠　旧）製品開発センター　事務機器セグメント室長
新）調達部長
一月一日付　武田慎也　旧）製品開発センター　土木・建築セグメント室長
新）品質管理部長

新組織発足に関係して、多くの人事異動が発令された。旧マーケティング本部から、多くのベテラン・若手が営業本部に異動した。旧製品開発センターの佐藤、武田の両室長の後任には、旧マーケティングの人間が占め、医薬・食品セグメントを担当していた古株の大森は、自動車コーティング剤で実績をあげた中堅の木下に席を譲った。この室は、メンバーに旧マーケティングの人間を加えたものの、人数は大幅に減った。室長とはいえ、木下自らが製品開発を担当しながら、絞り込んだニッコー一社への参入を目指す。ここで成功する以外、逃げ道はない。木下自身、ＳＷＡＴでこの組織立案に参画したのだから覚悟はできている。むしろ新しいチャレンジに燃えているように見える。

この発令には、製造本部に関するものはなかった。亀井自ら、新しいビジョンを説き、上海支社を設立すること、そしてその支社長にと口説いたが、渡瀬が、頑として聞かなかったからだ。亀井は、無理押しせずにもう少し時間をかけることにした。

ギャップアナリシス

年末から年始にかけて、財務部とＩＴグループが中心となり、ダッシュボード・メトリックスが作成された。亀井の三〇パーセントの売上げ増の目標は、ＳＷＡＴの結果を受けて各部門に割り振られ、二〇パーセントというコストダウン目標とともに四半期ごとのターゲットがはじかれた。その週の売上げ、営業利益、在庫量などの数値が、この四半期ごとの目標との比較でグラフ上に示されるのだ。

最終的には、すべてを自動化するつもりだが、当面は週末に担当者がこれらの数字をアップロードし、毎週月曜日の朝七時から始まる亀井の早朝幹部会に間に合わせる。その第一回目が、一月の一四日に開かれた。

売上げは前年度を下回り、当然のことながら、コストはさほど下がってはいなかった。とはいえ、まだ第一週目が終わったところなのだ。このダッシュボードがなければ見過ごしてしまう程度の年初の兆候だったが、幹部会は反応した。目標とのギャップがどこから出ているのか、一時的傾向か、継続するものか、さらに何を分析すべきか、対策は？

売上げについては、営業本部長の桜井が主要顧客トップ二〇社に対する売上げを調べ、一時的なものか、継続的なものかを分析することになった。コストダウンについては、ＳＷＡＴ提案をいかに前倒しで実施するかが議論の焦点になった。

ニッコー一社への参入に絞り込まれた新規分野は、ニッコーから見たSCC社の対応力を測るという観点から、先方のリクエストに対する対応時間が指標として取り上げられた。戦略分野である食品分野の投入資源は大幅に削減されたが、その活動は、顕微鏡下に置かれた細胞のように微細に観察され、全社を挙げて必要な支援が提供されるようになった。

リョウは、新しくつくったMTセンターのウェブサイトの中に、亀井のダッシュボードとリンクする形でセンターの指標を取り込ませ、センター全員とできるだけ情報を共有するようにした。亀井の早朝幹部会には、相変わらずマイクロソフトのネットミーティングを通じて川崎から参加し、管理にとられる時間を減らし、それだけ現場に出ようとした。

特に、ニッコーへの参入は、これに成功するかどうかが、感覚的には全SWATの成否を左右するほど大きい。リョウは、自らニッコーに繰り返し足を運び、求められる特性を満たす製品を他社より速く提供しようと集中力を高めた。

このダッシュボードを見ながら、毎週早朝幹部会で行われるギャップアナリシスは、問題のあり場所を具体的、分析的にあぶり出す役割を果たしはじめた。いや亀井が、そのための道具として活用し、早朝幹部会をファシリテートしていったと言うべきだろう。より的確に問題点が見えるようにメトリックス自体にも工夫を凝らす。その姿勢が、次第に幹部全員の行動を変えていった。

不良品出荷

問題は、早くも二月に発覚した。ちょうど顧客訪問を終えて客先の門を出るところだったリョウは、品質管理部長となった武田から電話を受けた。

「センター長、どうもおかしいんですよ」

「どうしたんですか?」

「川崎にはいつ戻られますか?」

「明日の朝は、そちらに出ますが……」

「今日は、もう無理ですか?」

「いまから本社に行って、営業と打ち合わせる予定がありますが、なんでしょう?」

「それが、どうも不良品を出荷しているようなんです」

「不良品を?」

リョウは、手短に状況を聞くと、営業との打合せをキャンセルし、川崎のセンターに急いだ。途中、亀井のケイタイに簡単なメッセージを残した。

図表26 不自然な品質データ分布

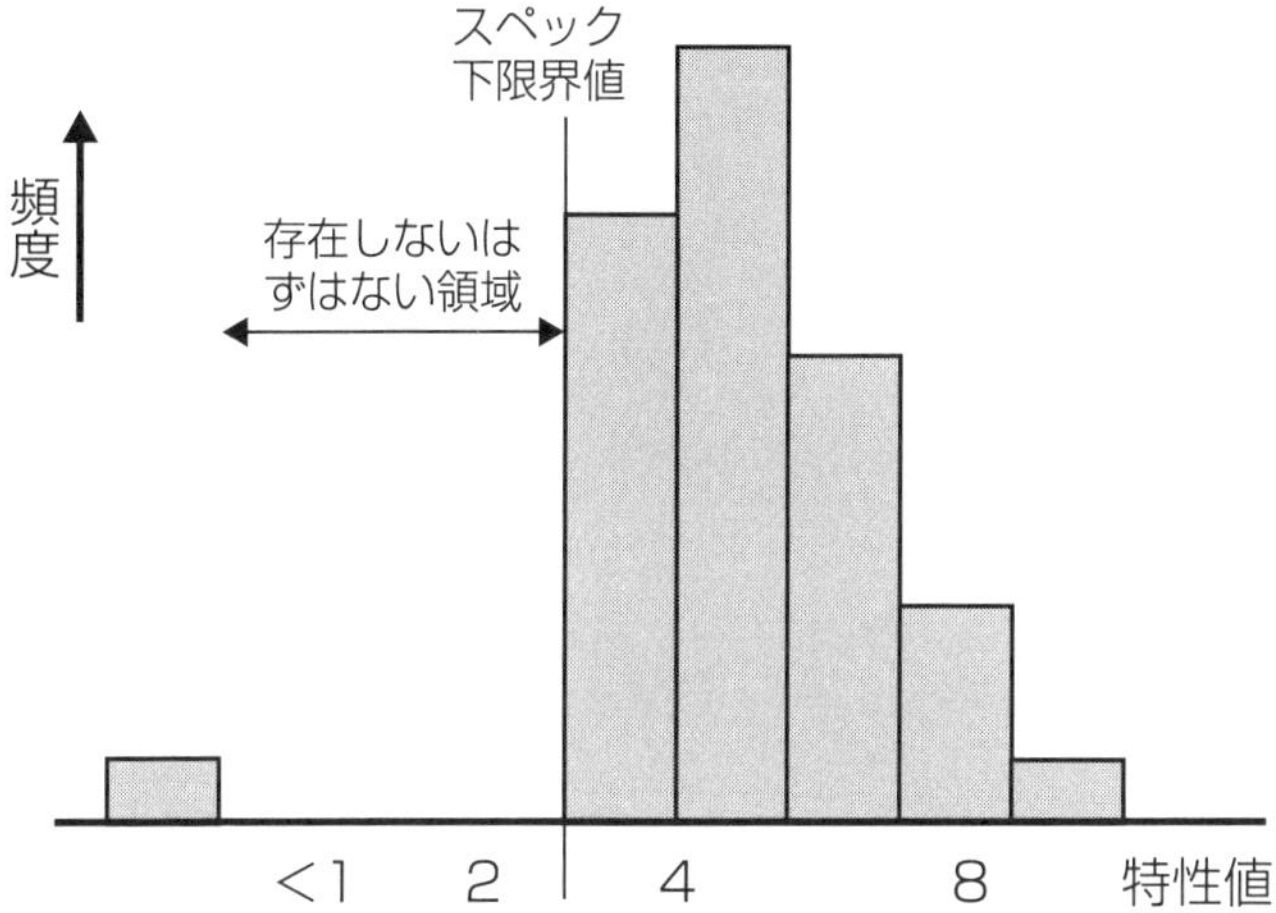

一月に品質管理部長に着任した武田は、仕事の引継ぎのために、検査データを詳細に見ていた。あるとき、出荷検査のある項目についてヒストグラムをつくってみると、分布の下限が不自然に切れていることに気づいた（**図表26**）。すぐに、検査担当者を呼んで問い質してみると、「自分は、ただマニュアルにあるとおり計測し、マニュアルどおり『異常値が出た場合には、正しい値が出るまで数回繰り返し測定すること』を守っている」という。そこで、疑問点を説明し、さらに詳しく訊くと、「異常値」とは、スペックを外れる値であると、検査担当者が理解していることが明らかになった。

通常は、検査方法に異常があったかどうかを確認するための再検査なのだが、これでは「スペックアウトになったら測り直せ」と言われていたことになる。一回目の計測でいったんスペックアウトになったものも、何度か測り直すうちにたまたまスペック内に収まる値を示すことがある。そうなれば、合格としていたのだ。高卒でこの会社に入社して以来、そう教えられ、正しいと信じて五年間実施してきた、と担当者は半泣きになりながら話した。長年製品開発をしてきた武田には、信じられないことだった。

「不良品を、良品と偽って出荷しているわけね。それで、これはどのような問題を起こす可能性があるの？」

武田から説明を聞いて、リョウは背筋が寒くなった。

「お客様の製品の耐電圧特性に影響を与えると思われますが、現時点では、それがどの程度なのかはわかりかねます」

「用途によっては、漏電などの可能性もあるということですか？」

「用途によっては、そうですね」

「発熱とかも？」

「えっ、ええ……」

「何年ぐらい続いているのですか？」

「少なくとも、あの担当者が入社した五年前からは行われている計算になります」

リョウは、時計を見た。時刻は夜の一〇時を少し回っていた。もう一度亀井に電話を入れると、今度は本人が出た。手短に説明を済ます。

「わかった、すぐ幹部会のメンバー全員に連絡して、センターの第一会議室に集まるようにしてくれ。法務部の白石部長、それから、夜分に突然で申し訳ないが、弁護士の矢内先生にも来てもらうように要請してくれ。私もすぐそちらに向かう。零時から緊急会議をやろう。言うまでもないが他言は無用だ」

テキパキと指示をすると、亀井は電話を切った。

ニュースペーパーテスト

幹部全員が、零時前に第一会議室に集まっていた。部屋は緊張感で漲り、誰もが押し黙って、武田部長の事情説明に耳を傾けた。質疑が始まる。ほとんどが、なぜこんなことをしたのか？　というところに終始したが、いちばんの当事者であるはずの小寺幸雄前品質管理部長は、二か月前に退職していて、本当のところはよくわからない。品質検査のごまかしのおかげで、この製品の歩留まりは九八パーセントを超えている。これ自体、異常に高い。恐らく、正規の検査ルールに則れば、六〇パーセントにも達しない可能性があると武田は説明した。誰もが、製造本部長の渡瀬の関与を疑ったが、当の本人は押し黙っていた。時間は午前二時を少し回り、疲労の色が参加者に見えてきた。

「皆さん、お疲れのところ申し訳ありませんが、今後のアクションを簡単にまとめさせてください」

リョウが混乱する頭を整理するように声を上げた。

「明日から、いや今日からですね。このSC３０４のユーザーに、この問題を報告する必要があると思います。営業の桜井さんのほうで、この製品の出荷先を、今日の午前中に調べていただけないでしょうか？」

「それは言われなくてもすぐにでも調べるが、事態も十分つかめないまま顧客に連絡するなんて、いたずらに問題を大きくするだけじゃないか。賛成できないね」

「先ほど矢内弁護士からご指摘があったように、報告義務を怠れば、『社内で問題を発見してから、この間何をしていたのか』と、問題の隠蔽、あるいは会社ぐるみの犯罪と疑われます。お疲れとは思いますが、この後社長名の簡単な手紙を用意しましょう。それを営業担当者に託して、説明に回らせるというのはどうでしょうか？」

「黒澤クン、顧客に行けば、必ずなぜ起こったのか、今後どう対応するのかと問い詰められる。それなしで顧客に説明に行っても仕方ないだろう。『客にどうしろと言うんだ！　問題を転嫁しに来たのか！』と罵倒されるのが落ちだよ」

営業の桜井の顔色は、怒りで青ざめていた。

リョウは、桜井の話を聞きながら、ホワイトボードの前に行くと、大きく「SCC社不良品出荷、大事故につながる可能性も」と新聞の見出しのように書いた。

「皆さん、日経新聞の一面に、こういう見出しが躍る日のことを想像してみてください」

「何を言い出すんだ！」

ますます激昂する桜井に微笑みを向け、リョウは努めて柔らかい口調で話した。

「すみません、桜井さん。少しだけでいいですから、何も言わず目をつぶって、まずその日のことを想像してください。朝起きて、いつものように新聞を開く。第一面に、このような記事がデカデカと出ている」

ニュースペーパーテストと呼ばれる手法だ。新聞に取り上げられた場合のことをできるだけ鮮やかに思い起こさせ、冷静な判断を引き出す。

「……」

「黒澤クン、私はその新聞は見たくないな。矢内先生、どうすればいいですかな？」

最初に反応したのは亀井だった。

「まずすべきことは、顧客と共同で、速やかに製品の安全確認をすることです。桜井さんの気持ちはわかりますが、ＳＣＣ社が社会的責任を果たすためには、まず起こったことを顧客に報告し安全確認をするのです。安全確認こそがすべてに優先します」

「そんなっ……」

「桜井君。君の気持ちは痛いほどわかるが、ここは矢内弁護士の言うとおりにしてくれ。それから、本件について、原因究明のプロジェクトチームと、顧客対応のチームを直ちに編成してくれ。原因究明チームには、今後の対策も出してほしい」

「わかりました、社長。私のほうで、顧客対応チームを編成します。原因究明のほうは……」

「私のほうでやります。武田さんは、日々の検査業務で忙しいでしょうから」

リョウが桜井の言葉を引き取った。

「もう一ついいでしょうか？」

矢内弁護士だった。

「必要であれば、私の知っている弁護士事務所に頼んで関係書類を差し押さえさせ、調査させましょう。司直の手が入る前に、自分たちでできるだけ客観的な調査を行うには、第三者機関を使うのがいいと思います」

時刻は午前三時を回っていた。朦朧とした頭で、そこまでしなくてもという感情を誰もが抱いたが、誰も声に出して反論しなかった。

「矢内先生、やってもらいましょう」

亀井が、やおら少しかすれた声を出した。

「食品・医療分野への参入を戦略としている当社だ。こんなところでつまずきたくない。公明正大にやろうじゃないか」

亀井は努めて明るい声を出した。

「武田部長、よく見つけてくれたな。ありがとう」

深夜の会議を終え、第一会議室の戸口まで出たところで、亀井はこの厄介な問題の第一発見者に声をかけた。

「品質管理の強化を提案してきたＳＷＡＴの連中は、恐らく、こういう問題を察知していたんだろうな。武田君、君に品質管理をやってもらってよかったよ。きっと同じような問題が他にもあるはずだ。徹底的に洗い出してくれ」

顧客の声をファシリテーションに

問題発見から三か月後のある日、製造、品質管理、技術部門の主だった人たちが一堂に集められた。法律事務所によって没収された書類の調査も終わり、事実関係の調査は、ほぼくるところまできたが、特定の人間が指示したという証拠は出てこなかった。

「皆さん、今日はお集まりいただきありがとうございます。ＳＣ３０４問題についての調査が一段落しましたので、その結果の報告と今後の対策について、今日は皆さんと意見交換させていただきたいと思います」

人事の塩崎が、会議のはじまりを宣言すると、まず品質管理部長の武田と、その後の原因調査を指揮した試作・評価室長の西村が事の経緯を細かく説明した。続いて顧客とのコミュニケーションを指揮してきた営業本部長の桜井が前に立った。

「結論的には、ＳＣ３０４をお使いいただいている二三社のどこにおいても、これまで品質上の問題は発生しておりませんでした。しかし、これは今後も起こらないということではありません。二三社中、三社からは取引停止を申し渡され、一五社から代替品を要求されています。またすべての会社から、今後問題が起こった場合には、当社がすべての責任を持つことを書面で提出するように要請されています。いまのところ、事故につながる問題は発生していませんが、このような品質問題は、当社の命取りになることは、いまさら説明するまでもないと思います。当社は倒産してもおかしくないのです」

ひたすら語気を強めて話を終えた後、桜井はビデオのスイッチを入れた。スクリーンに現れたのは、重要顧客の一つであるS社の購買部長だった。

「SCC社の皆さん、こんにちは。先日、我々は非常にショッキングなニュースを御社の営業の方から伺いました。はじめはとても信じられない話でしたが、それが事実とわかり、心の底から怒りを覚えています。私どもは、御社を信頼していました。同じような製品を、もっと安く提供するサプライヤーは他にもあります。他社より高額な御社の製品を買っているのは、その品質への信頼によるものでした。まさかその御社から、このように裏切られるとは思いませんでした。一応、営業の方からは、なぜこのようなことが起こったのかを説明してもらいましたが、正直言って信じられません。今後二度と信頼を裏切ることのないよう、明確な対策を提示してください。それによって、今後の御社とのお付き合いを考えさせていただきたいと思います」

ビデオを止めると、桜井は続けた。

「これは、ビデオ撮りをお願いしたため、実際よりは紳士的なコメントになっています。我々営業部隊は、顧客のところに行き、言い訳しようのない説明をしてきました。そのたびごとに、この何十倍もの厳しい言葉を頂戴しています。いまのビデオで、その厳しさの一端でも皆さんに伝えることができればということで、S社の太田部長にお願いして撮らせていただきました」

というと、桜井は、再び再生スイッチを入れた。そこには、もう一社の怒れる顧客からのメッセージがあり、続いて、以前起こった牛肉偽装事件や、自動車の安全問題隠蔽に関するニュース報道が流れた。

「桜井本部長、ありがとうございます」

ビデオを止めると、塩崎が参加者に向き直った。

「ここで、皆さんから、ご意見をいただきたいと思いますが、五〇名あまりいるこの場では難しいと思います。先ほど入り口で引いていただいたクジに、赤・青・黄・緑色の色分けがあると思います。それぞれの色ごとに集まっていただいて、二時間ほどその小グループで、この問題について、何が悪かったのかということと、今後の仕事の進め方について議論してください。その後、グループの意見をまとめていただき、そうですね、四時にもう一度ここに集まってください。グループごとに報告をお願いしたいと思います」

塩崎が話し終わると、渡瀬製造本部長が手を挙げた。

「製造本部長として、非常に反省していることがあるので、この場を借りて一言申し上げたい。私は、日ごろから、生産歩留まりを少しでも上げ、在庫を減らし、コストを一円でも下げようと、この二〇年間努力してきました。私が、直接こういう不当な行為を指示したことは一切ないが、少しでも歩留まりを上げたいという私の熱意が誤って伝わり、今回のようなことが起こったのではないかと深く反省しているところです。今後は管理のあり方を改め、二度とこのようなことがないよう努めたいと思います」

突然の渡瀬の話に、全員が驚きながら聞き入った。

「本部長ありがとうございます」

話が終わると、塩崎が全員の移動を促した。赤・青・黄・緑色の四つのグループには、SWATに参加していた営業の鵜飼、開発の難波などがファシリテーターとして参加した。

ビデオの効果は大きかった。四つの小グループでは、問題の大きさや、それに対するこれまでの会社の対応、他に同様の問題が起こっていないか、今後どうやって正していくか、などについて真剣に議論された。一方的な話だけにせず、顧客の生の声を聞かせ、さらに小グループで議論し、報告させることで、いかにこの問題が重大な意味を持っているか、自分の問題として全員に徹底させることができた。

なくなるオフィス

不良品出荷問題の対応に追われ、ＳＷＡＴ改革のことは忘れられたかのような日々が続いていた六月はじめ、全社員を再び驚かせる発表があった。

それは、アイスブレーカーズから提案のあった、本社フロアの一部を返却し、縮小する案の実施だった。しかも、提案のあった五階だけではなく六階までも廃し、新宿の本社は、七階と八階の二フロアとするという内容だった。営業は、ＳＷＡＴからの提案どおり、共用デスクのあるフリーアクセスのオフィスとなり、最小限の空間があてがわれる。しかし、社員をもっと驚かせたのは、亀井も、社長室を出て、仕切りボードで三方を囲んだだけのキュービクルに移るという発表だった。旧社長室は、五、六階を返却することで不足する会議室に改装するという。いや、ただの会議室ではない。三面の壁に大型のホワイトボードを配し、ちょうどＳＷＡＴが使っていた川崎のアウト・オブ・ボックス室のように、機能的な集中議論のための空間にするという。それはウォールーム（戦闘室）と名づけられた。

経費的には、これで月間八〇〇万円程度の賃貸費用が浮く計算になる。七月から年末までの六か月間で四八〇〇万円の経費節約効果となるはずだが、実は返却するフロアを元の状態に戻すための改装、社長室を含む七、八階の改装費用に三〇〇〇万円以上の費用が発生するうえ、オフィスを失う営業のモバイル装備を強化したため、今年度の収益へのプラス効果はなかった。

しかし、亀井が社長室を出てまで断行したオフィスフロアの削減は、半年前のＳＷＡＴにはじまる変革への熱意を、全社員に強烈に思い出させる。亀井にとって、その心理的インパクトのほうが短期的な経済性より重要だった。


営業マンは新宿オフィスの自分のデスクを失ったが、社長室を廃した亀井の決断の前に、不満を漏らす者はほとんどいなかった。むしろ、新しく快適なモバイル環境と、自宅から顧客先への直行直帰が認められた新しい環境を歓迎する声さえ聞こえてきた。営業の一体感を失わないよう、金曜日の営業会議への出席は義務づけられていたが、それ以外の会議には、出先から電話で出席することを許された。柔らかなコミッション制も導入された。こうなれば、仕事の成果だけがものを言う。遅くまで会社に残って残業しているとか、頑張っているとかは、評価の対象にはならない。

一度差し戻しを食らったアイスブレーカーズたちが、後から知恵を絞った提案だった。一人ひとりの売上げに応じて給料が変動するコミッション制の導入は、実質的な給与カットだと、不満を抱かせる可能性があったが、むしろ、働き次第で収入が大幅に増やせると、前向きな雰囲気が生まれていた。つまるところ、給与を払ってくれるのは、会社ではなく、顧客なのだという真理を多くの営業マンが理解し、給与が下がることより、上げることに集中する雰囲気が生まれていた。ＳＷＡＴを経験したエバンジェリストたちが中心となって、営業マンの間でインフォーマルな議論が相当あったようだ。

成功の連鎖

三月末にと期待していたニッコー社への参入は、予定より大幅に遅れていた。しかし、木下を中心とする新編成チームの執拗な粘りで、五月末には、ニッコー社の要求をほぼ満足する結果が得られていた。その成果報告を行った六月中旬の打合せには、開発担当のニッコー社の沢専務自らが出席していた。はじめてのことだった。

「黒澤さんのところには、いい技術者がいますね」

木下の説明を聞き終えると、その沢が口を開いた。

「この人の熱意には、頭が下がりましたよ」

木下の方を一瞥してわずかに微笑むと、沢はリョウの方に厳しい視線を戻した。

「この製品は、技術的には我々の要求を満たしています。営業の方をよこしてください。価格のほうを、もうひと頑張りしてもらいたい。それと納期とボリュームの打合せをしたい。それから、御社の亀井社長にお目にかかりたいのだが、近々会わせていただけないだろうか」

これまでの打合せでは、年内の予想売上げは四五〇〇万円程度というものだ。この小さな取引に、客先の役員から亀井に会いたいとの申し入れは、あまり例がない。この半年、例の不良品出荷事件のおかげで、客先との面会でいいことのない亀井は、リョウから話を聞いて首をひねった。

＊＊＊＊＊＊　＊＊＊　＊＊＊＊＊＊

「たしか亀井さんのところでも、シリコン系のコーティング剤を扱っておられますね」

ニッコー社の沢専務が、確認するように訊いた。ニッコー社の売れ筋の健康飲料の容器に使われているコーティング剤のことだった。

「ええ、つくっていますが、それが何か？」

「いや、いま使っているサプライヤーが、品質上の問題を起こしましてね……。スペックを満足しない製品を、スペック内と偽って納品していた。我々のほうで見つけて指摘したんですが、対応が酷くてね」

沢は、亀井の目を覗き込むと一言言った。

「S社の太田部長は、私の大学時代の友人でね。御社の不良品出荷の話を聞きましたよ」

亀井は、やはりこの話かと、うんざりする気持ちになった。

「すばらしい対応だったそうですな。太田君が感心していましたよ。もちろん、そんなことはないに越したことはない。しかし、それを見つけたとき、企業人として勇気ある決断をされた。事後処理もすばらしかったとね。今回採用させていただく食品添加剤も、御社の対応のよさに感心させられたからです。社員の動きが違う。我々としては、そういう会社とお取引させていただきたいと思いましてね。お宅に同等のコーティング剤があるのであれば、切り替えを考えたいと思っています」

年間三億円程度になる新たな商談だった。

敵失とはいえ、ＳＷＡＴの提案を受け入れ、ニッコー一社に集中した戦略を展開していなければ、出てこなかった話に違いない。不良品出荷発見も、もとはと言えばＳＷＡＴの提案がきっかけだった。

「いや、何よりも本質的なことは……」

沢専務との打合せを終えた亀井は、会社に戻るクルマの中で考えていた。

「リョウのファシリテーションをきっかけに、全社の目標達成に向けて、貪欲なファイティングスピリットが生まれていることだ。それもＳＷＡＴの成果だろうか？」

組織の壁、上下の隔たりを超え、社員の間で、目標達成のための前向きの意見や情報が活発に交換されるようになってきた。社員からの報告を聞いても、そのことは明白だった。勝つために何をしなければならないか、という行動の説明が非常に明快なのだ。しかも、マニュアルに従ってプレゼンしているという感じではない。まずＳＷＡＴに参加した二七名がそのように変身し、次に彼らが核となって、そういう行動パターンを日々の活動の中で浸透させていった。その結果、人と人との相互作用が活性化し、アウト・オブ・ボックスなアイディアが溢れはじめている。

ＳＷＡＴの後、変化にチャレンジする行動が目立ってきた。まるで化学反応でも起こって違う組織に生まれ変わったかのようだ。亀井は今日、客である沢から、直にその変化を聞くことができた。

「まるで、うつ症の性格が治ったようだ」

その変化の手応えに、亀井本人が自信を感じはじめていた。

折しも、中国製原料への切り替えを進めていた土木・建築分野の売れ筋製品群も、量産試作を成功裏に終え、市場出荷を始めていた。これによるコストダウン効果は、年間で一億円を超えるだろう。

＊＊＊＊＊　＊＊＊　＊＊＊＊＊

この年、ＳＣＣ社は、例の不良品出荷問題に足を引っ張られ、年の前半は業績を伸ばすことができずにいた。しかし、この問題にすばやく対処し、早期に沈静化させることができたおかげで、後半になると俄然売上げを伸ばしはじめた。

ＳＷＡＴをきっかけに、過去にとらわれない斬新な試みがどんどん成果をあげ、通年で二八パーセントに達する売上げの伸びを記録した。

コストダウンのほうは、亀井の目標値を下回ったが、それでも二一パーセントという驚異的な数字を達成していた。結果として、ＳＣＣ社は史上最高益を記録した。営業マンの七割が、目標値を大きく超え、新しく導入されたコミッション制のおかげで、手取りを増やしていた。彼らにとって、ＳＷＡＴに始まった新しい取り組みの手応えは、発表された数字ではなく、生活にインパクトのある現実のものになった。

　機会を見つけては、成功を祝って表彰し、飲み会を開いては労をねぎらうなど、リーダーたちも、士気の高さを維持しようと工夫していた。鳩村の言った九〇日よりも時間はかかったが、はっきりとした評価が、社員の士気を高めるという好循環に、いよいよ入りはじめていた。

THE FACILITATOR

第6章

何が変わったのか

自分が変わった

「あの強引な松原さんが、急に変わったんで驚きましたが、その後、我々もずいぶん影響を受けました」

三年前に営業に中途入社してきた浦川が、亀井の質問に答えていた。この一年、亀井が折をみては開いている、若手との昼食会でのことだ。

「『あの強引な』は余計だろう」

SWATに参加していた営業の松原が、照れ隠しに茶々を入れた。しかし、松原は、正直、自分自身の変化を感じていた。

以前は、とにかく自分の言いたいことを主張する、ただ声の大きいだけの営業マンだった。自分は正しいことを言っているのに、なぜ上司や周りはそれを受け入れないのか、理解できなかった。浦川は、そういう先輩の不満をよく聞かされていた。それが一年前のSWATの後、人が変わったように不満を口にしなくなった。それだけではない。

「で、具体的に、どう変わったのかね?」

亀井が、笑顔で松原を制するようにして浦川に訊いた。

「まず、会議の席で静かになりましたね」

苦笑する松原を横目に、ニコニコしながら浦川が続けた。

「以前は、気に入らない意見が出ると、真っ先に言い返していたのに、黙っているんですよ。気持ち悪いぐらいに。ただ、議論が行き詰りそうになると、立って前に出て行く。それでホワイトボードの真ん中に縦線を引くと、例えば、左側に賛成意見、右側に反対意見を並べていって、賛否を整理したうえで、自分の意見を言うんです。それが、すっごく説得力があるんです」

「おい浦川、やめろよ」

「はじめは、松原先輩だけだったんですが、最近は、皆真似をするようになってきました。私も、自分の考えを整理するのに、ノートを左右に仕切って同じようなことをするのですが、おかげで、頭の中が整理されます。会議の時間も短くなり、必ずアクションが決まって、建設的になってきました」

「それは、松原君、すごい変化じゃないか」

「はぁ」

松原は頭を掻いた。

「私は、松原先輩から違うことを教わりました」

亀井を境にして、浦川の反対側に座っていた石原が声を上げた。

「何かね？」

「あるとき、納期が間に合わないという問題がありまして。それが重要なお客さんなんです。営業と製造の関係者が集まって、対策会議をやったのですが、お互いに悪口の言い合いになってしまって、本来の問題はどこかにいってしまった議論になったんです。そのとき先輩が、やはりホワイトボードのところに立って、縦に線を一本引くと、左側に『コントローラブル』、右側に『アンコントローラブル』と書いて、皆の言うことを、黙々と左右に整理していったんです。すると、だんだん悪口がなくなって、それで、先輩が『自分たちがコントロールできる左側の課題に集中しよう』と言われたんです。それから議論が急に建設的になって……。すごく印象的でした」

「すごいじゃないか、松原君」

「はぁ、ありがとうございます」

肩を縮めるようにして、蚊のなくような小さな声で松原は答えた。

「実は、ＳＷＡＴのときに、ファシリテーターの神社さんから教わったもので……」

内臓の働き、血圧、感情……。考えてみればすぐわかることだが、自分の心や体でも自分の意思の力でコントロールできるものは少ない。普段はそのことを忘れている。その中で、呼吸は、ある程度意思によってコントロールできるユニークな機能だ。その呼吸に集中することで、本来不随意であるはずの血圧や、内臓の動きを調えることができる。いや、心まで制御できると、禅やヨガ、自律訓練法などが教えているではないか。コントロールできないことをぼやいても何も変わらない。自分ができることに集中しよう。それによって、自分が直接コントロールできないものにまで、影響を与えることができる。

ＳＷＡＴで行き詰っていたとき、神社が、議論をファシリテートするために語ったこの方法に、松原は強く影響を受けていた。大きな声を出して、他部署の問題点を非難しても問題は解決しない。いや、感情的にこじれて、ますます解決が難しくなるかもしれない。それよりも、自分と相手はゴールが違うのじゃないか、何が意見の違いをもたらしているのか、どうやれば、相手の協力を得ることができるのかを冷静に考え、自分の力の及ぶことに集中する。その姿勢を神社から学んでいた。そしてそれを会議の場で、参加者に伝える具体的な方法が、先の二分割法だった。

「ＳＷＡＴで、ファシリテーションというものにはじめて接して、ファシリテーターの心の動きの違いに驚きました。私とはまったく違うレベルで思考しているんです」

「松原さん、それはどういうことですか？」

浦川が身を乗り出した。

「ファシリテーターの人たちは、チームが達成しようとしている目的から絶対に目を離さないんだよ。そのうえで、人と人とのインタラクションに注目している。感情的なしこりが障害になっていると思えば、それを取り除くことを考える。既成概念にとらわれて新しい発想ができないとみれば、視野を広げようとしたり、時にはショックを与えて目を開かせてくれる。自分は、それまで自分の意見しか考えていなかったけれど、それだけじゃダメだと思い知った」

「最近、先輩、変わったなと思っていましたが、そういうことだったんですね」

アクション・オリエンテッド

「私が、ファシリテーターの人たちから強く感じたことは、プラス思考と行動を生み出すエネルギーの大きさです。いま話に出た二分割法とかのスキルじゃなくて、ファシリテーターの声や話し方、態度から、前向きなエネルギーを強く感じましたね」

開発センターの難波が割り込んできた。

「現実を直視し、自分がコントロールできるところに絞り込んで、建設的で前向き、目的を見失わない議論をさせる。そのためのいろいろなスキルにも感心しましたが、私は、そういうスキルに裏打ちされたアクション・オリエンテッドな精神に接して、自分の性格や行動が変わってきたように思います。そのいい例が黒澤センター長です。できることに集中して、さっさと決めて、アクションをとる。『すぐやってみよう』『ダメだったら、変えたらいい』というサバサバした雰囲気が、一緒にいると伝わってくるんです。仕事ですから、時には攻撃的な発言も出ますが、皆それを個人攻撃とはとらなくなってきました。SWATの後、そういう性格が、全社に普及したような気がします。グズグズ、誰かに遠慮した議論を繰り返しているよりは、多分それが、より大きなチームワークを生み出し、目的を達成するために力を合わせられるようになってきたのではないかと思います」

「目的達成へのチームワーク、批判を個人攻撃と捉えず、目的達成のためのプロセスと理解する自立した心。卓抜した行動力。君たちの話を聞いていると、一流のスポーツマンのような逞しさを感じるな」亀井はうなった。

対人関係力

「松原さんとは違って私の場合、この一年でよく話をするようにもなりました。以前とは違い、他人と話をすることを恐れなくなったんですね」

難波が続けた。開発センターの、この寡黙な技術者には、以前なかったことだ。

「ほう、それは面白いね」

「以前は、会議などで対立する意見が出ると、恥をかくような気がして、完全に理論武装してからでないと話ができなかったのです。それでついつい声が出なかったのですが、SWATの後、その気持ちが変わってきて、話せるようになってきました」

「そのようだね。それで、どうして変わったのかね？」

「ファシリテーションのおかげだと思います。考えを構築して自分の意見をつくってしまう前に、自分のモノを考えるフレームワークのようなものを話して、それから皆で考えはじめるんです」

もともと理系の難波は、事実ベースの議論や仮説検証型の思考パターンには慣れている。その思考の枠組みを可視化して皆と共有化すると、営業やマーケティングの議論でもうまくいくことを実感した。その手応えに自信を深めていたのだ。

「例えば昨日、ある顧客のクレームにどう対応するかという会議をやっていたのですが、なかなか意見がまとまらない。それで、ホワイトボードに、顧客満足を頭にしたロジック・ツリーを描いて、その枝に手段を書き出していったんです。ゲーム感覚でどんどんアイディアを出してもらって……。そこで、できたツリーを見ながら、今度は、どれがいちばん効果的かという議論をして、それがすぐにアクションにつながりました」

「なるほどな。君の科学で鍛えた論理的な思考力を、皆で共有できることはありがたいが、難波君、そのことが君の対人力の源になったのかね?」

亀井は、難波が対人関係で積極的になっていることにこだわった。

「あの『ジョハリの窓』の話を聞いてからでしょうか、考え方が変わってきたように思います。自分を開放し、他人から率直なフィードバックをもらうほうが、自分が成長する、というふうに考えられるようになりました。いまから考えると、以前は他人に自分のことを知られるのを怖がっていたと思います」

「ほう、そんなに簡単に変われるものかね?」

「いえ、あの……、理屈で説明するとそういうことなんですが、やはり、直接、黒澤センター長や神社さん、鳩村さんといった違ったタイプのファシリテーターに接したことが大きいと思います」

彼らを見ていて、議論の過程で起こる化学変化を楽しむ心を覚えた。合意しようが、障害に乗り上げようが、そういうプロセスを、自分の気持ちも含めて、高い位置から見るメタ認知のようなものを、意識できるようになったと、難波は説明した。

チームと遊離してひとり正論を唱えていても、実際の問題解決には貢献できないことがある。難波にはそういう傾向があった。以前は、「自分には答えがわかっている」「これをやればいいんだ」という気持ちを抑えることができなかった。しかしいまは、いったんそういう気持ちを伏せて、ファシリテーター役に身を置いてみることができる。そうすると、不思議と新しい発見がある。自分が、これこそが答えだ、と考えていたことに違う見方があることに気づくようになった。超然としていた自分がバカバカしく見え、チームとの一体感を心から感じられるようになってきた。それが難波の言葉数を、自然と増やしていたのだ。

松原は発言が減り、対照的に難波は会議での発言が増えた。しかし二人とも、ファシリテーションを経験することで、対人関係力を高め、自信を深めていたのだ。

このようなファシリテーションの人間関係への影響も、ＳＷＡＴを通じて、一気にその影響範囲が広がった。ミッションづくりのためのタイムマシン法や、ブラックデビルが出てくるような芝居がかった気分転換法などは使わないが、日々の生活にＳＷＡＴは大きな影響を与えるようになっていた。

会議を阻害する五大悪癖

「この半年ほど、会議の中で、自分だったらどうやってファシリテーションしようかと、いつもそういう観点から見てきたんですよ」

経理部の堀口だった。

「いろいろな問題パターンはあるのですが、うちの会社で、よくあるのは五つぐらいです」

①過去の話を繰り返すだけ
②自分たちがコントロールできない他の部署などのせいにする
③アクションを決めない
④全体最適に逆行する部分最適の主張を繰り返す
⑤堂々巡りの議論

「松原さんの、二分割法は、①と②のパターンに有効です。③には、４Ｗ１Ｈ。④には、ロジック・ツリーを描きながら議論すると効果があるなと実感しています。難しいのは⑤です。これには手を焼いています」

図表27　循環する議論

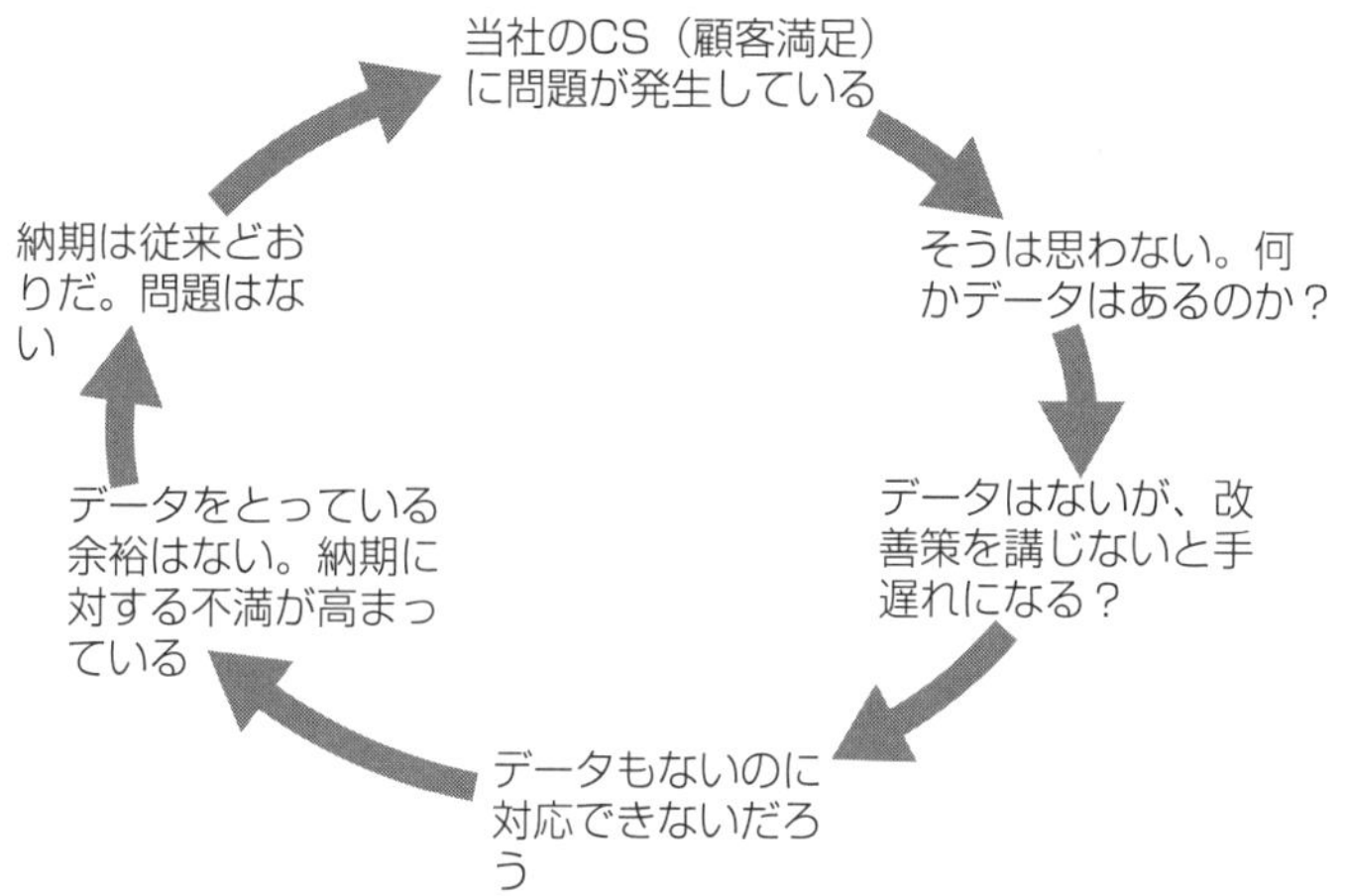
当社のCS（顧客満足）に問題が発生している
そうは思わない。何かデータはあるのか？
データはないが、改善策を講じないと手遅れになる？
データもないのに対応できないだろう
データをとっている余裕はない。納期に対する不満が高まっている
納期は従来どおりだ。問題はない

「僕はね、論点をこういう具合に円状に描き出して、まず堂々巡りの構造を可視化するようにしている。そうやって堂々巡りの議論をいくら続けても時間の無駄だということをはっきりさせ、皆の意識をそこからの脱出方法に集中させる」

松原は、先日あった顧客満足（CS）に関する営業と製造部との議論を、テーブルの上の食器を円形に並べながら説明した（**図表27**）。

「要するに、『データがなければ、問題は解決できない』『データを集める余力はない』という循環ロジックを、言葉を変えて繰り返しているだけなんだ。それを、こういう具合に円を描いて見せたら、誰かが、『この問題を解く鍵は営業が握っている。何とかCSを測る方法を考えてはどうか』と提案した」

松原は、ナプキンを一枚取ると、そこに簡単なロジック・ツリーを描いた。

図表28　時間をつくる４つの方法

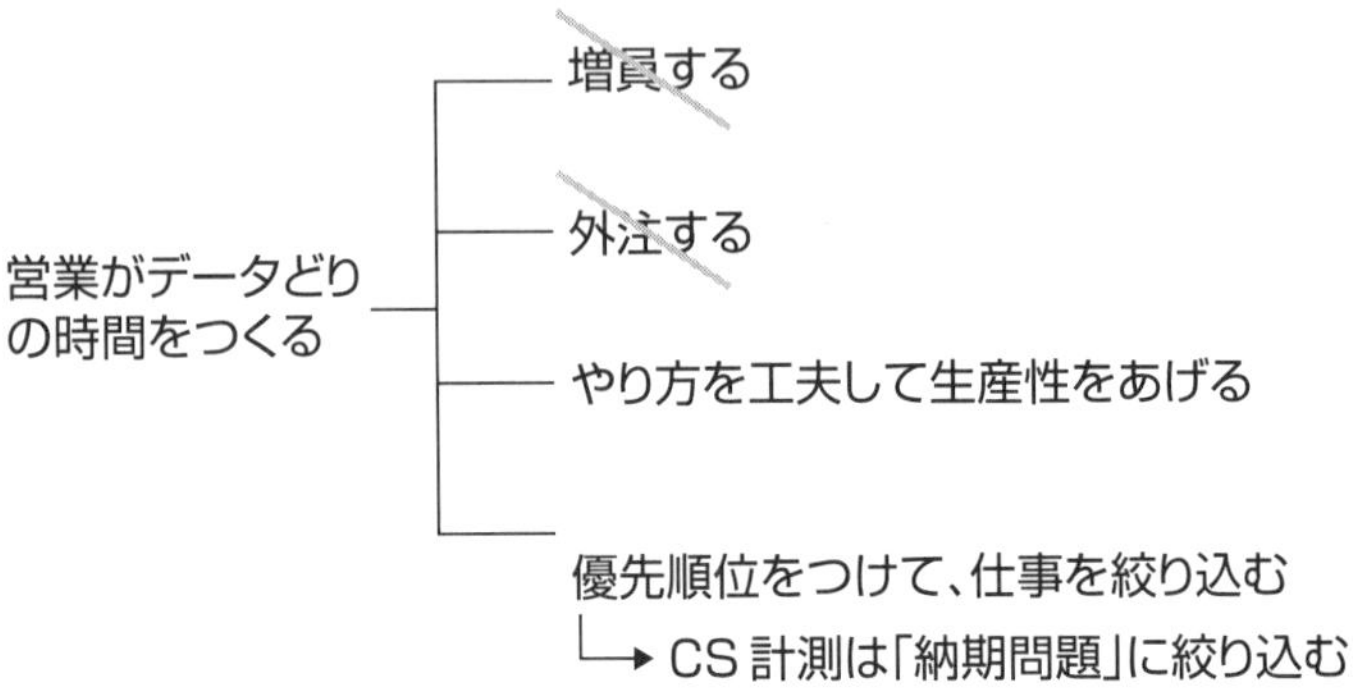
営業がデータどりの時間をつくる
増員する
外注する
やり方を工夫して生産性をあげる
優先順位をつけて、仕事を絞り込む
CS 計測は「納期問題」に絞り込む

「結局、営業がデータをとるしかない。それで、時間をつくる方法を皆で整理してみると、結局この四つになった（**図表28**）。要員を増やすとか、外注するということは、コストダウン方針の中ではできないから、残りは、仕事の仕方を工夫して生産性をあげるのか、優先順位をつけるという選択枝が残る。議論の結果、我々がいちばん問題視している納期の問題に絞って、データどりをすることにしたんだよ。これならたいした負担にはならないし、循環している議論を断ち切ることもできる」

ソフトな変革

亀井は、社長である自分の存在を気にせずに続く話に、いささか自尊心を傷つけられながらも、興味深く耳を傾けていた。やはりＳＷＡＴは、単に解決策を検討するプロジェクトではなかったらしい。あの活動を通じて、グループで問題を解決するスキルを身につけていた。

確かに、ＳＷＡＴの結果出されたさまざまな提案は、すべて、言わば目に見える変革だった。マーケティングと製品開発センターを統合してＭＴセンターをつくる。大胆な人事。中国進出。新規分野での集中の戦略。本社オフィスの削減。コミッション制の導入などがそれらだ。

これらをハードな変革とすれば、ＳＣＣ社の、この二年間の変革に成功をもたらしたのは、「ソフトな変革」のおかげかもしれない。

「ソフトな変革」

それは、社員の一人ひとりの行動が変わることを通じて起こる変革だ。ハードな変革だけでも、コストダウンなどで、短期的な成果をもたらすことはある。しかし、それだけでは息が続かない。

そのハードな変革に多くの社員が納得していること、実行段階で起こる予想外の問題に柔軟に対応する意欲と力を備えていること、そして、その気持ちを維持していく何かを、継続的に仕掛けていくこと、そういうソフトな要素が大きな役割を果たす。それが、今回のように二年間という短期間に成果が表れた要因ではないか。

「ＳＷＡＴはそういう仕掛けだったのかもしれない」

亀井は、改めて自分の経営の問題の本質に気づいたように思った。

THE FACILITATOR

エピローグ

事業買収

景気が、上向きかけている。

しかし、皮肉にもこの時期、不振が伝えられていたフルイ化学の倒産は、決定的となっていた。

二年前、はじめて亀井に資本参加を持ちかけたとき、条件面で強気に出ていた同社の高石社長も、これ以上交渉を長引かせる余裕は、もはやなくなっていた。亀井からは、「持株比率五一パーセント以上」「三分の二以上の役員ポスト」「必要とあれば社員の雇用も保証できない」と厳しい条件を突きつけられていたが、ここまで追い詰められれば、ある程度飲まざるを得ない。キャッシュフローの悪化を反映して事業評価額も大幅に下がってしまった。


「亀井さん、我々テクノロジー側のデュディリ（事業精査）では、土壌汚染やプロダクトライアビリティなどの瑕疵はなさそうです。営業本部の桜井さんとも話したのですが、営業側から見ると、顧客ベースに結構補完性があり、当社の製品を展開することで、シナジー効果が出せそうです」

リョウは、この三か月ほど営業本部の桜井と組んで、フルイ化学の技術・営業サイドのデューディリを進めていた。

「財務面、人事面、製造面の検討結果はどうですか？」

「財務的には、若干隠れていた損金などが見えてきたが、たいしたことはない。買収額に反映させればしまいだ。ただ人事面では、少し難しいかもしれん」

亀井は、川崎のセンターに、わざわざリョウを訪ねていた。

「というと？」

「旧式の年功序列がまかり通っていて、残念なことに、上に行くほど能力が低いようだ。変化を好まない。『伏魔殿のようだ』と星川人事部長が言っていたよ。組合はないのだが、それに似た非公式の組織があって、なかなか手ごわいらしい。財務的にも分析力が弱いようだ。経理の川本君のチームがいろいろ財務書類を調べているのだが、データが出てこない。隠しているのではなく、どうもなさそうなんだ。データに基づいて議論するという雰囲気もない。自分たちのマネジメントが悪いという認識もない。まあ、だからこそ、今回の不況を乗り切れずに、ここに至っているということだろう。買収しても、どうやってこの会社をＳＣＣに同化するか、なかなか問題だよ」

「そうですか。それは難しそうですね」

「そう。しかし私の見るところ、この難問を解決し、短期間に当社とのシナジーを発揮させることができる、うってつけのリーダーが一人いる」

亀井はじっとリョウの瞳を覗き込んだ。

「えっ、私ですか!?」

二年前、製品開発センター長を打診されたときと同じように、リョウは素っ頓狂な声を上げた。

「他に誰がいるというのかね？　今後の交渉の進み具合にもよるが、九月までには決着するだろう。そうなったら、この会社に乗り込んで統合化のリーダーをやってほしい」

「……」

「いつまでもMTセンター長をやっている柄でもないだろう？　いずれはビジネスリーダーになるポテンシャルが君にはある。統合化リーダーは、そのいいトレーニングになるぞ」

二つの異なる文化を持つ企業の統合化を指揮するのは、大変な仕事だ。特に、フルイのような排他的な企業文化を持つ会社を統合するのは至難の業だろう。統合化リーダーは社長をやるより難しいかもしれない。

「亀井さんには、本当に驚かされます。頭がぶっ飛んでしまって、ちょっと考えがまとまりません。しばらく考えさせてください」

＊＊＊＊＊＊　＊＊＊　＊＊＊＊＊＊

銀行筋からの圧力もあり、その後三か月で買収は決まった。リョウは、MTセンターを小西に任せ、九月一日に統合化リーダーとして、横浜に本社のあるフルイ化学に着任した。社長室の横の個室がリョウの部屋としてあてがわれた。さっそく精力的に社内を歩き回り、幹部との面接を進めた。

一週間ほど経って、リョウは、自分のノートや書類などが密かに調べられていることに気づいた。鍵をかけてあったはずの机の引き出しの中の様子が変わっているのだ。恐らく社員の誰かが、自分が帰宅した後に部屋に忍び込んで調べているのに違いない。気持ち悪く感じたが、すぐに思い直した。

ここまでやるほどに、フルイの社員は戦々恐々としているのだ。

「早く、腹を割って話し合えるようにしなければ……。そのためには開発センターでやったように、リーダーズ・インテグレーションをやろう」

二か月後には、やる気のある中堅・若手を集め、小さいながらも改革のプロジェクトをスタートするところまで漕ぎ着けた。ミニSWATだ。自らファシリテーターとなって進めようとしたが、企業風土の違いというのは大きい。さすがのリョウも、SCC社のときのようにはうまくはいかない。元気のいい精鋭を集めたはずなのだが、何を言ってみても、なかなか響かない。リョウの影響力を恐れて、発言を控えているのか、それとも知恵が出ないのかもわからない。データが少ないこともSWATの活動を難しくしていた。

瞬く間に、六か月が経った。SCC社から二人入れ、営業プロジェクトIを開始した。SCCの製品教育を実施し、フルイの顧客への営業展開を始めつつ、両社の営業の統合化を図る試みである。

しかし、リョウにとって、タフな判断をしなければならない時期は、容赦なく近づいていた。よほど大きなシナジー効果が出ない限り、大幅な人員削減は避けて通れないだろう。場合によっては、工場閉鎖も視野に入れなければならないかもしれない。いずれもあと半年程度の間に答えを出さなければならない。

はたして、黒澤涼子にこんな荒療治ができるだろうか？　亀井という強力なサポーターを得、文化的にも整っていたＳＣＣのときのように、この会社でもリョウは成功できるだろうか。

日曜の午後。リョウは、世田谷のマンションに戻ると、二年前のコンサート以来、久しく手に取ることのなかったフルートを手にした。この焦りを払拭したい。そう思いながら、リョウは、唇を当て、背筋を伸ばした。バッハのカンタータ一四七番「主よ、人の望みの喜びよ」が静かに流れはじめた。

あとがき

はじめに書いたように、この物語はフィクションである。しかし、そこに描かれた組織変革やファシリテーションには、できる限りリアリティを持たせたつもりである。これをケーススタディとして利用していただくため、本稿を終えるにあたって、読者の皆さんに考えていただきたい点を以下にまとめてみた。できれば同好の士と、これらの点について意見交換していただくことをお勧めして、あとがきに代えたい。

1　統合化リーダーとしてフルイ化学に乗り込んだリョウは、果たして成功するだろうか？　皆さんがリョウの立場なら、この後、どうするか考えてみよう。

2　リョウが開発センターで行ったリーダーズ・インテグレーションは、リョウのハンディキャップ（女性、年下、専門知識を持たない、等々）を克服するために、どのように役立ったか？　あなたなら、そのノウハウをどのように活かすか？

3　リョウは自らを、ファシリテーターではなく、ファシリタティブ・リーダーとした。ファシリテーターとリーダーはどう違うのか？　ファシリタティブ・リーダーとは何か？

4　リョウのもとで、なぜ人は活性化するのだろうか？　動機、感性、論理に分けて考えてみよう。

5　会議のファシリテーションと組織変革のファシリテーションの違いは何か？

6　組織変革におけるファシリテーションの役割は何か？　組織変革に必要なさまざまな要素（ビジョン、環境分析、事業戦略、人事施策、マーケティング、アクションプラン、実行の継続、行動の変化、等々）とファシリテーションはどのような関係にあるか？

7　亀井は、ＳＷＡＴの直後に、チームから直接報告を受け、その場で決裁しようとした。この行動の意味はなんだろうか？　ＳＷＡＴのようなプロジェクト活動と、そのオーナーの重要性について考えよ。

8　変革を進めるうえで、エバンジェリストの意義は何か？　それは必要か？　この物語では、ＳＷＡＴがエバンジェリストを生んだが、それ以外にどのような方法が考えられるか？

9　あなたの会社にもあるハードな組織とソフトな組織を意識してみよう。組織を効果的に動かすためには、これをどう活かすことができるか考えてみよう。

10　すべての変革には、起こす、実行する、継続するという三つのプロセスがある。変革を三日坊主とせず、継続するための方法について考えてみよう。自分自身に変革を起こし、結果を出し、継続する方法と組織のそれらとを重ね合わせて考えてみよう。

11　読者の皆さんの日々の生活の中で、困っているシーンを捉え、あなたならどうファシリテーションするか考えみよう。

12　アクション・オリエンテッドなカルチャーをつくるファシリテーションを考えてみよう。

13　社外の人たち（例えば、顧客・サプライヤー）との打合せを活性化するファシリテーションを考えてみよう。

14　ファシリテーションは専門職か？　それとも、すべてのビジネスマンに必須のスキルだろうか？

15　自分の考えや感情を、自らファシリテーションする方法を考えてみよう。

この本を執筆するにあたり、すばらしい方々に助けていただいた。最後になったが、お世話になった方々にお礼を申し述べたい。

日本ファシリテーション協会に所属する方々から多くの示唆を得た。協会のML（メーリングリスト）には多数の投稿があり、そこから発想を得たものも少なくない。多すぎていちいち名前を挙げることはできないが、協会を代表して、堀公俊会長、黒田由貴子副会長、池田隆年理事長、高野文夫理事、吉村浩一理事、加留部貴行理事の名前を挙げさせていただきたい。この方々と日本ファシリテーション協会を立ち上げる機会に恵まれたことは幸せであった。

今回、この本を出版してくださるダイヤモンド社の御立英史氏、久我茂氏には叱咤激励をいただいた。特に久我氏の柔らかな催促には大いに助けられた。実は、この執筆の途中で、私は長年勤めたGEを退社し、テラダインという半導体のテスターメーカーに移った。この間、半分以上は海外という生活をしている。久我氏の催促がなければ、私は、とうの昔に、この物語を書くという孤独な作業を投げ出していたに違いない。心からお礼申し上げたい。

この原稿を仕上げた直後に、父が八四歳の天寿を全うして他界した。私の人生に決定的な影響を与えた亡き父好市に、この本を捧げたい。母悦子には、これからの人生を余すところなく楽しんでもらいたい。私の健康を気遣い、不規則な生活を支えてくれている妻裕子と娘の恵美にも、この場を借りて深く感謝したい。

二〇〇四年八月吉日　上海にて

森　時彦

[著者略歴]

森　時彦（もり・ときひこ）

㈱チェンジ・マネジメント・コンサルティング代表取締役。

大阪大学、マサチューセッツ工科大学（MIT）卒、工学博士・MBA。神戸製鋼所を経てGEに入社、事業企画・技術開発・マーケティングなどのリーダーシップポジションを歴任。GEジャパン元役員。その後、半導体自動検査装置最大手であるテラダインの日本法人の代表取締役、非公開株専門に投資するファンドへの投資アドバイザー会社の㈱リバーサイド・パートナーズ代表パートナー、スポーツ自転車小売最大手の㈱ワイ・インターナショナルの代表取締役社長などを経て現職。ビジネス・ブレークスルー大学客員教授、日本工業大学大学院客員教授、NPO法人日本ファシリテーション協会フェロー。著書に『ザ・ファシリテーター』『ザ・ファシリテーター２』『ファシリテーター養成講座』『ファシリテーターの道具箱』『本物の自信を手に入れるセルフ・ファシリテーション』（いずれもダイヤモンド社）、『“結果”の出ない組織はこう変えろ！』（朝日新聞出版）、共著に『プロフェッショナル・リーダーシップ』（東洋経済新報社）がある。

〈e-mail〉SNB13753@nifty.com

ザ・ファシリテーター――人を伸ばし、組織を変える

2004年11月11日　第１刷発行
2020年４月13日　第21刷発行

著　者――森　時彦
発行所――ダイヤモンド社
〒150-8409　東京都渋谷区神宮前6-12-17
http://www.diamond.co.jp/
電話／03･5778･7232（編集）　03･5778･7240（販売）
装丁――――藤崎　登
製作進行――ダイヤモンド・グラフィック社
印刷――――信毎書籍印刷(本文)・新藤慶昌堂(カバー)
製本――――ブックアート
編集担当――久我　茂

ISBN 4-478-36071-5